新潮文庫

花神

上巻

司馬遼太郎著

目次

花神

上巻

浪華《なにわ》の塾

「適塾」

という、むかし大坂の北船場にあった蘭《らん》医学の私塾が、因縁からいえば国立大阪大学の前身ということになっている。宗教にとって教祖が必要であるように、私学にとってもすぐれた校祖があるほうがのぞましいという説があるが、その点でいえば、大阪大学は政府がつくった大学ながら、私学だけがもちうる校祖をもっているという、いわば奇妙な因縁をせおっている。

江戸期もおわりにちかいころ、大坂で、

「過書町《かしょまち》の先生」

といわれた町の蘭方医緒方洪庵《おがたこうあん》が、ここでいう校祖である。

「人間は、機械とおなじかもしれない」

という、およそ非神秘的なことを、独特のおだやかな物言い方で、門生に説ききかせたひとである。その門生のなかに、福沢諭吉もいる。橋本左内、大村益次郎《ますじろう》、大鳥圭介《けいすけ》、長与《ながよ》専斎、箕作秋坪《みつくりしゅうへい》、佐野常民《つねたみ》など、幕末から明治にかけての文化大革命期に登場する人物の名が、この塾にいまも保存されている門人帳にのっている。

適塾の建物は、問屋の町である北船場の過書町にあった。いまもある。町名がかわって、中央区北浜三丁目になっている。ほぼ旧観のまま保存されており、一般の観光を拒絶し、国有財産として大阪大学が管理している。私事ながら、あるとしの春、たまたまこの適塾の前をとおりすがったとき、ふとなかを見たいとおもい、格子戸《こうしど》ごしに暗い土間をのぞいてみた。やがて管理人らしい老人が出てきて、格子戸をへだてての交渉になったが、かぶりをふられてしまった。

夏になってから、所定の手続きをとってなかに入れてもらった。塾舎と、塾主の洪庵とその家族の居住区が、せまい中庭をへだててわかれている。大坂の町屋《まちや》としてはかなりひろいほうで、当時とくらべて寸分といっていいほどにかわっていない。

「人間のからだというものは、諸機械がみな各自に運動していて、それで生活をしている。その原《もと》は一個の力より生ずる」

と、洪庵は門生に説いた。その一個の力というのを洪庵は生活力と名づけた。生活力とはなにか。超自然的な神秘力か、それとも非神秘的な自然力か。あるいは自然力にのっとって有機体の実質がある様相の混合と形成によって一種の力（たとえば電気のようなもの）を発するものなのか、さらにまた、その生活力のモトのモトなるものは、酸質か、神識か、神経か、と洪庵はヨーロッパにおけるいくつかの最新学説をのべ、しかもかれ自身は結論をのべず、

「いまだ定説あることなし」

と、突きはなしている。こういう洪庵の平明な合理主義が、この門にむらがった青年たちにどれだけの思想的影響をあたえたか、はかりしれない。

ちょっと、長ばなしになった。

筆者は先年、美濃《みの》（岐阜県）のひとで所郁太郎《ところいくたろう》という薄命の幕末奔走家のことをしらべていて、この適塾に興味をもった。郁太郎は適塾でまなんだひとで、適塾保存の門人帳にも「美濃赤坂駅　所郁太郎」と名が出ている。

「その所郁太郎のことを、私のほうでも知りたい」

といって来られたのが、藤野恒三郎教授であった。藤野氏は大阪大学教授で、同学の微生物病研究所に研究室をもっておられる。

唐突だが、日本人はナマの魚肉を食う。ときに食中毒をおこす。新聞などで「腸炎ビブリオによる食中毒」といったような記事が出るが、このひとはこの病原菌をみつ

けだした。ここ三十年来、名前のついた病原菌をみつけだしたという例は、きわめてめずらしいことに属するらしい。

魯迅《ろじん》に、

『藤野先生』

という題名の作品がある。魯迅は日露戦争の年に仙台医学専門学校に入学したが、そのとき解剖学をおしえられた藤野厳九郎という越前（福井県）出身のひとが、この作品のモデルになっている。恒三郎氏は、その「藤野先生」のおいである。風貌《ふうぼう》や性格が、どこか似ている。

尻《しり》とりばなしのようになるが、越前大野といえば土井家四万石の小さな藩地で、日本有数の積雪地として知られている。幕末、この草深い小さな藩が蘭学所という藩校をもち、日本における洋学の一中心地であったことをおもうと、徳川封建制というものの内実は意外なおもしろみに富んでいるといえるだろう。

この蘭学所の塾頭が、適塾で大村益次郎とおなじだった伊藤慎蔵である。慎蔵は、ここで藤野升八郎という者をおしえた。藤野はそのあと大坂へ出、適塾でまなんで医者になり、帰国した。この升八郎が、藤野恒三郎教授の祖父にあたる。適塾はその後身である大阪大学においてなおもつづいているというべきかもしれない。

話が、もどる。

美濃赤坂の所郁太郎という無名の士について藤野恒三郎氏が知りたかったのは、この大学でその記念事業としていま適塾の門下生のくわしい名簿の作成がすすんでおり、同氏がその委員になっておられるという理由からだった。

その後ついでがあったから、筆者は当時堂島西町にあった阪大微生物病研究所に立ちよった。この稿にとってきわめて縁のあることに、この古ぼけた研究所の建物は、適塾の塾生福沢諭吉のうまれた豊前《ぶぜん》（大分県）中津藩蔵《くら》屋敷あとと背中あわせになっている。

そのとき藤野教授は、

「大村益次郎とシーボルトの娘との関係、あれは恋でしたろうね」

と、謹直な顔でいわれるのである。

だしぬけだったので、私はしばらく藤野教授の貌《かお》を見ていた。教授は越前人に多いやせがたの面長で、ちょっと古君子のにおいがある。

「私は、恋だったとおもいます」

と、藤野教授は、自問自答された。

「そうでしょうか」

私は、そういう課題を考えたこともなかったので、不得要領にこたえざるをえない。この話題に出た大村益次郎は、村田蔵六《ぞうろく》といっていた時期がある。蔵六は一種顔に力のこもったぶおとこで、眉《まゆ》が異常にふとく、目はぎょろりとしているが、光はあまり感じさせない。同郷の長州人たちはこのいかにも珍奇な顔をみて、火吹達磨《ひふきだるま》のようだ、と悪口をいった。かれの生きた時代は、薄化粧をしても似合うような紅唇白面のやさおとこが娘たちの気に入られていたから、蔵六はやたらに恋のできるかおではなかったろう。それに無口で、とびきり無愛想であった。

しかし考えてみると、相手もふつうの娘ではない。シーボルトが長崎丸山の遊女其《その》扇《ぎ》にうませた娘で、シーボルトの日本人弟子たちがそだてて教養を身につけさせ、のちには彼女が自立できるよう、医学もおしえた。蔵六はシーボルトとはなんのゆかりもないが、かれの運命が、彼女の個人教師をさせた時期がある。

(むずかしいところだ)

とおもったのは、蔵六にはこどもはなかったが、妻がいる。お琴といった。

お琴は百姓の出で、武家そだちとはちがった面でおもしろいところのある婦人だったが、ひどいヒステリーだった。

そいつがおこると、蔵六はものもいわずに縁側からとびおり、居なくなった。ついでながら蔵六が大村益次郎になった晩年、何人かの門人がかれのまわりにいた。その門人がさがしにゆくと、裏の麦畑のなかに蔵六がひそんでいるのを発見した。蔵六は笑いもせず、

「もう鎮《しず》まったか」

と、きいた。鎮静しなければいつまでも麦畑でひそんでいるつもりだった。

そういう人物が、たとえシーボルトの娘イネと恋をしても、なかなかむずかしいであろう。

もっとも、蔵六の生涯は、ほとんど旅にある。周防《すおう》(山口県)の田舎にいるお琴は、亭主の蔵六の生涯の八割方は知らないのである。

その後、藤野教授の研究所が堂島の雑鬧《ざっとう》から移転した。こんどの環境は大阪の北郊の丘陵地であり、芝生と林にかこまれ、散策のための池もある。

その後、このあたらしい研究所に寄ったとき藤野教授は半年前の会話のつづきをして、やはりそうかもしれませんね、といった。

私も、それに同意したが、要するに村田蔵六大村益次郎について考えてみようとおもったのは、このころからである。

この人物の名前は一生で何度もかわっており、最後が大村益次郎である。

かれより適塾では九年後輩になる福沢諭吉は、つねに、

「村田蔵六が」

とよんでうわさしていた。しかし適塾に入ったころは、医者の子らしく村田良庵（あるいは亮庵）と名乗っていた。ただしこの稿では、村田蔵六とよんでゆきたい。そのほうが、なにやらかれにふさわしいからである。

かれを人びとは、

「長州人」

とよぶ。長州藩はこんにちの山口県まるまる一県がその藩領で、旧国名でいうと、長門《ながと》国と周防国の両方である。蔵六は周防のうまれで、長門のうまれではない。

周防国吉敷《よしき》郡鋳銭司《すせんじ》村字《あざ》大村というのが、村田蔵六のうまれ在所である。のちの姓の大村は、在所の名がそうだからつけた。蔵六にはそんな無造作なところがある。

鋳銭司村は南のほう大海湾にひらける一望の田園で、ところどころに丘陵と松林があり、晴れた日は海明りがして一層にあかるい。

鋳銭司村というのは、奈良朝のころ、周防国の造幣工場があったところらしい。丘の一つから銅が出た。それを現地で吹いて銭を鋳《い》たというが、遺跡らしいものはなく、蔵六がうまれたころは、長州藩の穀倉地帯というにすぎない。

蔵六の家は、武士ではない。

身分は、百姓である。この百姓身分であることが、蔵六がやがて入る知識人社会でのかれのつらさになるのだが、生涯そのつらさを口に出したことがない。考えてみればかれは後年、長州藩の総司令官として幕軍と決戦するのだが、いかに革命期であるとはいえ、百姓身分あがりの者が、そんなだいそれた地位につくようなことは稀有《けう》に属する。

先祖はどこかから流れてきた門徒僧らしいが、祖父の代から医者で、父は代診からあがって養子になった。祖父は診断《みたて》上手で、近在ではたいそうはやり医者だったらしい。

蔵六は長男だから、生涯はきまっている。村医者のあとをついで、村医者にならねばならない。

十六、七歳のとき、いまの防府《ほうふ》市宮市《みやいち》の開業医で梅田幽斎という人物の内弟子になり、医者を見習った。幽斎は内科は漢方で、外科は旧式蘭方という医者である。幽斎はやがて、

「診療や投薬を見よう見まねでまなぶのもいいが、いい医者になるには医書を読まねばならず、医書は漢文がわからねば読めない。まず漢学の先生につくことだ」

と、すすめたため、海をわたって豊後《ぶんご》（大分県）にわたり、その大山奥の日田《ひた》というところに塾をひらく広瀬淡窓《たんそう》の門に入った。

蔵六が、この豊後日田の広瀬淡窓塾に入ったのは、十九のときである。

ふつう、かれが士分なら藩府萩《はぎ》にある藩校に入ることができるのだが、百姓身分ではそれがゆるされない。が、そのほうがよかったかもしれない。

「師としてあおぐのには、天下一流の学匠にかぎる」

と、かれの最初の師である医師幽斎がいってくれた。幽斎がいうには、一流の学匠のもとには一流の門弟があつまっている、たがいに成長をたすけあうから、当方に能さえあれば自然に大医になれるのだ、ということであった。のちに大坂の緒方洪庵の適塾に入ることをすすめたのも、この幽斎である。

豊後日田というのは小倉から十六里弱も内陸に入った盆地にあり、筑後川《ちくごがわ》の上流にあたる。蔵六は行ってみて、

「こんな山里に」

と、おどろいた。しかし山里ながら水が豊富でよく耕され、河川を利用して平地に物をおくるために商業も発達している。いわば豊かな地であるために豊臣の時代から中央の直轄《ちょっかつ》領であり、いまも天領（幕府領）になっている。

この町で、広瀬淡窓がうまれた。家は代々の商家である。十二歳のときにつくった詩が天下の詩壇に注目され、尾張藩の儒官紀平洲《きのへいしゅう》などは、

「自分は七十になるが、うまれてこのかたこれほどの天才をみたことがない」

とおどろいた。このころの日本の詩壇はすでに中央も僻地《へきち》もなく、すぐれた作品なら世にみとめられる時代になっていた。

淡窓はのち天下の大儒とされたが、江戸にも京にも出ず、日田の山里で「咸宜園《かんぎえん》」とのちに名をつけた学塾をひらき、門人をおしえた。門人は六十余州からあつまり、その七十五年の生涯で四千人におよんだというから、これほどの大塾は天下のどこにもない。

塾の教場は六畳と八畳の二室で、それに上下十畳ずつの二階建寄宿舎がある。寄宿生たちは、めしをたくための薪《まき》もとりにゆかねばならない。

「こういう生活が生涯の思い出になる」

と、淡窓は門生につねに言い、門生たちの共同生活の光景を詩にした。

道《い》ふを休《や》めよ、他郷苦辛多しと
同袍《どうほう》友あり自ら相親しむ

柴扉暁《さいひあかつき》に出づれば霜雪のごとし
君は川流《せんりゅう》を汲《く》め我は薪を拾はん

村田蔵六はそういう暮しをして在塾一年あまりをすごした。課題には詩作が多かったが、詩はにがてで、成績はよくなかった。

そのあと、周防の幽斎の塾にかえり、ほどなく志をたてて大坂に出た。

いますこし雑談をつづけてみたい。

まず、江戸期という身分社会での医師というものについてである。

徳川体制というのは人間に等級をつけることによって成立している。身分（階級）を固有なものとし、それを固定することによって秩序を維持した。その人間がうまれついた固有の階級からそれより上の階級にのぼることは、ヨーロッパの封建体制ほどきびしくはなかったにせよ、きわめてまれな例外に属する。

ただ、ぬけみちがある。

庶民から侍階級になろうとおもえば、運動神経のある者なら剣客《けんかく》になればよい。そういう志望者のうち何万人に一人ぐらいというほどの率で、どこかの藩が剣術師範として召抱えてくれぬでもない。ついでながら、幕末、江戸の剣術界を三分していた千葉周作、斎藤弥九郎《やくろう》、桃井春蔵《もものい》らは、いずれも侍階級の出身ではなく、剣ひとつで天下の崇敬を得た者たちである。

僧侶《そうりょ》になるのもいい。

というようななかでも学者になるのが、もっとも有効なみちである。江戸中期以後、諸藩は武術よりも学問を重んじ、高名な学匠にたのんでその高弟を推挙してもらい、儒官として召抱える。儒官は、上士の礼遇をされる。江戸時代を通じて高名な学者というのは、大半は侍階級以下の出身であった。

が、武術にせよ学問にせよ、藩に召抱えられるというような幸運にありつくにはよほどすぐれていなければならないが、そのような能のない者のために、町医者という道がある。

江戸時代、医師に免許の制度がない。供の者に薬箱さえかつがせて歩けば、もはやりっぱに医師として通りうる。診断や投薬に上手下手はある。しかしそれは世間が審判し、下手な医師ははやらないだけのことである。

このような町医者は、身分はむろん武士階級ではなく、だから法的には姓は名乗れない。しかしたとえば百姓医の子村田蔵六のように「村田」を公然と名乗っているのは、いわば芸名のようなもので、役者や町絵師でいう中村歌右衛門《うたえもん》や喜多川歌麿《うたまろ》のようなものであり、法的に厳密な意味での姓ではない。

町医者の風俗は、まず、

「クワイ頭」

という髪を結い、月代《さかやき》を剃《そ》ることはゆるされない。往診や外出には脇差《わきざし》は帯びるが、大刀を帯びられない点は、百姓町人とおなじである。

医者の学問をした者で、よほどすぐれた者は、官医になる可能性をもちうる。幕府や諸藩の奥医師もしくは典医といわれるのがそれで、これは堂々たる士分であった。

幕末の知識人や志士はこの階層の出身者が多く、たとえば長州の桂《かつら》小五郎（木戸孝《たか》允《よし》）や久坂玄瑞《くさかげんずい》などがそうであった。これら官医の風体《ふうてい》は町医とはちがい、みな坊主頭であった。

村田蔵六が、はたちを過ぎて蘭医学を志したのは、かれ自身がどうおもっていたにせよ、

――蘭医の数がたりない。蘭医にさえなれば諸藩に召抱えられる可能性が高い。

という評判があったからである。

――それには、なんといっても大坂の緒方洪庵塾（適塾）である。適塾の高弟にさ

えなれば、諸藩が辞をひくくして百石、二百石で召しかかえにくる。

ということが、定評になっている。

時代の奇蹟《きせき》が、蘭学にある。

その恰好《かっこう》な例がある。

緒方洪庵よりもやや先輩にあたる一群の蘭学家のなかに、伊東玄朴《げんぼく》がいる。佐賀の一庶民の出で、のちに幕府にまねかれて奥医師になり、さらに幕府が文久元年につくった西洋医学所というい わば医科大学にあたる学校の学長のような位置についた。この玄朴がまだ若いころ、長崎へゆき、蘭医島本竜嘯《りゅうしょう》にオランダ語の初歩をまなんだとき、塾の学僕に、六助という職人のせがれがいた。

「菜のような顔だ」

と、玄朴ははじめ六助の顔色のわるさにおどろいた。かれの日課は下僕として働き、夜中になってから蘭語や蘭医学の勉強をし、三、四時間しか睡眠をとっていないという。

だんだん親しくなって話をきくと、六助は少年のころ、近所の友達と将来なにになるかという話をした。商家の子がいて、

「一生のうち一度は土蔵を建ててみたいものだ。そして不自由のない暮しをしたい」

と、いった。いまひとり、八百屋の子がいた。この子だけは大人びていて、

「やはり家業だからな、一生てんびん棒をかついで八百屋をやっているだろう」

と、いった。ところが銅細工職人の子の六助だけは、ひどく子供じみたことをいってしまった。お武家になりたい、といった。

このひとことに、町内じゅうのこどもが揺れるようにして笑った。あほうが、職人の子が侍になれるはずがないではないか。

この時代、ひとびとは笑われまいとして義理に気を兼ね、さまざまの虚飾を張って生きている。いくらこども仲間でも笑われたということは致命的で、このため六助は父親にたのんで家を出、ある漢学の学者の家に学僕として奉公した。学問をしてどこかの藩の儒官にさえなれば士分の身分を獲得できるのである。

ところが本来文字に素養のない六助には漢字がむずかしく、『大学』の素読にすら難渋した。そのころ、オランダ語はわずか二十六字をおぼえればあらゆることがわかるときき、すぐさま漢学塾の学僕をやめて蘭学塾に移った。

この六助はのちに山村良哲という蘭医になるのだが、この良哲だけでなく、大坂蘭学の隆盛の祖ともいうべき橋本宗吉は傘職人の出身であったし、おなじく億川百記は摂津（兵庫県）有馬郡名塩《なじお》の紙すき職人のあがりであった。

ただし緒方洪庵は、侍のあがりである。

備中（岡山県）に足守《あしもり》という町があって、そこに木下家二万五千石という小さな藩がある。城はない。町の丘に、お陣屋がある。

洪庵は、その藩で三十俵四人扶持《ぶち》をもらっている下級武士の家にうまれた。三男だから、養子にゆくか、自立するかしなければならない。

「医者になりたい」

と、父親の瀬右衛門にたのんだのは、十代のころである。

瀬右衛門は、いやな顔をした。

「武士の子はどこまでも武士であるべきだ」

というのが反対の理由だったというから、医者というのは階級外の身ながら、ひくくみられている。瀬右衛門は武士は武士でも御徒士《おかち》という階級で、いわば下士であり、馬にのれる身分ではない。それでさえ、医者をひくくみていた。瀬右衛門のあたまには、クワイ頭の、世間では幇間《ほうかん》とおなじようにみられている町医の姿があったのであろう。

「町医になるつもりか」

と、瀬右衛門はきいた。まさか、御典医という士分の医者になれるような幸運を、わが子に期待できようとはおもえない。

ところで、洪庵の少年のころのおもしろさは、ここで、町医になります、といったことである。

げんにかれの生涯での大半は浪人医としてすごし、大坂における町ずまいでおわった。晩年、江戸からしきりに交渉があり、奥医師になれということであったが、洪庵は大坂をすてる気になれなかった。奥医師とは将軍の侍医であり、官医としては最高のものである。幕府の要請は洪庵を得ようとしてしつこかったため、ついにことわりきれず、ゆかでもの江戸へ行った。十カ月後に病死した。

はなしは、もどる。

洪庵は父がゆるさなかったために、置手紙をして備中足守の生家を出奔した。十六歳のときである。大坂へ出た。

大坂では、中天游《なかてんゆう》の学塾に入った。天游はこの当時、傘職人あがりの橋本宗吉や斎藤方策とともに「大坂の三大家」といわれた蘭医であった。洪庵は夜は流しのあんまをして生活するつもりだったが、幸いなことに父がほどなく藩の大坂蔵屋敷づめになって移ってきたため、せずにすんだ。父も、洪庵の医学修業をゆるした。

なぜ洪庵が医者を志したかというと、その動機はかれの十二歳のとき、備中の地にコレラがすさまじい勢いで流行し、人がうそのようにころころと死んだ。洪庵を可愛《かわい》がってくれた西どなりの家族は、四日のうちに五人とも死んだ。当時の漢方医術はこれをふせぐことも治療することにも無能だった。洪庵はこの惨状をみてぜひ医者になって人をすくおうと志したという。その動機が栄達志願ではなく、人間愛によるものであったという点、この当時の日本の精神風土から考えると、ちょっとめずらしい。

洪庵は無欲で、人に対しては底ぬけにやさしい人柄だった。適塾をひらいてからも、ついに門生の前で顔色を変えたり、怒ったりしたことがなく、門生に非があればじゅんじゅんとさとした。

「まことにたぐいまれなる高徳の君子」

と、その門人のひとりの福沢諭吉が書いているように、洪庵はうまれついての親切者で、

「医師というものは、とびきりの親切者以外は、なるべきしごとではない」

と、平素門生に語っていた。病人を見れば相手がたれであろうと、可哀《かわい》そうでたまらなくなるという性分の者以外は医師になるな、というのである。

徳川身分制時代、医師は卑賤《ひせん》の秀才がその境遇から脱出するための目標とされた。西洋のようにキリスト教世界から医学がそだったのではないために、医師道徳が発達

しにくかったが、洪庵は異例にちがいであろう。かれは無償の親切ということで、道徳性を明快にした。こういう洪庵の弟子から、箱館《はこだて》戦争で敵味方の別なく傷病兵を治療した高松凌雲《りょううん》や、日本赤十字社を創設した佐野常民が出たというのもふしぎでないかもしれない。

「医は賤技」

といったのは、橋本左内である。もっとも左内の十四歳のときのことばである。左内は越前福井藩の典医の子で、成りあがる必要のないうまれであった。医をきらった。しかし藩命によって藩の官費生として洪庵の適塾に入り、医学をまなんだ。

塾では稀代《きたい》の秀才といわれたが、洪庵に啓発されるところがあり、かれは一時期、毎夜ひそかに塾をぬけ出ては、天満《てんま》橋の橋下にむれている乞食《こじき》に施療していたことが、後日わかった。お産の手伝いまでしたという。こういうたぐいのはなしは、明治以前の医家の歴史には絶無とさえいえる。

あとでこのことが洪庵の耳に入ったとき、洪庵は大いに嘆息して、

「いまでこそ左内は私の友である。もう十数年もたてば左内はとうていわが友でなく、よほどえらい人になるだろう」

と、奇妙なほめかたをした。のち左内はその藩主松平春嶽《しゅんがく》の政治顧問になり、春嶽

の幕府批判活動をたすけたがために、安政ノ大獄で刑殺された。齢《よわい》二十五である。洪庵がいったとおり、左内は洪庵の手のおよばぬ世界の活動者になった。

洪庵は、弟子たちのそういうさまざまな方面での活動というのをのぞんでいたらしい。世が開明期であるために、蘭学をまなんでもかならずしも医者になる必要はないというのが洪庵の塾の方針であった。

適塾というのは、洪庵の号である適々斎からきたものだが、ひとつには字義のとおり、「門生をしてその適せる方におもむかしむ」るという気分が、塾風にあった。村田蔵六や福沢諭吉が、医術をまなんでおもわぬ方向に行ってしまったというのも、ひとつには適塾の学風かもしれない。

緒方洪庵の前歴にいますこしふれたい。

かれが大坂の蘭方医中天游に入門したのは文政九年の夏である。

蘭方医学の伝統は徳川初期からほそぼそとつづいているが、ペリー来航より三十年前のことだけに、世間でなお稀少で、

「蘭方は邪宗門ではないか」

とおもいこんでいるむきもあり、きりしたんなどという嫌疑でもにおえば幕府からくびをきられるから、中天游はそれをふせぐためか、

「西洋の医祖はヒポクラテスであるが、わが日本の医祖は大国主命《おおくにぬしのみこと》である」

と、あやしげなことをいって床ノ間に大黒天の絵像をかかげ、朝夕燈明をあげ、手を打っておがんでいた。はじめは擬装かもしれなかったが、そのうち本気でこの絵像を信心するようになったというようなそういう男だった。洪庵はここでオランダ語の文法と、漢訳の天文窮理の学をまなんだ。天文学と物理学のことである。洪庵はここに十六のとしから四年ばかりいたが、天游のオランダ語はたいしたことはない。洪庵が二十すぎのころ、天游は、

「おれも老いて、これ以上はもうカラの徳利だ。あとは原書ででも学べや」

と言った。その点、正直な師匠だった。

このあと、洪庵は江戸に出た。江戸では、坪井信道《しんどう》という蘭方医についた。坪井は美濃の人で、わかいころあんまをしながらあちこちの蘭学の先生について、ついに江戸三大家の一人といわれるまでになった。洪庵が実家から一文の仕送りも期待できないのをあわれみ、玄関番にしてやり、さらに、

「あんまでかせげ。わしも若いころそのかせぎで学問をした」

とすすめた。

洪庵は、それをした。ほかに義眼作りをして学資をかせいだ。あんまについては、

これは坪井の考案ではなく、江戸時代の医学の苦学生のふつうのアルバイトだったらしい。

のち洪庵が適塾をひらいてからも、副業あんまという塾生が多かった。播州《ばんしゅう》（兵庫県）赤穂《あこう》から出てきた大鳥圭介などもそのうちの一人で、洪庵はときどき大鳥にあんまをさせ、そのつど揉《も》まれながらそのうまさに感心して、

「おまえのあんまは、わしの若いころの比ではない」

と、ほめたりした。

洪庵は著述ずきで、この坪井塾にいるときにすでにローゼの『人身窮理（生理学）小解』という大部なものを翻訳刊行し、さらに『視力乏弱病論』を訳した。レンズの光学を説いた『視学升堂』も訳した。それに、蘭学者の便利のために『薬品術語集』を編んだ。

このあと長崎へ遊学した。高名なシーボルトはすでに去っていない。

その後、大坂に出てきて最初は瓦町《かわらまち》で医院兼医学塾をひらき、ついで現在ものこっている過書町に移った。洪庵が三十四歳のときである。

村田蔵六は、大坂へゆく。

周防三田尻《みたじり》（いまの防府市）が、このころ内海航路の重要な港だった。ここからのぼり船に乗った。

蔵六、二十二歳である。服装は総髪にしてまげを作り、もめん羽織に野ばかま、大小を帯びている。浪人の姿である。身分は百姓だが、医者ならお上《かみ》も大目にみてくれる。もっとも、旅さきで犯罪をおかしたりして役人につかまると、この服装がうるさくなる。侍のまねをした、というその一項目が、犯した罪の上にかさなる。かつて上州（群馬県）人高山彦九郎は百姓の身分ながら侍姿で諸国をあるいたために、かれの生地の代官所が、それを彦九郎の罪の一つにかぞえたことがある。

蔵六には、同行の者がふたりいた。おなじ梅田幽斎塾の者で、山県玄淑と石原淳道という若者だった。どちらも医学生で、ともに緒方洪庵の適塾に入る。身分は二人とも村医者であり、風体も蔵六とかわらない。

「大坂へゆけば、月代を剃る」

と、石原淳道はそれだけが大坂でのたのしみらしく、船の中で何度もいった。この二本差し姿であとは月代さえ剃ればもう侍とかわらない。長州藩領ならそんな勝手はできないが、ひろい大坂ならそのくらいの自由はある。

「はやく大坂へついてくれ」

と、石原はいった。月代を剃る程度の自由しかないにしても、はじめてくにを出る若者にすれば、それだけでもう自由のまぶしさを感じてしまうらしい。

船中、二人はよくしゃべった。蔵六は必要なこと以外しゃべらない。

「村田さん、あんたは撃剣の心得があるか」

と、石原淳道が、きいた。

蔵六は胴ノ間の柱にもたれて、うとうとしている。あぐらをかいたひざの上に、あかがね作りの長い刀を横たえており、その様子が山賊の小頭でもあるかのように強そうだったからである。

「ないな」

蔵六は、目をあけていった。

「刀の抜きかたも知らん」

蔵六は目をとじた。閉じると、刷子《はけ》のようにふといまゆの毛が、まぶたにかげをつくっていっそう妙な顔になる。

実際、蔵六は刀のぬきかたも知らない。それどころか、刀の目方をかるくするために、刀身は銀紙ばりの竹光であった。しかし蔵六は露悪趣味などという余計な精神がないから竹光の秘密はあかさない。

「撃剣ぐらいはおぼえておいたほうがよいのではないか」

石原淳道がいった。蔵六は黙殺した。撃剣など、かれにすれば余計なことで、蔵六は諸事いっさい余計なことはせぬという、方針をもっている。かれが後年、刀のぬきかたも知らず、馬にも乗れないのに、なぜ長州藩から懇望されて討幕戦の司令官になったか、ふしぎというほかない。

村田蔵六が適塾に入ったのは、弘化《こうか》三年、師の緒方洪庵の三十六歳のときである。

「あなたが石原さん」

と、洪庵は、まず石原淳道の顔をじっとみて、おぼえようとしているらしい。ついで山県玄淑。

「そしてあなたが村田さん」

洪庵は、ことばのていねいなひとで、すこしもいばらない。髪は総髪にしてまげはわざとむすばず、うしろへなでつけて大きな両耳を出している。両眼がするどく切れているほかは唇《くち》もとにつつしみがあり、みるからに温厚な君子人である。

このあと三人は洪庵夫人にあいさつをしなければならない。

三人は塾舎になっている表ノ間から渡り廊下を渡り、洪庵の家族の居住区のほうへわたって、客間の外縁《そとえん》にすわった。そこで、夫人の出てくるのを待つ。

洪庵は、すでに奥の書斎にひっこんでいる。

「お八重」

と、その夫人をよんだ。

齢《とし》が十二ちがっている。お八重は二十四歳でもう何人かの子もちだが、小柄で色白なため眉《まゆ》さえ剃らなければ十分むすめでとおる。

「お八重、わらうな」

と、洪庵はあらかじめ警戒させておいた。いま周防三田尻からやってきた村田蔵六という書生がどうも奇相で、むすめ気分のぬけないお八重に見せるとどうなるかわからない。

「心得ております」

「あぶないものだ」

と、洪庵はそれっきり書物のほうに目をやった。お八重は客間に出た。どれが村田蔵六であるか、すぐわかった。

「お船旅でしたか」

お八重は、きいた。よく口のまわる石原がいちいちこたえた。船旅でございます、これなる村田蔵六が酔うやら吐くやらで、大坂の木津川尻につきましたときは死人のようでございました、と口軽にいった。

蔵六は、目ばかり光らせて押しだまっている。お八重は、この無愛想な男が船によわいとはむしろせめてものあいきょうではないかとおもい、おかしかった。

「それではこのように」

と、石原が代表してお八重のひざもとに白扇三本と、一人あたり金二朱をさしだした。これは今後面倒をみてもらう夫人への入塾料のようなものである。師匠の洪庵へはすでに金二百疋《ぴき》ずつ束脩《そくしゅう》（入学料）としてさしだしてある。ほかに塾頭（塾長）にも金二朱、塾員一同にもおなじく金二朱、それにまかないをしてくれる女中たちにも銅二百文をわたさねばならない。

夫人へのあいさつをおわると、入門帳にそれぞれ名を書いた。いまもその入門帳は適塾にのこっている。村田蔵六の名ははじめからかぞえて五十二番目にしるされている。適塾はこののち二十年ちかくつづき、門人帳の記名者は六百人をこえ、記名しない者も加えると三千人におよんだ。蔵六はごく初期の門生である。

蔵六が入ったとき、適塾はまだ後年ほどの盛況を示しておらず、塾生が百人たらずであった。そのうち内塾生といわれる住みこみが三十人ほどである。

塾生の生活についてのいっさいを宰領しているのが、塾頭である。師範代の役目をかねていた。塾生のなかから洪庵自身がえらんだ者で、のちに蔵六もなったし、福沢諭吉も長与専斎もなった。

蔵六のときの塾頭は何人もかわったが、入塾早々のときの塾頭は備中のひとで小寺陶平というひとである。

かれが一同に蔵六らを紹介したとき、塾生たちは、

(陰気なやつがきた)

と、蔵六をおもった。ところが、石原、山県が自分の名を名乗り、やがて村田蔵六の順になったとき、その重げな口のどこからそんな大音声《だいおんじょう》が出たのか、

「村田良庵デアリマス」

と、耳をふさぎたくなるほどの高声でいった。デアリマスというのは長州や周防の一部だけでつかわれている語法である。

その日、そんな高声をあげたきり、蔵六は無口な日常をはじめた。会読のときのほかはめったに人と口をきかない。

塾は、塾頭を代表とする自治制になっている。自治制は徳川時代の人間統御法で、庶民の世界では五人組の制度があるし、幕府の官学である昌平黌《しょうへいこう》の寄宿舎も自治制であり、そういう自治制は牢《ろう》名主のいる牢獄の制度にまでおよんでいる。

塾舎は、表に面した二階建の棟の二階三十畳がそれにあてられており、寄宿生が三十人ともなれば、一人について畳一枚が居住区である。

「貴公の畳は、これだ」

と、塾頭が蔵六をつれて行って西のすみの階段わきのうすぐらい一角を指さした。この畳一枚で起居し、身のまわりの物品や夜具もおく。机もおかねばならない。ここで独習するのである。新入りの者は牢屋の自治制とおなじで、わるい場所をあたえられる。

「どうだ、わるい場所だろう」

と、小寺陶平は気の毒がりもせずにいうのである。夜中だと階下の手洗いにゆく者が二十人はいる。「連中は寝ぼけているから」と、陶平はいう。枕《まくら》を蹴《け》ちらかしていったり、ひどいのになると顔を踏みつけて行ったりする、と陶平はいった。

「昼は昼で、ロウソクをともさなければ書見はできないよ」

おれなんぞもこの畳からはじめたのだ、と陶平はいった。

牢屋は年期がものをいうが、ところが適塾のばあいは学業成績がものをいう。五日おきにおこなわれる「会読」の成績によっていい場所の畳にうつれるし、そのかわり成績が悪ければ悪い場所に落ち、あるいはいつまでも悪い場所にいなければならない。

「貴公がここから脱却するには、貴公の奮励以外にないのだ」

と、小寺陶平はいった。

適塾の特徴は、この教授法や課業の制度が、きわだって合理的であることだった。

（これはどうも、他の塾とちがう）

と、そのことに蔵六は魅力をおぼえた。蔵六も塾というものを二つ三つ経てきているが塾生のある者などは、

「わしは江戸にもいたし、京にもいた。漢学塾をふくめると七つばかりの塾のめしを食いちらしてきたが、この適塾だけは身を托《たく》するに足る」

と、蔵六に洩《も》らしたりした。

それほど、世間の塾というものは、師匠は偉いにしてもその制度となるといいかげんで、書生の溜《たま》り場といった程度のところが多い。

ついでながらこの時期は幕末の風雲期よりもすこし前になる。このころから日本でも教授法や塾制のしっかりした塾がわずかながらも出はじめていた。そういうことに画期的な改良をしたものが、学問塾よりも剣術塾のほうでまず出現した。江戸の神田お玉ヶ池で北辰《ほくしん》一刀流の道場をもった千葉周作がそうで、かれは剣術から神秘性をい

っさいのぞき、周作が得意とした相撲の型や手を剣術の世界にもちこみ、相撲四十八手のようにして「剣術六十八手」というものを編みだして体技としておしえた。そういう意味では千葉道場の成立は文化史上の一事件といえるであろう。このため千葉道場に入門志願者が殺到して空前の隆盛を示し、周作一代で「門弟三千人」といわれた。

ほぼ同時期に大坂で蘭学塾をひらいていた緒方洪庵も、一般に門弟三千人と称せられて学塾史上の大記録をつくった。ひとつには、物事を合理的に考えてゆこうというあたらしい時代的気分がすでにおこっていて、それが背景になっているのかもしれない。

「この当時、全国第一の蘭学塾なりき」

と、蔵六よりも八年後輩の長与専斎（肥前大村藩士、明治後、文部省医務局長、東京医学校長、宮中顧問官など歴任）は書いている。

輪講というのが、教える制度の中心になっている。これはどの塾でもそうだが、塾生をその学力によって八学級にわけてしまってあるのが適塾の特徴である。その学級ごとに輪講をする。その輪講は月に六回ある。

輪講とは要するに塾生自身が蘭書の講義をすることで、トップにそれをやる者をくじできめる。首席者という。それが蘭書の一くだりを和訳すると、つぎの順番の者に質問をし、それに答えられなければ「敗者」になって黒点がつく。うまく答えられた者は「勝者」で、白点である。それらの審判をくだす者が、塾頭もしくは塾頭次席の「塾監」である。そのようにして一カ月たつと、一カ月間の点数をしらべ、白点の多い者によい場所の畳をあたえ、わるい者はその逆になる。一般に三カ月つづいて白の勝ち越しをした者には上級の学級に昇格させる。

その輪講の前夜になると、全塾生がほとんど徹夜で勉強した。

ちょっと言いわすれた。塾が、先輩が後輩におしえるといういわば塾生同士の相互学習制度（輪講）であるとすれば、師匠の緒方洪庵の出る幕はなさそうである。が、幕はある。洪庵は塾頭や塾監、もしくは最高学級である最上級生にだけおしえた。

その機会は、わりあいすくない。

蔵六よりずっと後輩の福沢諭吉は洪庵の講義を毎度感心し、その感動を『福翁《ふくおう》自伝』でのべている。自伝のことばどおりをここに写すと、

「きょうの先生のあの卓説はどうだい。なんだかわれわれは頓《とみ》に無学無識になったようだ、などと話したのは今に覚えています」

と、いう。われわれというのは塾頭、塾監それに最上級生のことで、すでにかれら

は書生でありながら師の洪庵の説く説が「卓説」であることがわかるまでの水準に達している。そのように「わかる」学級をのみ相手にして洪庵はその説をのべる。初学の連中にそのようなことを述べるのはむだであったらしい。もっともこのような制度は適塾にかぎらず、世間一般の漢学塾でもかわらない。

ところで適塾の塾頭、塾監というのは、明治後の制度でことさらに翻訳すれば、助教授、助手にあたるかもしれない。げんにかれらは平塾生から金をとる。新入生があると洪庵に入塾料をおさめたあと、塾頭にも金二朱をさしだすことはさきにふれた。ぜい「一カ月に入門生が三人あれば塾頭には一分二朱の収入がある」と福沢はいう。ぜいたくさえしなければ書生の暮しはこれだけで立つ。その点では塾頭は助教授だが、しかし身分の筋はあくまでも洪庵塾の書生であり、書生であるという点では、他の平塾生と平等であった。福沢も、

「元来の塾風で、塾頭になにも権力のあるではなし、ただ塾中一番むつかしい原書を会読するときその会頭を勧めるくらいのことで、同窓生の交際に少しも軽重はない」

という。塾生は塾頭や塾監に敬語もあまりつかわない。仲間なのである。

さて、塾に新入りした蔵六は『ガランマチカ』というものからはじめた。文法書という意味で、この書物はどの蘭学塾でも初等教科書としてつかっている。日本語には

文法があるようでないが、西洋語は文法さえわかれば骨組みをとらえることができる。この『ガランマチカ』が仕あがると、その後編的な意味で『セインタキス』(文章論)をやる。この二冊で、蘭語学の初等課程がおわる。

蔵六は宮市(防府市)の梅田幽斎塾でおぼつかないながらもオランダ語の手ほどきは多少うけているから、月六回の輪講はつねにこの塾でいう「勝者」で、一月目にはそれより上の学級にすすんだ。畳もかわり、こんどは表に面した窓ぎわにうつった。

(これで昼間のロウソク代は節約できる)

と、蔵六はそれがうれしかった。

ロウソクといえば、この塾で輪講の前夜ともなれば、畳一枚ずつにそれぞれ机をかまえている塾生がほとんど徹夜するため、三十ほどの机の上にそれぞれロウソクががやき、春日《かすが》明神の万燈会《まんどうえ》のような光景を呈する。村田蔵六が入塾して最初に感動したことのひとつは、この月に六度あるこの夜の異様な熱気であった。

——その光景は、雑閙《ざっとう》のごとく夜市《よいち》のごとくであります。

と、国もとの父親に書き送った。かれの連想はあまり詩的ではない。

「塾生たちは、畳一枚のあらそいのために必死に勉学します。事はまことに単純で、西の畳にいるのが東の畳にうつるというただそれだけのことにすぎないのに、そこが人間のおもしろさでありましょう。一枚の畳に一身の面目を賭《か》け、たとえ高熱で眼光もうろうたる者でも手拭《てぬぐい》にて頭を冷やしながら徹宵《てつしょう》しておのれの面目をあげようとしています」

　人間の情熱をうごかすものは畳一枚という物質もしくは物理的空間ではなく、どうやらそれ以外の、意外に奇妙なものであるらしいということを、蔵六はこの塾にきて知った。

「学問勉強ということになっては、当時、世の中に緒方塾生の右に出る者はなかろうと思われる」

　と、福沢諭吉もその自伝で語っている。たとえば福沢などは塾にいる期間、勉強につかれると夜昼なしにその場にたおれて眠り、さめると机にむかった。このため着のみ着のままで、枕というものを用いたことがないという。

「ヅーフ部屋」

　というものが、塾生居住の間のつぎの間にある。六畳ほどの間で、この建物がむかし商家だったところからみれば、住込み番頭などの居室だったのかもしれない。

　ヅーフと通称されているのは、この当時の日本で一種類しかなかった『蘭日辞典』のことである。ヅーフという人物は一七九九年から一八一七年まで長崎の出島のオランダ屋敷にいたオランダ人で Hendrik Doeff（ヘンドリック・ドエッフ）という。べつに学者でも医者でもなく、貿易官吏だが、言語に関心がふかく、滞日十九年のあいだに日本語を習得した。さらに辞典をつくった。辞典といっても、在来あったハルマ著の『蘭仏辞典』のフランス語を日本語におきかえただけのものだが、この辞典が江戸期の蘭学に貢献したところははかりしれない。

適塾にあるのは洪庵がわかいころ長崎でもとめたもので、筆写本である。当時の日本では宝石以上の稀少《きしょう》価値があり、適塾ではこれを無人の部屋に置き、移動を禁じ、それを見る者はこの部屋にきて見ねばならない。

「ヅーフ部屋には徹夜の燈火を見ざる夜ぞなかりし」

と、長与専斎も書いている。要するに適塾の書生生活にあっては昼夜の別がない。

一年目の夏がきた。

この街の夏はよくない。蒸しあついうえに夕方になると、風がまるで死んでしまう。土地では夕凪《ゆうなぎ》と言い、夜ふけになっても空気はうごかない。

この期間の適塾の塾生部屋の蒸しようはすさまじいもので、三十畳に三十人前後の人間が汗だらけになってすわっている。衣類など着けられたものではなく、ある日な

ど、

「おのおの。輪講をはじめる」

と塾監がふれると、立ちあがった連中の何人かは下帯さえしていなかった。みな裸で輪講の座につく。

この夏の塾頭は、村上代三郎という播州人であった。播州加東郡福田村木梨《きなし》のうまれで、家は代々の村医者であった。代三郎はのち安政四年幕府の旗本にとりたてられ、蕃書調所《ばんしょしらべしょ》で西洋兵学を教授したが、欲のない人物で一年ほどでやめ、江戸を去った。ひとつには強度の近視の上に別な眼疾がくわわったため、江戸での暮しがいやになったからだともいう。よくわからない。のち、播州の村にかえって村医者にもどった。しかしこの村上代三郎は、塾頭という立場上絽《ろ》の羽織をつけて威儀をただしていた。しかし羽織の下はうまれたままの裸でいる。

蔵六は暑がらない男で、布ぎれのようなものを一枚つけていた。蔵六はこの真夏の輪講の結果、第一級生になった。

輪講のあと、塾頭の村上が、

「まことにめでたい」

と、祝ってくれた。

村上にいわせると、語学などというこのおもしろくもない諳誦《あんしょう》しごとは、田舎者に適した仕事だという。町そだちの利口者にはとてもやれない。それに富裕な家庭で大事に育てられた者も、ごく少数の例外を除いては適合しない、という村上の説は、あるいはあたっているかもしれなかった。江戸の直参の子弟で蘭学勉強でものになったのは、勝海舟ぐらいのものであったからである。

「そういうことからゆけば、尊公は周防の田舎者であるうえに、無趣味ときている。豆腐で酒をのむのがせいいっぱいの芸だ」

と、村上は笑いもせずにいった。ユーモアの感覚のない村上にすればこれは皮肉ではなく、心の底からほめている。

蔵六は、塾の者とあまりつきあいをしない。かれは物干台がすきであった。このあと、緒方家の物干台にのぼり、豆腐の皿を膝《ひざ》もとにひきつけておいて、酒をのんだ。自分の昇級を自分で祝っているつもりであった。

元来、塾では月六回の輪講がおわった夜は塾生たちはみな町へ出かけてゆく。夜店をひやかす者や酒をのみにゆく者、あるいは廓《くるわ》にのぼる者もあった。

蔵六はいつのこの夜も、星空の下でひとり豆腐を食い、酒をのんでいる。

わずか一年で第一級生にすすんでしまうと、蔵六は、

（これでいいのだろうか）

と、疑問をもった。

適塾に対する不満である。語学偏重で、語学をさかんにやらせ、その出来ぐあいで進級するが、しかしかんじんの医学のほうの教課はあまりない。洪庵がもっている数冊の原書を輪読しつつ、語学勉強のつもりで医学知識もおぼえてゆくのだが、その程度であった。あとは解剖がある。しかしこれはめったに奉行所から囚人の屍体《したい》がさがってこないから、機会がまれであった。

こういう教課内容だが、これでもなお適塾は日本一の蘭医学塾であり、洪庵自身も適塾の教課内容のようなことをやってきて、しかも日本有数の蘭医学の大家になっている。辞書でさえ手写しのものが一種類とほかに蘭蘭辞典が一種類そなえられているのを、塾生ぜんぶが寄ってたかって利用しなければならないというのが実情であった。天下の適塾でさえそうだから、日本の西洋医学教育の水準は推して知るべきである。

蘭医学の書物も、長崎ですらなかなか手に入らない。洪庵などは、そういう書物が手に入ると、その書物をたよりにかれの「医学」を殖《ふ》やしてゆく。

洪庵はわかいころ、『扶氏経験遺訓』というものを読んだ。ベルリン大学の内科学の教授でフーフェランドという名医が、自分の五十年の経験をまとめた臨床の教科書

で、このオランダ語訳の書物が日本に入ってきた。洪庵も読み、その内容のよさに驚嘆し、

「ほとんど寝食をわすれたり」

というほどに何度も読み、ついには翻訳を思い立った。大部なもので、ずいぶん骨が折れたが、洪庵の臨床技術の多くは、この本から導き出されている。洪庵は臨床家としても当時大坂一の名医とされていたが、それでもなお、医学というものをヨーロッパの医学教育のかたちで学んだ人ではなく、日本の他の蘭医学の大家と同様、その語学力と、はちきれるような知的感受性をもって書物からみずから摂取したものなのである。

洪庵と同時代の人で（たがいに会ったことはないが）ともに日本の洋医学を推進させた人物であるフォン・シーボルトの出身校は、かれがうまれたドイツのマイン河のほとりの田舎町ウュルツブルグにある大学であった。この大学はその当時ドイツ有数の大学で、日本では織田信長が本能寺で死んだ天正十年、それ以前から土地にあったユーリウス病院を付属病院として設立された。シーボルトはこの大学の創立二百三十余年後の一八一五年（文化十二年）に入学し、五カ年の修学期間をへて一八二〇年に卒業し、内科、外科、産科の医学士号を得た。洪庵らのころの日本には、そのように

体系的な医学教育がおこなわれる機関はない。

蔵六は、

（長崎へゆこうか）

と、おもいはじめた。

蔵六はこの長崎ゆきのことを、まず塾頭村上代三郎に相談した。

「いまの長崎はだめだよ」

と、村上はいった。オランダ商館の医師であるシーボルトは幕府から国外追放され、いまは商館にも医師はいない。なまの西洋医学にふれるということはまず不可能である、と村上はいう。もっともであったが、蔵六はこうとおもった以上、ほんのすこしだけでも行ってみたい。せめてオランダ語でも勉強できるのではないか。長崎奉行所には幕府のオランダ通詞がいて、それらに学ぶだけでも大きな進歩が期待できるだろう。

「じゃ、先生に話してみたまえ」

と、村上はいった。

この日、蔵六は中庭をこえて、洪庵の診察室にあてられている部屋へゆき、外来患者が帰ったあと、

「いかがでしょうか」

と、その希望を申し出てみた。

「それはおもしろい」

洪庵のほうがむしろよろこんでくれた。洪庵も若いころそのようにして長崎へ行ったし、それなりの収穫もあった。

「行ってつまらなければ、一年ほどで大坂へ帰ってくるがいい。しかし、滞在費はあるのか」

洪庵がきいてくれた。蔵六という男の性分のおもしろさは、計数に克明なことである。往復の旅費は国もとに無心すればどのくらいなら送ってくれる、が、長崎につけば懐《ふとこ》ろに何文しか残らない、あとは自分でまかなわねばならない、ということを数字をあげていった。洪庵は、

「では、奥山静叔《せいしゅく》をたよればよい」

といった。奥山は、蔵六が入る一年前に退塾した塾の出身で、いまは長崎で開業している。蘭学者としても高名で、むろん蔵六もその名前は知っていた。

洪庵のいうには、長崎では奥山のもとに住みこんで代診でもつとめれば宿賃がたすかるうえに、いくらかの小遣いも出る、というのである。こうなると洪庵はしつこい

ほど親切な人物で、すぐさま奥山あてに手紙を書き、女中のお松をよんでそれを飛脚宿へとどけさせた。

蔵六も、気が早い。その手紙の返事がくるとともに、大坂を発足した。すでに初秋になっていた。

（なるほど蘭学というのはありがたい。包丁職人とおなじだ）

と、蔵六はおもった。板前が包丁一本をふところに諸国をあるけるということを連想したのである。

訪ねてゆく奥山静叔という塾の先輩は、肥後（熊本県）の人で、塾に七年ほどいた。塾に入りたてのころはあんまをして生活の資をかせぎ、その後、塾のヅーフ辞典を筆写しては売ることによって衣食した。塾では一時塾頭をつとめたが、その塾頭のころ、紀州（和歌山県）徳川家から家老が使いとしてやってきてぜひ禄《ろく》三百石で召しかかえたいと懇望したが、にべもなくことわって長崎で開業したというかわりものである。

蔵六が長崎へ出むいた弘化四年というのは、ペリー来航より六年前のことで、この時期はいわゆる幕末とはいえないであろう。江戸も浪華《なにわ》も長崎も、まだまだ泰平のなかにある。

むろん、風聞はべつである。

「夷船《いせん》が日本の近海に出没して、隙《すき》あらばと窺《うかが》っているらしい」

という事実やらうわさやらが知識人のあいだでささやかれたり、論じられたりしているが、しかし一般の世間にとってはなんのこともない。

だから、蘭学はその歴史的流行期よりもすこし前にある。

元来、蘭学は江戸末期の日本にとっては乱世の学問というべきもので、これがにわかに世の需要の対象になるのは嘉永《かえい》六年のペリー来航以後のことになる。とくに大ブームを呈するのは、安政条約の締結以後のことに属する。蔵六の青春は、そういう時期をうろついている。かれのこの修学期には、蘭学などを好む者は知識人からは「蘭《らん》癖家《ぺきか》」などとよばれて軽蔑《けいべつ》され、世間からはよほどの変物《へんぶつ》のようにみられていた。げんに変物が多い。

蔵六が訪ねた長崎の奥山静叔などもそのひとりであるらしい。

蔵六は、玄関に入った。玄関番もいない。

やがて主人の奥山静叔みずから立ちあらわれたが、蔵六があいさつをしても反応せず、昆虫《こんちゅう》学者がめずらしい虫でも見るようにじっと見つめている。

「村田蔵六です」

と、蔵六は三度目の名乗りを呼ばわった。しかし当の奥山にはなんの変化もなく、じっと蔵六を見つめたままであった。蔵六もやはり変物の一類なのか、あとは沈黙し、無表情に奥山を見あげていた。奥山の顔は毛穴があらく、色つやがわるい。

(虫がわいているのではないか)

と、蔵六はおもった。

やがて奥山は小くびをひねって、

「お前様は、たしか村田蔵六とはいわぬか」

といったのには、蔵六もおどろいた。さんざん名乗ったあとではないか。

「おおせのごとく、私は村田蔵六」

であります、というと、

「あっははは、そうだろう。あたったか」

奥山は手をうつようにしてよろこび、

「どうも、あれだ、先般洪庵先生からお手紙がきて、近く村田蔵六という門人がゆくとあったが、それがどうもお前様に相違ないと先刻からにらんでいたが、やはりあたった」

「しかし私は先刻、自分で名乗っております」

「それはまちがっている」

と、奥山静叔はいった。

「自分で名乗ったからといって、私は信用しない。私の目で人相風体を見、これならたしかに洪庵先生のいわれる村田蔵六にちがいないと推量がついたうえで当人にたしかめてみるのだ。それがものごとの窮理（科学）というものである」

まああがれ、といってくれた。

奥山静叔はこのころ、故郷の肥後熊本の殿さま（細川家）から捨て扶持《ぶち》をもらって、長崎住いのまま侍医ということになっている。だから士分の医者である。

その証拠に、屋敷には門と玄関がある。

江戸時代には、家の構えに身分によるうるさい規制があって、平民は町人であれ百姓であれ、門のある屋敷をつくれない。座敷に欄間さえつくれないのである。百姓身分で、

「欄間をさしゆるす」

という官許が、幕府代官なり藩からなりおりるというのは、よほどおかみに御用金を寄付したばあいのことである。まして門と玄関をつくってよろしいというのは、苗《みよう》字《じ》をゆるされた庄屋階級か、それとも大富商が相当の金を寄付または融通した見かえ

りとしてゆるされるもので、それ以外に勝手にそれらをつくれば「そのほう、分際をわきまえざる段、ふとどき」ということでうちこわされてしまう。ついでながら明治維新は革命か変革かはべつにせよ、たれでもすきな構えの家に住める時代をもたらしたことはたしかである。

要するに、町医なら門も玄関もなく、格子戸《こうしど》一枚である。が、奥山静叔家には、門も玄関もある。町医ながら「士格」をもつ奥山がそれをよろこんでいるのではなく、かれをしきりに招聘《しようへい》したがった肥後熊本藩が、長崎藩邸が所有していた控え屋敷に住むことをかれに強要（好意の）したのである。

「こういう屋敷は、わしは好かん」

と、奥山はその夜、蔵六を相手に酒をのみながらいった。蘭学家には一種の平等の気分のようなものをもつ者が多い。そういう傾向は、やっている語学からの影響なのであろう。その平等の課題をのちに思想にまでもって行ったのは福沢諭吉なのだが、濃度の差こそあれ、一般に蘭学家は江戸体制式の身分制度に対し、尻《しり》こそばゆく感じているところがある。奥山静叔はとくにそうであった。

「おれなんざ、いわばあんまあがりだぜ」

と、気負うわけでもなく、ひとごとのようにいった。

「動機かね」

奥山は、語った。

このひとの在所はいまの熊本県でも県北の山中で、国見山に通ずる山街道からさらに枝道をたどってのぼる相良《さがら》という山村がそれである。かれの少年のころ、シーボルト事件という幕府がやった愚劣な事件があり、そのときシーボルトの間接の門人で中島元長（丹後の人）という蘭医が、長崎からこの山中ににげこんできた。奥山の父は百姓ながらこの中島の面倒をみて、隣村の山田村で開業させたが、その後中島は幕府の追捕《ついぶ》をおそれて丹後（京都府北部）へ去った。奥山の父はほどなく死ぬのだが、この中島をとおして、蘭方という医術に感心し、息子に対し、蘭医になって人をたすけよと遺言した。「だからおれは栄達のためにこの学問をえらんだのではない」と奥山はいうのである。

奥山静叔の屋敷は、中国風の寺院である福済寺の下にあって、港が見おろせる。長崎がまだ自然のままであったころ、ここは岬の岡だったのであろう。

「よくまあ、丹念に彫塑《ちょうそ》したものだ」

と、蔵六は翌朝、夜あけとともに町のあちこちを上下し、この坂と石段と層々と天へ組みあがるいらかの堆《うずたか》さをみて、人間の営みに感嘆するおもいがした。江戸初期、幕府は鎖国をした。海外との交際を断ったが、清国とオランダとに対してだけは針の穴ほどの通路をあけて、交易をゆるした。その場所が長崎に限定されている。

——江戸のかたきを長崎でうつ。

ということばがあるほど、この国の首都の江戸とははるかな山河をへだてている。長崎が日本の玄関口であるとすれば、首都の江戸は奥座敷どころか、裏庭のさらに奥の裏隅の土蔵ぐらいにあたるであろう。長崎できこえる海外のざわめきは、江戸の役人の耳には隣り町内のニワトリのときほどもきこえないという地理的しくみになっている。

長崎のむこうはもう東シナ海である。その海風に送られてやってくる清国人とそれらの文物や、オランダ人で代表されるヨーロッパの文物が、この地だけに堆積《たいせき》している。日本人の海外への好奇心の満足を、二百数十年間、長崎だけが一手でひきうけてきた。

——長崎とは妙なところだ。

といったような感慨をこめて、蔵六の時代より一時代前、つまり蘭学草わけのころ、奥州一関《おうしゆういちのせき》の漢方医建部清庵《たけべせいあん》というひとが、例の『蘭学事始』の杉田玄白（一七三三—一八一七）に好奇心にみちた質問を書きおくっている。意訳すると、

「江戸から長崎へ赴任する長崎奉行。このお奉行のおともで、槍持《やりもち》の八っつぁんとかかごかきの六公とかいう連中がはるばる山河をこえて江戸から長崎へゆく。ところが長崎に一年もいると、もうオランダ外科の先生になりすまして、江戸に帰ったあとは、八庵先生、六斎先生として〝オランダ直伝〟と称する医家になる」

まことにそういう風潮がある。八っつぁんや六公はべつに長崎でオランダ人についたわけではないが、極端にいえば長崎の空気をかいだだけでもう江戸では蘭方医として通るほどに、長崎にきらびやかな印象と、踏みこえがたい距離感を、日本の首都のひとびとはもっていたのである。いわば、印象としても実質としても、明治初年の洋行であった。

もっとも質問者のこの奥州の漢方医は、ごく正論の立場にあって、

「どうも心得がたいことで、長崎へ行ったところで、西洋の医書を学ばぬかぎり医者になれるはずがないように思う」

と自答しながら、この質問者も長崎への買いかぶりがあって、「それとも長崎へゆくだけでもう医者になれるのであろうか」と、皮肉とも不安ともつかぬ質問をしている。

奥山静叔は変物だが、親切な男だった。そのうえ奥山はひとの美点に敏感な人物で、

夜中など、蔵六と学問のはなしをしていても、

「ああ、その点は君にはおよばない」

ということを声をあげ、何度も洩《も》らした。なにしろ医学と語学というのは技術学問だから、長短がすぐわかる。

むろん、医学も語学も奥山は洪庵に七年もついた男だから、蔵六よりもできる。できるといってもこの時代の蘭学は不完全きわまりないもので、語学としてもたとえばオランダ語の新聞や小説は日本にきていないから、そういう日常的な文章や口語はたがいに知らない。奥山も蔵六も、たがいの語学知識を交換しあって自分の不完全さを懸命におぎないあっている。

医学のことでいえば、蔵六は適塾で解剖を実見した。二度その機会にめぐまれた。奥山のばあいはながい適塾生活のあいだで、ただの一度その機会にめぐまれただけである。

「あのときはみな夢中だった」

と、奥山は目をつりあげ、なつかしさのあまり、悲鳴をあげるようにいった。

緒方洪庵に対して大坂奉行所はわりあい好意的で、身よりのない囚人で牢《ろう》内で病死した者の遺体をときどき貸しあたえてくれた。

適塾には解剖教室などむろんない。適塾の表格子戸をあけるとすぐ土間になる。その土間を突っきって中戸をくぐると、また土間がある。その一隅に井戸があって、井戸の前にちょうど人体が一体おける程度のほそながい石畳が敷かれている。前住者はこの一郭をどう使っていたかはべつとして、洪庵はここで解剖をおしえた。水は、井戸のそれをつかう。

解剖の日は、大坂の他の蘭医も見学にくる。塾生もまわりにひしめく。土間のひろさは井戸や石畳の部分をのぞくと、畳にすれば五枚も敷けるかという程度である。

適塾の塾生はそれぞれ生理学や病理学の知識があるだけに、実際の胃や心臓はどのようなすがたで、それらが他の諸器官とどのように有機的につながっているかについては、あふれるような関心がある。執刀はたいてい塾生がやる。洪庵がかたわらで説明する。

「瞬間瞬間、息もわすれるような情景で、いまおもいだしても溜息《ためいき》が出る」

と、奥山はいった。

村田蔵六のばあいは、二体とも女囚のそれであった。それも、経産婦ではない。

「ああ、その点は私はおよばない」

と、奥山は声を放った。奥山はときどき産科の患者を診ることがあるくせに、女体解剖の経験がない。この方面については日本人の専門書では高《こう》良斎の『女科精選』、華岡青洲《せいしゅう》の『産科瑣《さ》言《げん》』など漢蘭十数種の書物をよみ、さらに原書ではアムステルダム市の産科医ゲ・サロモンの著『産科学』を長崎で手に入れ、いまそれを読みつつあるところだった。どうか教えてくれ、と奥山は火のついたようにいった。

村田蔵六は、のち解剖の達者として日本じゅうの蘭方医仲間に知られるようになる。が、このとき奥山が蔵六に望んだのは女囚を腑《ふ》分《わ》けした次第をすべておしえてほしいということであった。解剖の実見なり実感を、口頭でつたえられるものではない。が、奥山はすでに手帳をひろげ筆のさきをなめて、待った。

蔵六はやむなく、奥山がさしだした解剖図をさし示しつつ話し、さらに奥山の疑問に答えたりした。おわると、奥山は感嘆の声をあげ、

「尊公は、ゆくゆくえがたい産科医になられる」

と、いったが、蔵六はだまって、相手にならなかった。かれは自分の将来についてはほんのすこししか関心がない。どうせ故郷の村へかえらねばならないのである。父のあとを継いで村医者になる。それが自分のきめられた前途なのである。村医者に専門などはない。

蔵六は、奥山家の代診をつとめた。

診療室に出た最初の日、奥山静叔は蔵六を患者が待っている八畳ノ間へつれてゆき、

「こなたは、村田蔵六先生である」

と、十五、六人ほどの患者に紹介した。

「村田先生ははじめ周防宮市の梅田幽斎先生につかれて蘭方の初歩をまなばれ、のち幽斎先生のすいせんにて浪華の大家緒方洪庵先生につかれた。とくに女科《じょか》と産科を得意とされるから、そのほうを受けもっていただく。大いに吹聴《ふいちょう》してもらいたい」

といったから、蔵六は大いに迷惑し、奥山のそでをひいて物かげへつれてゆき、訂正を申し入れた。

「ああいう申されようは、なりませぬ。窮理のこころにもとることです。私の実情はようやく蘭語が読める程度です。医については」

と、蔵六はこわい顔で、自分はじつのところ生理学と病理学とを知っている程度で、内科にも外科にも通じていない、まして女科・産科にいたっては知るところがない、第一、婦人というもののからだを死者以外にみたこともないのです、といった。

奥山はおどろいた様子で、

「尊公は、遊里にも行ったことがないのか」

と、叫んだ。患者の部屋にもきこえたろう。

「いや、わかりました。私がわるかった」

と、奥山は気の早い男で、もう一度患者の控えノ間へゆき、

「村田氏はただいまこのように修正された」

と、蔵六がいったとおりのことばを正直に患者たちに伝えた。患者たちにすれば、名医がやぶ医になったということらしい。

蔵六は、一年ほど長崎にいて、ふたたび大坂の適塾にもどった。すでに秋がふかい。帰坂した夜、蔵六はひさしぶりに心斎橋筋へ出た。この町の名物である夜店を北から南まで数丁往復してみたが、店々のともしびの色が冴《さ》えて、いかにも浪華の秋らしい。

帰ってから、洪庵の晩酌につきあった。

「やはり浪華はよろしゅうございますな」

と、蔵六はめずらしく物の感想をいった。

「日本じゅうで、この町ほど窮屈でないところはない」

と、洪庵もいった。洪庵は備中足守の小さな藩にうまれたために、藩社会のうるささをよく知っている。格式やら陋習《ろうしゅう》やらが人間をしばりつけているうえに、頑固な朱

子学の徒がまわりをとりかこみ、とても蘭学などというあたらしい学問をやれる自由さがない。学問をそだてるには、土地に自由さがなければならない。そこへゆくと大坂の町は西洋風の自由というものはないにしても、町人一階級の町だけに封建のせせこましさが日本の他の土地よりもよりすくない。

「君は、学問が熟すればくにへ帰るのか」

「帰らざるをえませぬ」

「私はこの町で学問をそだて、この町で死ぬつもりだ」

と、洪庵はいった。

皮肉なことではあるが、緒方洪庵はこれほどこの土地を愛しながら、晩年のぎりぎりになって幕府の奥医師の世界にひきずり出され、いやいやながら江戸へ移り、ほどなく江戸で死んでいる。大坂を発《た》つときかれの詠《よ》んだ歌はその物憂《ものう》さがよく出ていて、歌の上手である洪庵の作品のなかでも佳品であろう。

「よるべぞと思ひしものをなにはがた　あしのかりねとなりにけるかな」

一方、蔵六はこの若い時期、かれ自身が予想していたかれの生涯と実際とはずいぶんちがってしまったが、その死所も師の洪庵とは逆に大坂の地になってしまった。

蔵六は、長崎に行ったおかげで、オランダ語の腕が大いに進歩した。長崎で幕府のオランダ通詞について学んだからであろう。

帰坂した翌年の嘉永二年の春、洪庵が、

「どうも村田さん以外にないから」

といって、塾頭をつとめさせた。

「村田さん、いよいよ三百石ですな」

と、適塾生の山田という塾生がいった。適塾の塾頭なら、大藩がそれほどの高禄《こうろく》でめしかかえにくるという意味である。

たまたま洪庵がこれをきき、あとで山田某を自室によんだ。山田某は叱《しか》られるかとおもったが、洪庵は叱らず、たまたまかれが訳しつつあったフーフェランドの『医戒』の訳文の清書をさせた。十二章あった。その第一章が、

「医の世に生活するは人のためのみ。おのれがためにあらずということをその業の本旨とす」

というものであった。山田某はそれを清書させられた。

別の話

村田蔵六はこの時期、備前岡山まで旅をしたことがある。

用というのは、新着の蘭医書を岡山の人が手に入れたということで、——どうであろう、それを写しに行ってはくれまいか。

と、緒方洪庵《こうあん》が蔵六にたのんだのである。これより前、洪庵はあらかじめその岡山の人物に手紙を出し、ゆるしを得ておいた。しかし相手は洪庵よりも先輩の蘭医で、洪庵としては礼をつくさねばならない。しかも意地のわるい人物として通っているから、できれば洪庵自身がゆくのがいちばんいいのだが、ところが塾があるから大坂を離れられない。そこで塾頭の蔵六を代人としてさしむけようとしたのである。

「よろしゅうございます」

蔵六は、いった。旅は苦にならないたちであった。ところでなんの書物でありましょう、ときくと、

「梅毒の書物です」

と、洪庵はいった。

梅毒は西洋医術ですら、ひとつの盲点になっている。

この病気は日本の固有のものではない。戦国時代、おそらく西洋からの航海者が伝えて以来、この国に定着した。日本では諸家が研究し、その病理論については珍奇なものが多い。遊女から感染するということで、遊女を通じ、他人の精水の腐敗したものに触れるとこのような症状が出るということが、ながく医家に信ぜられた。徳川期に入ってからもこれにとりくんだ漢方医が多く、その治療法をかいた書物も多い。ついには専門医も出現した。洪庵の時代よりもすこし前、大坂で有名だった漢方医船越敬祐などはその名が天下に有名で、遠く九州あたりからも患者がきたといわれている。

しかし治療法としては在来、水銀薫剤《くんざい》を塗布する程度を出ない。

「日本人の体格は年とともに弱く、小さくなってゆくが、これはおそらくこの病気をふくめ花柳病一般の流行と関係があるのではあるまいか」

といったのは、シーボルトの高弟の高《こう》良斎であった。しかしシーボルトでさえこの病気についての明快な病理論と治療法を知っていなかった。

「そのシーボルト先生がヨーロッパに帰られてから一個の論文を入手し、オランダからの定期船に托して日本に送ってこられた。それを、シーボルト先生の弟子である岡山の石井宗謙先生が手に入れられたという」

と、洪庵はいう。その石井宗謙のもとにゆけというのである。宗謙がシーボルトの弟子とすれば、よほど若いころに就いたとしてももう老境のひとであろう。

「なぜ石井宗謙先生ご自身が翻訳なさらぬのでしょう」

蔵六はいった。新着のオランダの珍本はできるだけ早く日本語訳して天下の同学の士にひろめるというのが、このころの蘭学者の習慣のようになっていた。

大坂から岡山までは、ふつう船旅である。西宮へゆけば船便がいつでもひろえる。が、蔵六は船によわく、陸路をとった。

途中、晴天がつづいた。播州路《ばんしゆうじ》は日中汗ばむほどであったが、有年峠《うね》をこえ、さらに船坂山の峠を踏みのぼるとき、山林のところどころで櫨《はぜ》があざやかに黄葉しているのをみた。越えれば、備前である。

三石《みついし》の宿場で泊った。宿場に大名行列が入っているため混雑していて、宿も一室五人の相部屋である。

「お医者さまとお見うけしましたが」

と、五十年配の薬売りが、同類とおもったのか、夕食のとき話しかけてきた。蔵六は、知らぬ男と話をするのが、あまりすきではない。魚肉をむしりつつ、無言で、うなずいた。

相手は、蔵六に銚子をさしだし、ゆきさきをきいた。岡山です、とこたえると、さっそく岡山の医師界の評判を語りはじめた。どうやら医者まわりの生薬《しょうやく》屋らしい。

「やはり診断《みたて》上手は、石井宗謙先生でございますな。これは蘭方でござらっしゃる」

と、蔵六が訪ねるべき人物の名を、むこうからいった。

岡山県は、旧国名でいえば、備前、備中、美作《みまさか》（作州）の三国にわかれる。石井宗謙はその作州の出で、真島郡（現・真庭郡）旦土《だんど》という、旭川《あさひがわ》上流の山中でうまれた。家は代々村医者であった。この土地の医師界では藩医に対する村医・町医のことを、

「地下医《じげい》」

という。地下医の出である。

二十代のなかば、長崎にシーボルトという古今無双の名医がきたという評判をきき、家財を整理して旅費をつくり、長崎へ行って入門をゆるされた。

ちなみにシーボルトが当時来日した目的のひとつは、日本についての万有学（科学）的な総合調査であった。その方法としてかれは門人を通じて日本をとらえようとし、幸い門人に俊才が多かったためにその方法は大いに成果をおさめ、帰国後、ヨー

ロッパにおける日本学の祖になった。シーボルトはしばしば門人それぞれに課題をあたえ、論文を提出させたが、石井宗謙に対しては日本の本草学の書物をオランダ語訳させた。

本草学というのは薬物になりうる植物、動物、鉱物を研究する日本在来の学問で、江戸後期以後は尾張（愛知県）のこの方面の学界が天下に群をぬいてすぐれており、著書も多い。

宗謙は、それらを翻訳した。シーボルトはこれを読み、尾張本草学の水準の高さに驚嘆し、とくにそのうちのひとり水谷助六について「水谷は日本のリンネ（スウェーデンの博物学者）である」と賞讃した。それらはすべて石井宗謙の訳文を通じて知ったもので、『日本産昆虫図説』とか『日本産蜘蛛《くも》図説』とかいったタイトルでシーボルトに提出されている。

シーボルトはとくに外科と産科を得意としたから、長崎における門人も、多くはこのふたつを得意とした（というより、一八二三年シーボルトが長崎にくるまで、日本は本格的な意味での西洋式の外科はなく、かれが長崎郊外の鳴滝《なるたき》でひらいた講義からこの分野の日本における歴史がはじまったといっていい）。

それはいい。

その門人のひとりである石井宗謙もまた、外科と産科を専門とした。かれはシーボルトが日本を退去してから郷里の作州旦土の山里にかえって開業したが、ほどなく作州勝山藩（三浦家二万三千石）に召しだされて藩医になった。この藩は山間の小藩で貧乏だったということもあるが、宗謙にあたえた待遇はひくく、給人格の十人扶持《ぶち》というもので、足軽に毛のはえた程度のものであった。それでも蘭医術の技術ひとつで百姓身分から帯刀身分になれたというのは、やはり時代が演ずる小さな奇蹟《きせき》といっていい。奇蹟といえば石井宗謙は晩年、将軍家の奥医師にまでなった。が、この晩年は蔵六とは関係がない。

蔵六がたずねてゆこうとしているこの時期は、石井宗謙はもう作州勝山藩にはいない。

「このおれが、山奥の小藩で、徒士《かち》（下士）身分をもらってよろこんでいるとおもうか」

という気持が宗謙にはあった。かれはいわば浪人して岡山城下に出てきた。備前岡山は池田家三十一万五千石の城下で、山陽道の雄都である。町医になったとはいえ、名声は四方にきこえるであろう。下ノ町で開業した。

蔵六はその岡山城下の下ノ町へゆく。

ところで、岡山城下より三里ばかり手前に、

「沼」

という在所がある。戦国大名の宇喜多家の城があったところで、その城あとが蔵六のこの当時、弁天の社《やしろ》になっている。弁天の参詣人《さんけいにん》のために街道に面して茶店が数軒あり、そのなかで沼ノ茶屋というのがある。蔵六はそこへ入り、

「もち」

と、注文した。

あいにく茶店の亭主が裏にいて、この注文の声がとどかなかった。しかし奥の暗がりに、たれかいる。蔵六はもう一度ふりむいて、

「もち」

その暗がりの者へ言い、あとは眼前の天をながめていた。天の下に、備前のゆたかな田園がひろがっている。

やがて、もちと茶がきた。持ってきた者をみると、年のころ二十二、三かとおもえる女である。

ひとみが、碧《あお》かった。

（そんなばかな）

と、蔵六は自分の目をうたがった。たしかにこの若い婦人の目はあおい。背はさほど高くはないが、腰高で身ごなしが敏捷《びんしょう》そうで、足くびまで蔵六は観察しないにせよ、日和下駄のよく似合うきりっと締った感じである。娘のきむすめではないようだが、しかし亭主もちなのかどうか、見当がつかない。娘のように眉《まゆ》を残しているし、歯も染めていない。髪は、この当時小唄《こうた》の師匠などのあいだで流行している「おさ舟」という髪形で、髪かたちからいえばなるほど粋《いき》だが、惜しいことに肩が張りすぎている。ともかくも美人である。

いや、蔵六は最初、美人という印象は受けず、それよりも異様な感じのほうが印象のぜんたいを占めた。

ちがう人類なのである。

眉が細くながく、鼻は高くはないにせよ、鼻孔が柿《かき》のたねを二つ立てたようなかたちになっており、皮膚は白く透けていて血管がみえそうである。

（異人だ）

と、おもった。ときにペリー来航よりも数年前のことで、蔵六は鎖国下の日本にすんでいる。長崎で二人のオランダ人に会ったのが、西洋人を実見した唯一《ゆいいつ》の経験で、あとは蘭書の口絵を通しておよその見当がつく程度である。ついでながらかれは船酔いするたちのためについに生涯洋行せず、異人というものに接することもあまりすきでなかったが、ともかくもこのときのおどろきは生涯のものになった。しかし岡山城下の東郊の、山陽道ぞいの宿場の茶店に異人の女がいるだろうか。

（蘭書の読みすぎだ）

と、蔵六は自分の気の迷いであると思おうとした。寝ても醒《さ》めてもオランダ語で明けくれている日常のために、どうやら気の迷いがおきてしまったらしい。

その証拠に、最初目が碧いとおもったその目が、よくみれば鳶《とび》色のようでもある。ひょっとすると、猫のように変るのかもしれない。

（ともかくも、この貌《かお》は東アジアの人間ではない）

と、おもった。二十年前日本を退去したオランダの軍医少佐シーボルト（ただしドイツ人）は、すでに人類学の初歩のような物の考え方のたねを日本にのこしてゆき、シーボルト自身、日本人の人種について「アジア諸民族の雑種ならんか」と、結論をくだしている。そのことは蔵六も間接ながら聞きおよんでいたから、こういう非アジア的な容貌《ようぼう》にあって衝撃をうけたのである。

女は、蔵六の前にもちの皿と土びんをおいて、ちょっと微笑をうかべながら、

「このあたりはおはじめてでございますか」

と、ものやわらかく問うたのである。

蔵六は、白昼化生《けしよう》をみたような思いで、むっつりしている。

「沼」

と、おさ舟まげの女は地名をつぶやき、表どおりの外光をながめつつ、なにか遠い想《おも》いにとりつかれたように、放心している。

(妙な女だ)

蔵六はおもいながら、いまはもちを食うしかない。女のふしぎな容貌について、女自身にたずねたかったが、そのことは我慢した。

「お医者さまでございましょう」

不意に、女はいった。

「それも蘭方でいらっしゃいますね」

「なぜわかるのです」

「匂《にお》いで」

わかるらしい。

蔵六は、気持がほぐれた。もちの皿を置き、居ずまいをただしてから、思いきってたずねてみた。

「あなたは、なぜそのような目の色をなさっているのです」

「眼科でいらっしゃいますか」

女は、弟でもからかうように目を細めた。といって齢《とし》は蔵六のほうが二つ三つ上のようにおもえるのだが、婦人の齢は蔵六にはまだわかりにくい。

「眼科ではありませんが、豚の眼球を解剖したことは何度かあります」

「わたくしの目は、豚の目」

「いちいち、からんでくれてはこまる。ただ私は、あなたがなにか私の知らぬあたらしい眼病でもわずらっておられるのかとおもい、たずねてみたまでです」

「あたりました」

女は、蔵六をからかっているらしい。

「ほんとうに、目がわるいのです。お医者さまにみてもらったことがあります」

「漢方の眼科は、あれはいけない」

と、蔵六は相手が気の毒になり、かれにはめずらしくこの会話に深入りした。

蔵六がいうように漢方では、眼科がもっとも遅れている。漢方の病理学というのは一個の哲学であり、さまざまな陰陽説が基調になっており、これが眼科までおよぶ。

たとえば女の目と男の目は基本的にちがうとされ、脈のとりかたを異にする。徳川初期の肥前佐賀にすんでいた眼科のある名医は、

「ちかごろ戦国の風がすたれ、男が軟弱になり、女が空いばりするようになって、男女に差がなくなってきた。これは医師として脈をみているとよくわかる。女脈か男脈かさっぱりわからぬ者が多く、このおかげで眼病の診断がややこしい」

とこぼしたということが、古い随筆にのこっている。蔵六のこの時代の日本ではいかに旧派の医者でも眼科の病気に男女陰陽のちがいがあるとまではいわないが、それでも内科にくらべると遅れている。

「いいえ、土生《はぶ》玄碩《げんせき》先生にみてもらったのです」

と、女はいった。土生玄碩といえば漢方から出て蘭方をまなび、日本の眼科を一変させた名医ではないか。

（この女は、何者だろう）

と、蔵六はいよいよ好奇心をもったが、持てばもつほどこの蔵六という男は、山中の古沼のようにしずまった表情になる。

——村田さんは底意地がわるい。

というのが、適塾の女中のあいだでのかげ口であったが、ひとつにはこのように胸

中の思案とはしばしば反対の表情をするせいかもしれない。

「土生玄碩先生といえば当代比類ない眼科医だが……」

と、そこまでいってあとは興もなげな顔で沈黙し、女の出方を待った。撃剣の徒がよくやる誘いの手で、ずるいといえばずるい。

「土生流眼科」

というものが、室町末期から江戸時代中期までにかけての長い期間、日本の眼科の最高（あるいは唯一）の権威であった。しかも土生家は都会に診療所がない。これはむしろ医学だけでなく日本の各分野の名流の伝統のようなもので、草深い田舎の在所にある。土生家は、安《あ》芸国《きのくに》（広島県）の高田郡吉田村という在所で代々つづいていた。患者は日本の津々浦々からやってきて、ときにはこの在所に長期滞在してみてもらうのである。

しかし、それがどんな眼科であったかは、よくわからない。歴史に明白になるのは、江戸末期に出た玄碩（一七六八―一八五四）になってからである。玄碩ははじめ家伝の漢方眼科であった。玄碩はこれに満足せず、蘭方医をたずねまわり、オランダ語こそ知らなかったがその天才的な洞察力によって西洋眼科をとり入れて行った。もっともかれの若いころはまだ蘭方の草分けのころで、屍体《したい》解剖こそ流行していたが、眼球解剖の経験例は日本にない。

かれの三十をすぎたころ(寛政年間の末)蘭方医学の日本訳書の刊行が大いにおこなわれるようになり、かれはそのうちのプレンク著の眼科書や『泰西眼科全書』(宇田川榛斎《しんさい》訳)を熟読し、ついに家伝の眼科の体質を一変した。晩年かれは江戸において、たまたま長崎から出府したシーボルトに接近し、その眼科解剖と眼科手術の講義をきいた。

眼科手術のためには瞳孔《どうこう》を拡大させることが必要だが、玄碩はシーボルトにしつこくつきまとってその方法を問うた。

シーボルトは親切な男だったのだが、このときよほど虫の居所でもわるかったのか、教えなかった。玄碩は将軍家から拝領した葵《あおい》紋入りの羽織をシーボルトにあたえることによってついに教えてもらった。散瞳剤としてハシリドコロという薬物をつかえばよいというただそれだけのことであったが、これはのちに思わぬ事件になった。異人が拝領羽織を手に入れたということなどを罪科として、のち幕府はシーボルトを国外追放してしまうことになる。

「あなたは、土生玄碩先生に懇意であられるのですか」

と、蔵六はきいた。どうも、話のぐあいではそうらしいのである。蔵六にとっていよいよこの女は、なぞめかしくなった。

この茶店の亭主が、奥から腰を折って出てきた。

蔵六がふりかえると、茶店の亭主にしておくにはもったいないほどの艶《つや》やかな若者で、客である蔵六を無視し、女にぺこぺこ頭をさげた。やがて女が店の客にもちを出してくれたことを知り、ひどく恐縮がった。恐縮といっても蔵六に対してではない、女に対してである。

(まるで、大名の姫君に対するようなあつかいだ)

と、蔵六はおもった。

当の女は、にこにこ微笑《わら》って亭主の謝意をうけ、やがて表へ出た。蔵六が見ると、駕籠《かご》がまっていた。駕籠といっても宿場にたむろしているようなたぐいのものではなく、持ち駕籠であった。庄屋の婚礼などによくつかわれる女駕籠である。

女が行ってしまってから、

「どなたかね」

と、蔵六はややぼう然とし、亭主にきいた。亭主はとてもそれどころではない様子で、また奥へひっこもうとしていた。

「お産か」

蔵六は、察しがいい。しかしお産そのものではなく、この亭主の妻がはじめてのお産で臨月をむかえてどうも様子が普通でないために、ここ数日、岡山から産科の先生にきてもらっている、という。

(女の医者。……)

蔵六は、おどろいた。女で医師であるというようなことはきいたこともない。それに、

——たいそうな名医で。

と、亭主はいう。それも奇妙である。二十二、三の身空で名医などあるべきはずがないのである。

「せんさくするようで気がひけるが、お名前はなんと申される」

「このあたりでは、シーボルト先生とよんでおります」

ときいて蔵六は赤くなり、かれののちのあだなである火吹達磨《ひふきだるま》のような顔になった。怒るか、吹きだすか、どちらかしなければならない。ふざけた話ではないか、シーボルトといえば二十数年前、オランダ政府が日本の長崎の出島の商館へ派遣したドイツ人医師であり、この異人が日本を去ってから二十年になる。いま生きていれば五十を

こえているであろう。しかも男である。二十二、三の年増《としま》ざかりの女であろうはずがない。

「どういうわけだ」

と、問いかさねると、亭主は奥の病人が気になってそれどころではないらしく、逃げ腰のまま、

「そのお嬢さまらしゅうございまして」

と言いのこして、奥へ去った。

蔵六は鳥目《ちようもく》を置き、立ちあがった。岡山へゆかねばならない。

旭川をわたると、岡山城下である。京橋の上に立って北の天をのぞむと、烏城《うじよう》と通称される天守閣がそびえ、いかにも中国筋の雄都らしい。

蔵六は、橋を西にわたってそのままの方向をすすんだ。

ふつうなら、

「下ノ町の石井宗謙先生のお宅はどうゆけばよろしいか」

と、そのあたりの者にきくところだが、この男の妙な才能は、それを必要としない。

未知の土地でもなんでも、どんどん行って、やがてアアココカ、とたちどまったとこ

ろが、たずねるべき家なのである。

かつてかれは洪庵先生の供をして摂津池田へ行ったとき、そのデンをやって洪庵をおどろかせた。

洪庵がそのことをいうと、当の蔵六のほうがおどろいて、

「人はたれでもそうだと思っていました」

と、首をひねった。

洪庵は、才質ということばがすきである。君には妙な才質がある、といった。

蔵六は物事を理詰めで考えてゆくのがすきだが、しかしこの町さがしや家さがしの場合はどうも理詰めの作業というのはあまりやらず、勘でやってしまう。

(犬のようだ)

と、自分をおもったことがあるが、しかし犬でも飼い主の家へ帰るという能力があるだけで、未知の場所を行き当てるという能力はないかもしれない。ともかくもこういう一種奇妙な嗅覚《きゆうかく》が、のちのかれの大仕事に役立ち、歴史の旋回にまで関係してゆくのだが、しかしいまのところはただ石井宗謙の家にゆきあたるだけのことである。

(ここか)

と、蔵六は軒下を見、二階をあおぎ、笠《かさ》のひもを解いた。まわりは繁華な商家の町

で、宗謙の屋敷も、商家ふうの作りである。

入ると、土間が暗い。

土間の右手が、患者の控え室になっており籐《とう》の畳の上に数人の男女がすわっている。

その患者たちの頭上の欄間に、

「和光同塵《どうじん》」

という額がかかっている。禅僧の書によくある、そとに剛気があらわれ出てしまっている文字で、その点やや衒《てら》いくさい。たれの書だろうと蔵六が目をほそめると、おどろいたことに石井宗謙自身の筆跡だった。自分の書を自分の家にかかげるような人物はまずまれだろう。

（これは、よほどあつかいにくい人物かもしれない）

と、蔵六は覚悟した。

和光同塵とは、老子の言葉である。ソノ光ヲ和ラゲテソノ塵《ちり》ヲ同ウス。光とは自分の知徳のことである。知徳がありながら俗世間（塵）にまじっている、という意味で、これはいよいようるさい人物らしい。

取次の書生が、蔵六を自分たちの書生部屋へ案内した。

「これにてしばらく」

といって、書生は出て行ったが、見まわすとひどい部屋で、行燈《あんどん》部屋のようであり、焦《こ》げたような色の畳が二枚、あとは三角の板敷で、書生のよごれもののにおいなのか、壁に異臭がしみついている。壁には窓がない。蔵六は、一年も溜《たま》ったような空気を吸っているような気がした。

（これは、病人が出る）

と、蔵六はおもった。それにしても大坂の緒方洪庵の代理人である蔵六を通すのにこんなひどい部屋というのは、どういうわけであろう。

待っていると、ほどなく書生が入ってきてオランダの活字本を一冊もってきた。

「これをどうぞお写しあれということです」

蔵六は、手にとった。

「蘭語が読めますか」

と、書生がきいた。蔵六はこの程度の本なら辞書なしで大体読める。

「はい、わずかに」

と答えると、書生はうらやましそうに、

「私は表題も読めません」

と、いった。地蔵のようにまるい顔をした若者で、長屋のおかみのようによくしゃべる。当家に三年もおります、しかし雑用にいそがしくて蘭語はまだ一字もおしえてもらえない、という。

「お宿は？」

と、もう話題を変えている。蔵六はまだ宿をきめていない。そうきくと書生は乗りだしてきて、

「筋むかいに備中屋という宿があります」

と、客ひきのようなことをいった。書生のいうには、この書生は小づかい銭をとるためにその宿の風呂《ふろ》たきをしているのだという。夕方、御当家の風呂をたいて、そのあと筋むかいへ走って宿の風呂をたき、途中湯かげんをみるために両方を猛スピードで往復するのだ、という。

「それはおいそがしいことだ」

「ですから、学問をするひまがありません」

「ところで」

と、蔵六は話の腰を折った。石井宗謙先生にごあいさつしたいがいかがでしょう、というと、書生は気の毒そうに、

「先生からそのことは伺っておりません。ただその書物を宿でなりとも写されるよう

にとおっしゃっただけですが」

（ああ、なるほど）

蔵六はおもい、やむなく大坂からもってきたみやげものを書生に渡し、土間へおりてもう一度わらじをはいた。

表に出ると、書生のいうように備中屋という宿がある。そこへ宿をとった。

その夜、宿へ行燈の油代を別に支払い、夜あけまでかかって、その梅毒の治療法に関する論文をうつした。

蔵六が大坂からもってきたみやげというのは、書物である。洪庵の病学（病理学）についての論文であった。未刊のもので、これを蔵六が書写して持参してきた。

この時代、蘭方医学の世界にかぎっては、日本の技術社会の習癖である秘密主義や一子相伝主義がなくなり、たがいに情報を交換しあうことがさかんになった。蘭書が入ってくるとたれかがそれを翻訳し、刊行した。刊行した書物で金銭上の利益をむさぼろうとする蘭方医はむしろまれで、とくに緒方洪庵などはその気分が稀薄《きはく》であり、ときに私費を投じて、ある病気の予防法や治療法を本にし、無料で配布した。石井宗謙は、蔵六がもってきたそのみやげに心をうごかされたらしい。

翌日の夕刻、書生をつかいによこして、

「すぐきてもらいたい」

と、いってきた。

すでに食事どきである。蔵六はわざと時をはずして訪ねると、宗謙が出てきて、

――ひとの好意を無にするのか。

と、立ちはだかったままで、いきなりどなった。夕食を用意しておったのに、と宗謙はいう。岩のような坊主《ぼうず》あたままで、年は五十をとっくにすぎている様子だが、いかにも頑丈そうである。

蔵六は奥の宗謙の書斎へ通された。そこで膳《ぜん》が一つあって、宗謙はさっきから酒をのんでいたらしい。

蔵六は、すわった。

彼は夕めしを済ませてきた、といってあるから宗謙も割りきってすすめようとせず、独りで膳部の上のものを口に入れては、酒をのんだ。かんの番は、書生であった。

「貴公が、緒方の塾頭か」

と、訊問《じんもん》するようにいってから、洪庵の消息について二つ三つ質問し、

「貴公は解剖《ふわけ》がうまいそうだな」

と、いった。洪庵の紹介状にそう書いてあるのだろう。

蔵六は、返事のかぎりではない。そうおもってだまっている。

「大体が、緒方洪庵は病学の大家だ。かれの『病学通論』によって、天下の医学徒の内科書に対する理解がくわしくなった。洪庵はシーボルト先生にもついておらぬのに、よくぞあそこまでゆけたものだ」

そうほめたあと、すぐくさした。

「しかし害もある。洪庵の病学理論がゆきわたるにつれて若い蘭方医が理屈っぽくなった。理屈では、いざ患者を診たときになにもわからない。貴公は解剖ができるというが、屍体を一つ解剖すると人間の体がわかったつもりになり、変に自信ができる。それに病学の理屈がくっつけばもう一人前の医者になったように錯覚する。病学と解剖がとくいの適塾は、医者モドキをつくるだけのことかもしれん」

(このひとには、鬱懐《うっかい》があるのだ)

と、蔵六は、石井宗謙のとげとげしさを、そのように解釈しようとした。

――蘭方の産科ではおれは日本一だ。

と石井宗謙は話のなかでしばしばいったがその日本一が、長く作州の田舎にうずもれ、いまはやっと山陽道の通っている岡山城下に出てきて開業しているものの、天下の大藩である岡山藩がこれほどの「大才」に注目しようともしないことも、宗謙のこの世へのうらみのひとつらしかった。

「岡山藩は、学問のさかんな藩ではありませんか」

「物習いはさかんだ。しかし物習いを学問とはいえまい。学問とは、あたらしいことを拓《ひら》く心があってはじめて成立する世界だ。岡山というところは朱子の註を棒諳記するだけが学問だとおもっている。君は長州か」

「そうです」

「長州は、興《おこ》るぞ。あの藩は藩主や執政以下蘭学にめざめている」

と、宗謙はほめたが、蔵六はべつにうれしくはない。長州人ではあっても藩士ではないから、蔵六にとっては無縁の話題に近い。

「いずれ、この石井宗謙という町医が将軍家の奥医師にでも招かれるようなことになれば、岡山藩の連中はあわを食うだろう」

「和光同塵」

と、蔵六はつぶやいた。宗謙の和光同塵は意味がちがうらしい。非常にすぐれた者が市井《しせい》の塵とおなじ塵になって生きてゆくという老子の境地は宗謙にあっては逆で、そのことがくやしいという意味のようである。

そこへ不意に茶菓をもってあらわれた婦人がある。

蔵六は、あやうく声をあげそうになった。きのうの昼、沼ノ茶屋で餅《もち》をはこんできてくれたおさ舟まげの産科の女医者が、いま盆を畳の上におき、背をみせて明り障子を閉めているこの女性ではないか。

「よく渡《わ》せられました」

と、その女性は、きのうとは別人のようなしとやかさで、指をつき、あたまをふかぶかとさげた。

蔵六は、夢をみているような思いである。

「家内だ」

と、宗謙がいった。

(齢《とし》がちがいすぎる)

と、蔵六はおもった。亭主が五十をとっくに越えているはずだのに、夫人は眉《まゆ》のあたりがまだ清らかで、はたちを二つかせいぜい三つばかり過ぎた若さである。

それに妙なことに、宗謙が、

――家内だ。

といったとき、彼女はあきらかに不快げな表情をし、

「失本《しもと》イネでございます」

と、名乗ったことである。あとでわかったことだが、失本とはシーボルトの音を日本文字に写したもので、この女性の歴《れっき》とした姓であった。いったい、宗謙の妻なのかどうか。

翌日、イネは大胆にも蔵六を宿にたずねてきた。いかに蔵六の宿が石井家のむかいであるとはいえ、この時代、夫をもつ身が、他の男をひとりでその宿にたずねるということはない。

(なにごとだろう)

とおもって蔵六は机を押しやり、自分のざぶとんを裏がえしてイネにあたえた。

「どうぞ」

「ありがとうございます」

といったが、イネはそれをそっと横にやった。そういう仕草のしとやかさは、一昨日、茶店で出会ったときと、別人のようである。

やがて膝《ひざ》の上で、ふろしき包みを解いた。皮に金文字で装釘《そうてい》されたオランダ医書が出てきた。

蔵六は手にとってみて、それがブランカルトの内科書であることがわかった。日本では抄訳が出ている程度である。

ページを繰ってみると、ところどころに紙片がさし入れられている。

「この紙片は?」

「読めないところでございます」

それを読んでくれ、というのである。用件は、それらしかった。

蔵六は、不審におもった。

「石井先生に読んでおもらいになれば、よいではありませんか」

「あの方とは、不仲でございます」

(不仲。……)

蔵六は、自分の蘭学が成就《じょうじゅ》するまではなるべく男女の間柄のことに興味はもつまいとおもっている。

「ああ、なるほど」

不仲ですか、と興なげにつぶやき、あとはだまって蘭書に目をおとした。目読をすすめて行ってやがて訳の構想が立つと、

「さて、申しあげます。筆をおもちですか」

というと、イネは懐中から可愛《かわい》い赤革製の小筒をとりだした。

（なんだろう）

とおもっていると、イネはすぽんとふたをぬいた。なんと鵞《が》ペンが十本ばかり出てきた。インキは、矢立《やたて》の墨つぼをつかった。

やがて蔵六が口述するまま、イネは羽をピンと立て、さも気持よげに文字をすべらせはじめた。この小さな動作を、蔵六は生涯わすれることができなかった。

（やはり、異人の血だ）

とおもうのは、鵞ペンのつかいかたがじつに自然だということである。

口述がおわってから、蔵六は、

「お父さまにオランダ語をお習いでしたか」

と、きいた。イネはキラリと目をあげて、

「いいえ、父はわたくしがうまれた翌年に日本を去っております」

と、怒ったように答えたが、すぐ笑って、

「わたくしは、オトシゴ」

と、肩をすくめた。

翌日も、おなじような時刻に、イネが蔵六の宿にやってきた。

「ご迷惑でしょうか」

と、ひとことは言うが、蔵六の迷惑もなにも一向にかまっていそうにない調子で、例のふろしき包みをひらいた。例のブランカルトの内科書が出てきた。きのうは半ページばかり訳してもらったが、きょうは他の箇所で半ページばかりある。蔵六が口述し、イネが鵞ペンを走らせた。

その翌日もきた。

蔵六は親切な男だが、すこし顔色をあらためて、内儀どの、といった。

「イネとよんでいただきます」

と、イネはうつむいて赤革の小筒から鵞ペンをとりだしつつ、つぶやいた。

「石井宗謙先生の内儀ではござらぬか」

「いえ、宗謙の家内ではございませぬ」

と、あやしいことをいう。

(どうもわからん)

蔵六はこの話題に深入りせぬために、話を変えた。ブランカルトの内科書のことであった。この内科書は名著ではあります、と蔵六はこまったような顔で、

「しかし、なにぶん古すぎるのです。ブランカルトは一七〇二年没といいますから、日本でいえば元禄《げんろく》十五年赤穂浪士が吉良《きら》屋敷に討ち入りをした年です。西洋は日本と

ちがい進歩の国ですから医学書というものはあたらしければあたらしいほどいいのです」

「これは、ふるい御本でしょうか」

イネは、おどろいたように目をみはった。まつげが慄《ふる》えているようだった。

「ご存じなかったのですか」

「存じませんでした。この御本は父のかたみではなく、父が日本にくるよりも以前から長崎の出島のオランダ商館にあったもので、それをわたくしの母がもらっていたのです。わたくしがもっているオランダの原書といえばこれ一冊しかございませんので、それこそ父のかたみとも思い、宝のように大事に致しておりましたのに」

といいながら、イネはみるみる涙をうかべたが、すぐ、くすっと目もとで笑い、

「宝ものとはみなそうかもしれませんね、役に立つなら宝ものとはいえないかもしれません」

と、蔵六の同意をもとめる目つきをしたが、蔵六がむっつりだまっていると「それでもこの御本でオランダ語の勉強をしましたから、まったく無用の本ではなかったと思います」と早口でいった。

蔵六は、この書物にまつわる彼女の情念には強いて無縁のつらつきをしながら、

「内科書では、ビショッフのものがあります。これは原語を読む労をとらなくても、伊東玄朴にも訳がありますし、青木周弼《しゅうひつ》にも訳があります。臨床にもっとも役立つ内科書としてはフーフェランドのものがありますが、これは私の先生の緒方洪庵先生の名訳があります」

無愛想に説明した。

ここで、別の話。

蔵六はイネの前半生について、この時期、なんの知るところもなかったが、

「シーボルト」

という名前に、一種の神秘的なまでの憧憬心《どうけいしん》をもっている。

シーボルトとイネの関係について、すこし触れておかねばならない。

フォン・シーボルトがうまれたのは、蔵六のこの時期より半世紀前である。一七九六年、南ドイツのウュルツブルグという町でうまれた。かれはのち日本にきたのはオランダ王国の軍医少佐という肩書であったため、日本ではずっとオランダ人としてふるまっていたが、しかしまじりっけのないドイツ人である。

「父のうまれたウュルツブルグというのは、どういう町なのでしょう」

と、イネは後年、彼女がついに見ることのなかったこの町にあこがれたが、シーボルトも晩年この町に隠棲《いんせい》し、かれのいう「美しき国に住む善良なる日本国民」をしのびつづけながら、余生をおくった。

この町は、バイエルン王国では首都ミュンヘンから三番目の人口をもつ町である。ついでながらドイツ圏は、日本が三百諸侯を統合して維新国家をつくったように、一八七一年（明治四年）ドイツ帝国ができあがるまでは、諸国家にわかれていた。バイエルンは、ドイツにあってはプロイセン、オーストリアに次ぐ第三の大国であった。日本との比較は無意味とはいえ、しいて徳川《とくせん》日本のばあいでいえば、加賀藩、薩摩《さつま》藩につぐ仙台藩の位置であろう。バイエルンは一州の三分ノ一を森林でおおわれており、シーボルトが生存した時代はおもに農業が経済の主体であった。ウュルツブルグ市はそのなかの東フランケン地方の中心で、シーボルトは、イネの母の其扇《そのぎ》に、

「私の故郷の町は、町をながれるマイン河がそのうつくしい風景をつくっており、ドイツの他の地方にすむひとも、この町のうつくしい山水を見物にくるほどである」

と語りのこしている。

シーボルトの家はその町の名門で、とくにその家系から多くの学者を出したことで町のひとびとの尊敬をうけていた。

かれの祖父は、かれも学んだこの町の古い大学であるウュルツブルグ大学の解剖・外科・産科の教授で、とくに手術のうまさと指導の親切さで知られ、「ドイツ第一流の外科医」といわれた。かれの父はこの祖父の長男で、右の大学の生理学の教授であった。シーボルトにとって叔父にあたるその弟たちも二人までこの大学の医学部教授であり、かれにとっていとこにあたる者たちにもドイツの各大学の医学部に講座をもつ教授たちが多い。

シーボルトは三歳で父に死別し、母方の叔父にやしなわれ、長じてかれの家系のひとびとがたどったおなじ道をすすむべく、ウュルツブルグ大学に入り、医学をおさめるかたわら、人文地理と民族学をまなんだ。

シーボルトというのは、かれの日本人の門人たちにとっては神のように優しいという印象であったが、しかしその顔に刀傷があることが門人にとって不審であった。

あるとき、たれかがきくと、

「私の母国では、気概に富んだ学生はみなこうだ」

と、誇らしくいった。

シーボルトはウュルツブルグ大学の在学中は学問への好奇心の旺盛《おうせい》な学生で、そのため町に自宅があるのにわざわざ亡父の友人である同大学の解剖学・生理学の教授で

あるデルリンゲルのもとに下宿し、その個人教授をもうけていたほどであったが、しかし同時に、

「メナニア」

という学生団にも所属していた。学生任侠《にんきよう》団というべきもので、つねにサーベルを吊《つ》ってあるき、中世の騎士のように勇気と胆力を練り、必要とあればしばしば剣をぬいて決闘した。シーボルトは一度も負けたことがなく、このために無数の傷が出来、顔だけで三十三カ所の刀痕《とうこん》があった。かれが日本滞在中、ゆるされて江戸へ行ったことがある。このとき水戸の攘夷《じようい》浪士からねらわれたが、つねに泰然としていたのは、ひとつには学生時代、数かぎりとなく修羅《しゆら》場《ば》をくぐったことにもよるらしい。

学生のおわるころ、かれは東洋でいう、

「四方の志」

をいだいた。

ヨーロッパでこのまま医学者になるよりもコロンブスやマゼランのように非ヨーロッパ世界へ踏みだすことを夢想した。夢想というよりも、着実な志望であったであろう。かれはとくに植物学と動物学への関心がつよく、その方面については極東はヨーロッパの学界ではまったく未知の地帯であった。

とくに日本という国が、ヨーロッパ学界ではまったく空白であることに気づき、学問的冒険心にかきたてられた。

「日本は、鎖《とざ》された国である。しかし、日本はほんのわずかな扉のすきまを、オランダに対してひらいている」

ということを、かれの師のデルリンゲル教授の友人であるミュンヘン大学の万有学教授であるオーケンからきいた。

行動家のシーボルトは、オランダ王ウィレム一世に嘆願しようとした。たまたま王の侍医が亡父の友人であることを知り、それにとりなしを乞《こ》うべく、時のオランダの首都ハーグへ行った。すべて好都合にゆき、王はシーボルトに対し、かれが外国人ながらこれを陸軍軍医少佐に任命し、ひとまず蘭領東印度の陸軍病院付きとし、

「東洋における万有学的研究をすべし」

という命令を出してくれた。

かれはまずバタビヤへゆき、ついでかれはバタビヤ駐在の総督の命令で、日本の長崎出島の商館に派遣されることになった。

シーボルトが日本にきたのは文政六年の八月十一日（旧暦七月六日）で、かれの二十七歳のときであった。蔵六がうまれる前年である。

この時期、オランダは植民地行政や貿易行政に大刷新をおこなうべき理由があり、

——日本との貿易についても、品目ややりかたについて、従来とは質的に転換すべきときではないか。

という声があって、それには日本の物産を根本的に調査しなおすべき必要があった。そのときたまたま日本ゆきを志願したシーボルトに対し、オランダ政府はその面を期待した。日本がもつ経済的価値を再検討するには、まず学問のほうからそれを根こそぎに調べてかからねばならない。この意味からいえば、シーボルトの役目は、かれ自身の目的は学問的なものであったにせよ、オランダ政府にとっては、

「貿易調査員」

というべきものであった。むろんそのような意図は、対外的に猜疑《さいぎ》ぶかい日本の幕府に対しては秘密にしておかねばならない。幕府に知れれば、幕府は容赦なく間諜《かんちよう》としてかれを追放するであろう。

ただここに、困難がある。

むかしからの幕法として、幕府はオランダ人の自由な国内旅行をゆるさない。その居住は長崎にかぎっていたが、その長崎でも市街地へ出ることをゆるさず、出島という人工の洲《す》だけに住まわせ、外出の自由をあたえないどころか、日本人との勝手な接

触をゆるさなかった。これでは調査ができない。

そこで、オランダとしては一策を講じ、当時の出島駐在の商館長ストルレルから、幕府唯一《ゆいいつ》の外交機関である長崎奉行所あて、特別な願い出をした。

「こんど、本国からフォン・シーボルトという医師が派遣されてきましたが、かれは医術一般、ことに外科、眼科、婦人科のほかに植物学、物理学、地理学に精通しており、オランダでも有名な医師であります。もし日本の帝室（徳川家）の侍医や藩医にしてこの者に医学の伝授をうけたいという希望がありましたら、費用は当方持ちにてそれを教授させます。また日本人にしてかれの治療をうけたいという希望があれば、個人的医療奉仕をもなさしめます」

というものであった。

当時の長崎奉行は高橋越前守重賢という者で、かれはこれをよろこび、シーボルトのためにできるだけ便宜をあたえることにし、さらに幕府の許可を得て、

「シーボルトは病人への往診のために長崎の市内外を歩いてもかまわない。また長崎近郊の薬草を採集してもかまわない」

と、未曾有《みぞう》の自由をゆるした。これによってシーボルトはやがて長崎郊外の鳴滝に塾舎を設けて門人を教授することになった。

日本国肥前長崎の出島に着任したとき、シーボルトは二十七歳であった。この冒険的好奇心に富んだ独身の青年に、当然、恋があらねばならないであろう。が、かれは出島という隔離地域に居住していたし、その行動範囲も対人接触も厳格な幕法によって限定されていた。

幕法がオランダ人にゆるしている恋愛は、遊女だけにかぎられていた。

それも長崎丸山の遊女だけで、そのなかでも、

「おらんだゆき」

と通称される遊女に限定されていた。

江戸時代を通じ、長崎の丸山といえば、江戸の吉原、京の島原とならび、日本三大遊廓といわれてきたが、日本唯一の貿易港だけに、金銀の落ちる量は京の島原をはるかに越えている。さらにはその遊女の衣装の豪華さは、江戸の吉原のそれを越えるであろう。

丸山の遊女には、三種類あった。日本人の客のための者、唐館（中国人の商館）のみにゆく者、さらに出島の阿蘭陀《おらんだ》屋敷のみにゆく者という三通りで、なかでも「おらんだゆき」の遊女の衣装がとびきり豪華であった。

其扇という遊女がいた。丸山でもっとも格式の高い引田屋の抱え遊女で、店に出て

早々、おらんだゆきになった。

彼女が出島の蘭館に行った最初の日に、シーボルトが見そめた。

その日は商館の宴会で、彼女は他の朋輩数人といっしょに酒席にはべっていたところ、鳴滝塾舎での診療と教授を終えて帰ってきたシーボルトが、たまたまこの宴席に顔を出してはじめてこの其扇を見た。

——なんと、目のうつくしい娘だろう。

と、シーボルトはグラスを宙にかかげたまま、しばらく息を詰めて見つめつづけた、というのが、恋のはじまりであったらしい。事実、其扇の容貌《ようぼう》は群を圧していた。とくにその瞳《ひとみ》は、東洋へのあこがれのつよいシーボルトにとっておそろしいばかりの魅力をもっていた。西洋婦人のように大きく張った瞳ではなく、どちらかといえば細く小さく、わずかに目尻《めじり》があがっている。そのかすかな二重瞼《ふたえまぶた》がきらきらとまたたくびに、濡《ぬ》れたような茶色の瞳が宝石のようにかがやき、それを見つめているシーボルトにとっては、東洋の神秘そのものであった。

行動家のシーボルトは、彼女を自分だけの愛人にするために蘭館長にたのみ、蘭館長は日本人役人である「唐人番」にたのみ、唐人番は八方奔走して彼女を引田屋から落籍《ひか》せた。

それが、イネの母である。

長崎の北郊、鳴滝という地に、幕府の黙認によるシーボルトの塾舎があることはすでにのべた。

鳴滝とは市街地から七面山にかよう参詣《さんけい》みちの途中の地名で、山を背負った塾舎の前を鳴滝川という渓流がながれている。あたりには多様な樹木が密生し、椎《しい》の大木やサザンカ、竹やぶなどがこの風景のみどりを複雑にしていた。

「私は、この地を得てはじめて日本そのものにひたることができた」

と、植物好きのシーボルトがいったのは、この付近がいかにも日本らしい暖地性の樹叢《じゆそう》にかこまれていたからであろう。

このシーボルトの医学校の外観は、二棟の母屋と三棟の別屋にわかれた日本建築で、まわりには生垣がめぐらされている。

母屋の一棟は二階建で、内部はやや西洋風であり、板床にテーブルやイスを置き、シーボルトの研究室として使用された。いまひとつの母屋は平屋で、これは内部にタタミがなく、塾生のための教室兼診療室にあてられた。他の棟は、書庫、台所、物置である。

落籍されてからの其扇は、その本名のお滝でよばれた。シーボルトは、

「オタクサ」

と、発音した。かれは彼女をこの鳴滝塾舎の二階建の母屋に住まわせた。

しかしシーボルトは毎日ここに住むことはゆるされない。幕法によるかれの居住許可地はあくまでも出島であり、一週間に一度ここにきて終日塾生に教え、病人を診察し、ときに手術し、その夜はとまるという生活形態だった。

長崎につたわる話では、

「シーボルトが鳴滝にくるのは植物採集という名目だった。かれの鳴滝への外出には護衛および監視として奉行所役人がつきしたがい、それに数人の通詞（通訳）などが加わってつねに大人数が、その前後をぞろぞろあるいた。沿道、土地の農夫などが難病人をつれて土下座し、路傍で診察を乞うこともしばしばだったが、かれはこの多忙のなかにあって、そういう路傍の病人に対してもいやな顔をせず、親切に診てやった」

と、いう。

お滝と同棲《どうせい》してから、ちょうど一年目の文政十年の五月、女児がうまれた。

外科のほかに産科をも専門とするかれは、お滝のお産を他人の手にゆだねる気になれず、とくに奉行所のゆるしを得て、出島のオランダ屋敷の手術室で分娩《ぶんべん》させた。

イネが、うまれた。

この女児にとって不幸なことは、この父の顔を記憶するいとまもなくこの翌年、シーボルトが帰国の途についたことである。かれの乗船は出港前に暴風に見まわれ、港内で難破した。かれはやむなくいったん陸地にもどったが、その間その荷物のなかに輸出禁制品があることが露顕した。この罪によって幕府から国外追放を命ぜられる。

シーボルトというのは、よほど情愛のこまやかな人物だったらしい。

かれは長崎を去るについて長崎の漆工にたのんで、螺鈿《らでん》の箱をつくらせ、そのふたの表にお滝の絵像、裏にイネの絵像をえがいて青貝でちりばめさせ、その箱のなかに二個のガラス容器をおさめた。その容器にはお滝とイネの頭髪がそれぞれ入っており、イネの毛はやや茶っぽかった。

さらにシーボルトは出島の蘭館を出るとき、イネをだきあげて門人の二宮敬作と高《こう》良斎にしめし、

「この一塊の肉身を自分であるとおもい、どうかりっぱに成人するよう養育してもらいたい」

と、たのんだ。二宮と高は涙とともにそのことをひきうけた。

シーボルトが去ってあと、お滝・イネの母子は、長崎の銅座に住んだ。

「銅座には、異人の子がいる」

というので物見だかく見にくる者もいたが、しかしイネは少女時代、そのことで傷ついたという思い出はなかった。長崎のひとびとは異人や唐人に馴《な》れていたし、それに日本の他の町とちがい、長崎のひとびとは、異人や唐人によって町がうるおっていることを知っており、かれらに対し、敬愛のこころをもちつづけていた。

イネが、自分の容貌が他の日本のこどもとちがうことに気づいたのは、四つぐらいのころからららしい。しかしそれについて苦に病むことがなかったのは、ときどき家に訪ねてくる父の門人たちのおかげであったろう。かれらはイネに対し、貴人の娘をあつかうように扱ってくれた。

「あなたのお父上は、シーボルトと申される大学者で、神のような心と智恵《ちえ》をもったひとです」

ということを、門人のたれもが言った。このことが、イネの誇りを育て、さらには自分がその父の娘であるためには学問をしなければならぬということを自然に思うようになった。十歳のころからオランダ語を学ぼうとし、その文法書で独習をはじめたが、母親のお滝はこの娘の体が弱いため学問をすることを好まず、書物をとりあげたり、かくしたりした。

或《あ》る時期、イネはこれを苦にやんで家出をし、長崎在住の父の旧門人の家をとまりあるいたことがある。

その後、お滝が折れ、伊予（愛媛県）にいる旧門人二宮敬作のもとにゆくことをゆるしてくれた。イネは二宮について外科を学んだ。

「しかし、あなたは婦人だから産科をまなぶほうがよいのではないか」

と彼女にすすめたのは、この二宮であった。産科ならば岡山にいる旧門人石井宗謙におよぶ者がない、と二宮がいうので、イネは岡山へゆく運命になった。

イネは、岡山へ行って、石井宗謙の家に住みこみ、その内弟子になった。

宗謙は長崎鳴滝の塾舎でシーボルトに師事していたころはまだ齢《とし》も三十前で、頭のはたらきのするどい、好奇心の旺盛な青年学徒だったが、いまは岡山城下、というより山陽道第一の蘭方の大家として身動きもゆったりしている。

イネは、父を知らないため、父の旧門人にあえばかならず父のことをきいた。

「先生のオランダ語というのは、どうも他のオランダ語とちがっていたな」

と、宗謙はそんなことを教えてくれた。

幕府の長崎通詞がしゃべるオランダ語の発音とは、ひどくちがうのである。幕府の長崎通詞というのは家代々の業としてオランダ語を学び、つねに出島のオランダ屋敷に出入りして言葉をみがいているため、その発音はほぼ実際のものとかわらない。

「あるとき、ある長崎通詞が、シーボルト先生にその理由をきいてみた」

そのときシーボルトはその通詞の両眼をじっと見つめてから、

――私のは、山地方のオランダ語です。

と、答えた。

「だからわれわれシーボルト先生の門人のオランダ語も、山地方の音《おん》よ」

宗謙はそういって笑ったが、本当のところは宗謙のいうこともまちがっている。シーボルトは自分がドイツ人であることを最後まで秘し、滞日中ついにオランダ人として通しきった。

その理由のひとつは、いかにかれ自身の日本ゆきのための便宜上の就職であったとはいえ、オランダ王国の軍医少佐である以上、王国の名誉を考えてオランダ人として終始したということであろう。さらには日本政府が二世紀以上にわたって厳重な鎖国をつづけているのはカトリックをおそれる対宗教上の理由からであり、唯一の例外としてオランダとのあいだのみに交易をみとめているのはオランダが新教国であると日本政府が理解しているからであるということを、シーボルトはよく知っている。もしかれが、自分でドイツ人であるということを明かせば、長崎奉行はひっくりかえって大騒ぎするにちがいないと見ていた。

(では、私は、山オランダ人の子か)

と、イネはおもい、山オランダというのはどういうところであろうと空想した。

宗謙は、イネに産科を教えた。実際には産婆《さんば》のしごとだった。お産があると、宗謙はイネをゆかせた。イネは器用で、妊婦にも親切だったから評判はよかったが、

(学問をしにきたはずだのに、産婆をさせられているだけでは、どうにもならない)

と、一年後にはおもうようになった。


ようやく部屋が暗くなりはじめた。

イネは、蔵六と対座しつづけている。

(これは、どういうことだ)

と、蔵六は、この時間の危険さをおもわざるをえない。相手は、石井宗謙の妻である(らしい)。場所はこの旅籠《はたご》の蔵六の一人部屋であった。後日、これについて宗謙からどういううたがいをかけられてもしかたあるまい。

(——それにしても)

と、蔵六はおもった。この婦人の美しさはただごとではない。

陽がかげりはじめたことが、イネの肌の白さをかえって浮きあがらせ、透きとおったような妖《あや》しさを蔵六に感じさせた。妖しさとは、イネのもつ血の異質さがあるいはそのように蔵六の美の基準を小さく惑乱させつづけているのかもしれず、いずれにせよ、対座している蔵六は、かるい酩酊《めいてい》のなかにいる自分を感じつづけている。

すでに、イネがたのんだ蘭書の部分訳を蔵六はおわっており、

——シーボルト先生を、あなたはおぼえていらっしゃいますか。

と、蔵六がつい口にした質問をかわきりにイネとの会話がはじまってしまっているのである。

イネは、覚えていない、といった。シーボルトは山オランダ人であるということもイネは話した。外科を教えてくれた二宮敬作の世話でこの岡山の石井宗謙のもとに産科を学びにきた、ともイネは語った。しかし学問としての医術やオランダ語をば宗謙は教えてくれず、実際には宗謙の助手として産婆のしごとをのみ受けもたされている、ともいった。

「人間のやることというのは、どうしてこんなに滑稽《こっけい》なことになるのでしょう」

（滑稽。……）

産婆が滑稽なのか、と蔵六は不審顔でいると、イネはそれに気づいて、

「そうじゃありません。学問にあこがれて、できれば女の身ながら蘭学者になりたいとおもい、長崎から伊予へ、そして岡山に」

と、イネは急に笑った。

「参りましたのに、やらされていることといえば産婆の実務ばかりで」

「それが、滑稽なのでしょうか」

「いいえ、それならまだしも。……自分が、お産をしてしまったのでございます」

「ははあ」

蔵六には、よくわからない。

「女というのは、とてもむずかしいものでございますね、学問をしてゆくという上では」

「そんなものですか」

蔵六は、わざとにぶい表情で受けた。イネはそれ以上はくわしく言わなかったが、あとで蔵六が想像したところでは、イネは彼女が望んだことでないにせよ、宗謙とのあいだに男女の関係ができてしまったのであろう。

女児がひとり、イネにはいるらしい。

イネはこの時期、よほど心が鬱《うつ》していたらしい。

――遁《に》げよう。

と、そのことばかり考えていた。遁げるとは岡山を、である。宗謙とのあいだに不用意に出来てしまった夫婦関係ほど、この少女――と彼女自身は自分をそう考えていた――をとまどわせたものはない。イネは、こどもをうむために岡山にきたのではない。

学問をしにきた。イネにとって学問という語感は、水平線のかなたにある虹《にじ》のように華麗であり、その虹の華やぎのひとひらずつを追いもとめることに自分の生涯をついやそうとおもい、さらにはその虹に達しえたあたりに父の世界があると信じていた。げんに父が日本に残したもっとも忠実な門人である伊予人二宮敬作は、

「学問の世界に、父上がおられるのです。学問に辛苦をかさねることによって、あなたは父上とおなじ感興の世界に住むことができるのです」

と、はげましてくれた。

「狆《ちん》がくしゃみをしたるがごとき」

と、その奇妙な顔貌を同門の連中からからかわれていたこの二宮敬作は、シーボルトから養育上の後見をまかされたことをかれの生涯のもっとも重大な負担にしつつ、宇和島郊外で開業していた。かれは暮夜、他郷にいるイネの身を案ずるのあまり、朝

めざめても前夜の涙で目があかなかったことさえあるという。イネが岡山にゆくときも、敬作はわざわざ出むいて、イネに硯《すずり》を贈り、その裏に小柄《こづか》をもって、

「成せば成る　成さねば成らぬ　何事も成せぬと言ふは成さざればなり」

と、訓戒の文字をきざんだ。

その敬作がイネの出産を知ったときほどおどろいたことはない。かれはすぐ宇和島を出てまず大坂にいる同門の高良斎のもとに相談にゆき、そのあと岡山へゆき、石井宗謙を責めた。

いや、責めようとし、ひとこと言いかけたとき、宗謙は太い眉《まゆ》をひそめて、

「敬作、なにかのまちがいではないか。私はイネを妻として娶《めと》ったのだ」

と、いったため、敬作は気勢をそがれた。結婚した、といわれては敬作もそれ以上言うべきことばをうしなったが、しかし宗謙には妻がいる。

事情あって岡山の家にはいないが、もし離別していないとすればイネの位置はどうなるのであろう。さらに不自然なことは、両人の年齢がひらきすぎていることであった。どうやら三十ばかりちがうようであり、それやこれやで、この結婚はイネに幸福をもたらしはすまい。

「おまえは、シーボルト先生の御恩をわすれたのか」

と、敬作ははげしくどもりながら、宗謙にいったが、宗謙は、
「事は、男女の情より発している。師の恩とはべつなことだ」
と、いうのみで、多くを言わない。敬作もそういわれてみればそれ以上責めること
もできない。
(男女の間のことは、自分などにはわからぬ)
と、蔵六は、イネと宗謙とのあいだになにやら事情がありげなことはわかったが、
しかしその事情をかんぐったりする自分を戒め、ことさらに薄ぼんやりした顔で話を
きいた。
が、イネはそういう蔵六の状態をゆるさず、踏みこむように、
「わたくし」
と、蔵六をみつめた。
「岡山を出て、大坂へゆきたいとおもっているのでございますけど。このこと、いか
がでございましょう」
と言いだしたとき、蔵六はこれは容易ならぬ相談相手にさせられそうだとおもった。
イネのいうところでは、緒方洪庵塾に入ってもう一度蘭語と蘭学をやりなおしたいと
いうのである。イネは洪庵塾の教授法が日本一であることを知っていたし、その塾の

実力の高さは、いまこの村田蔵六の語学力を見ることによって十分に知らされた。

「しかし、それはご無理でありましょうな」

蔵六は、イネを思いとどまらせようとし、語尾をにごさずにいった。

いま、日本における五十代の蘭学の巨峰たちは、ほとんどがシーボルトの直門であり、そのシーボルト学派とでもいうべき一団の蘭学者たちが日本の蘭学を一変させた功績と栄光をになっていることも、蔵六はみとめている。

が、緒方洪庵が蘭学を志したのはシーボルトの日本退去後であり、シーボルトを経ずに自分の学問を成立させたという点で、別流をなしている。イネがもし洪庵に入門するとすれば、シーボルト学派の連中は立つ瀬もなにもあったものではなく、大憤慨するにきまっていた。

世間は、こういうであろう。

（シーボルト先生の門人たちは、その学問のおかげでそれぞれ門を賑《にぎ》わしているが、ところがいまシーボルト先生の遺子が学問に志しているというのにたれひとり面倒を見ようとする者がいない）

——ゴォさま。

と、蔵六はいった。ゴォさまとは、長州や周防あたりで、良家の夫人をよぶときに、そういう。

「でありまするで、この一件、ご勝手なことをなさっては、ご自分の学問が育ちにくくなりましょう」

「村田先生」

と、イネは息を詰めるようにしていった。

「岡山から出たいのでございます」

「それは拙者の一向あずかり知らぬこと」

蔵六は、こわい顔でいった。

「岡山を出たいというご事情はなにやら存じませぬが、出たいというがために大坂の緒方塾を志望されるのは失礼ながらご動機が不純でありましょうな」

「不純」

イネは、落胆を全身にあらわした。

「世間とは、人間が生きてゆくうえでなんと不自由なものでございましょう」

鋳《す》銭《せんじ》司《む》村《ら》

蔵六は、大坂にもどった。

ふたたび適塾の塾生活の日常がはじまり、蔵六は多忙であった。塾頭として門生たちの輪講の面倒をみる一方、かれ自身も洪庵《こうあん》に語学や医術をまなばねばならず、さらにはひまなときは、緒方家の子守もした。

「泣きやるな、わしがおぶってやるで」

というと、まだ幼い四男の幼児などは蔵六の背中の味を知っていて、すぐもたれてきた。蔵六はそれを兵児帯《へこおび》で背負い、町内を歩きまわった。

この四男は早く死んだが、このころもう五つか六つになっていた次男の平三（のち緒方惟準《いじゅん》、洪哉《こうさい》）までが蔵六の背中に吸いついてきて、おぶわれたがった。蔵六は、

「きょうはだめじゃ」

とことわるときもあったが、たいていはおぶってやり、ときには天満《てんま》橋のあたりまでおぶって行った。

「大村（村田蔵六）さんに負われたことは、幼少のころのおもな記憶になっている」と、明治期の医学教育の基礎をきずいた緒方惟準はつねに語っていたというから、無愛想ながら蔵六の背中というのは、こどもには魅力があったのであろう。

「めし」

ということになると、適塾では大騒動だった。二階から塾生がどっとおりてきて、台所の板敷と土間で食うのだが、せまいためにみな立って食った。おかずは蔵六のころも福沢諭吉のころもかわらない。月のうち一と六のつく日がネギと薩摩《さつま》イモのなんば煮、五と十の日が豆腐汁、三と八の日がシジミ汁であった。めしのほうは大きな飯びつが二つ置かれているから、めいめいが手盛りで椀《わん》によそって食う。

蔵六は、塾頭になってもそんな調子で三食みなと立食していたから、洪庵がそれを見かねたのか、ある日、

「君は塾頭だから、外塾（外住い）したほうがよいのではないか」

と、忠告してくれた。体面ということを考えてみれば、そうかもしれない。

蔵六は、洪庵の忠告にしたがい、江戸堀四丁目の倉敷屋作右衛門という商家の離れ座敷に下宿した。生活費ぐらいはなんとかできたのは、塾頭としての多少の収入があるうえに、洪庵の代診をすることで、その謝礼もあった。

さらには、診察や治療を乞《こ》いにくる者もある。

蔵六は開業もしていないのに患者を診ることは好まない、といってなるべくことわったが、倉敷屋の娘のお町というのが社交家で、人に頼まれてきては蔵六に患者を押しつけ、しかもまめまめしく助手の役目までしたために蔵六は小うるさくなり、

「思うところがござって」

と、作右衛門にことわり、一月ぐらいでこの家を出、上町の徳井町に借家を借り、そこへ移った。

蔵六の住んだ町の上町の徳井町というのは、いまは中央区徳井町という。蔵六は、かれがうまれてはじめて一ツ家のあるじになったこの家を愛して、

「漏月庵《ろうげつあん》」

と名づけ、老婆《ろうば》を一人やとい、ここから適塾へかよった。

老婆は摂津富田のうまれで、近所の大工の女房である。せんたくと煮たきをして、夜は帰ってゆく。近所に対して蔵六が自慢で、

「うちの先生はまだお若いが、三国一の先生や。なにしろろうげつあんや」

と、いってまわった。老婆は蔵六が緒方塾の塾頭であることを知っており、緒方塾の塾頭といえば、紀州さまでも備前の池田さまでも二百石、三百石という高禄《こうろく》でめし

かかえにくるということも知っていた。

「なにしろあんた、ろうげつあんや」

と、言ってまわっているのは、老婆にすればなにやらえらい医者にあたえられる法《ほう》眼《げん》のような、つまり称号であるとおもっているらしい。

蔵六がはじめてこの家に入った夜は月がとびきりあかるい夜で、寝ころんでいると、軒のひさしの破れから月がみえた。それがひどく気に入って、そう命名した。

ここでも老婆が蔵六にことわりなしに患者をひっぱってきて、蔵六をこまらせた。

「わしは修業中の者だ、患者はみない」

と、老婆に何度も言いきかせ、思いとどまらせた。

このようにして日を送るうち、蔵六の医術はべつとして、語学力のほうは洪庵にせまるほどになった。

このころ、蔵六がかつて長崎でまなんだ同門の先輩奥山静叔《せいしゅく》が大坂にやってきた。奥山はすでに長崎での町医をやめ、熊本藩から乞われて藩主細川斉護《なりもり》の侍医をつとめるようになっていた。この時期、斉護が江戸へ参覲《さんきん》交代する途中大坂で一泊したのだが、その供でついてきた奥山が、洪庵にあいさつすべく適塾をたずねてきたのである。

「なにもかも寸分むかしとかわりません」

と、奥山はなつかしげに洪庵にいったが、ちょうど輪講の日であるというので参観すべく二階へあがった。邪魔にならぬよう階段の途中できいていると、塾生が蘭文を朗読し、翻訳し、それに対して他の塾生が質問するといった形式もむかしとすこしもかわらない。奥山はなつかしさにたまりかねて顔を階段のおどり場へ出した。がひどい近視のためによくみえない。

声だけはきこえる。塾生たちの質疑応答で議論が紛糾しているのを、輪講の長がそれをまとめ、正解を出しているところだった。その正解の講じようがみごとで、奥山は感心してさらにくびを突きだし、凝視すると、なんとそれは村田蔵六であった、というはなしを奥山は後年一つばなしのようにして話した。

そのうち、蔵六の運命に変化がきた。

国もとの父親から、帰って開業してくれといってきたのである。

「村田は、変物《へんぶつ》だ」

といわれていたが、しかしあの男のどこが変物かといわれれば、同窓のたれもが答えることができない。せいぜい、無口で、それに塾頭でありながら人まじわりをあまりしないという程度で、この程度の個性なら変物とはいえないであろう。

第一、この男は自分がのさばり出て自分の利益や思想を主張するといったところが、ほとんどない。

父親が、

――国へ帰って親を安心させよ。

といってくれば、これは帰らざるをえないと蔵六はただそれだけを思うのである。

かれ自身の気持でいえば、かれはもうすこし大坂にいて学問をしたかった。とくにちかごろ医学よりも窮理学（物理学）や舎密《せいみ》学（化学）に興味をもつようになっていたから、これをやるには、その種の書物がもっとも多くあつまる大坂なり適塾なりに居つづけるほうがよかった。田舎へ帰ってしまえば、もうなにもかもしまいである。

「田舎へ。――」

緒方洪庵のほうがおどろいた。これだけの人物が田舎医者で朽ちはてるのは惜しいとおもった。

「なんとか、ならないか」

と、洪庵はいった。

「なにぶん、父親がそう申しますので」

と、蔵六はどうにもならぬといった表情でいうと、洪庵もああ父上がそう申されているのか、と言い、これまたどうにもならぬといった表情をした。この時代、家長である父が、息子とくにあととりの息子に対していう指図はぬきさしのならぬもので、絶対命令というにちかかった。

ちょうどこの座にいた塾監の佐伯《さえき》某が、

「村田さんなら、いまからでも大藩の藩医になる道がひらけているはずですのに」

と、そういう意味で惜しがると、このことばは蔵六にとってよほど不愉快だったらしく、ジロリと見て、

「私は元来の百姓医だ。百姓を診て世をおわるために医術に志した。殿さまを診ることをもって出世だとおもったことはない」

と、かれにすれば習慣外の、長すぎる言葉でいった。このことばは半分本音《ほんね》で、蔵六の怨念《おんねん》のようなものがこもっている。二十のなかばを越して幾年もならない若者が、自分の力量を世に問うことなくひたすら隠遁《いんとん》をよろこぶというような心境に浸れるはずがない。蔵六にとってはつらいながらも帰らざるをえない帰国であり、その傷《いた》みを、佐伯のような無神経な言い草でさわってもらいたくないのである。

が、洪庵のほうはさすがにうまれついての心の直《す》ぐな人物で、蔵六のことばを額面どおりにうけとり、ひどく感心し、

「医はそうあるべきものだ」

と、何度もうなずいた。

しかしそれにしても、蔵六には運がないようであった。緒方塾にあっては代々の塾頭が大藩の藩医に召しかかえられているし、塾監でさえもそういう声がかかる。村田蔵六にかぎっては、ついにそういう声がかからずじまいであった。時期が、わるかったのであろう。

ふつう、緒方洪庵を通して諸藩が、

――たれか推挙ねがえまいか。

と、たのんでくるのである。洪庵はそういうばあいは、塾頭を推挙する。一人の塾頭に二件も三件もやってくるといった時期があったが、蔵六のこの時期にはついに来なかった。

「いい言葉をきくことができた」

と、洪庵は蔵六の口惜《くや》しまぎれの言葉に、素直に感動してくれた。

「医学はわが身の出世のためにあるのではなく、人を救うためにあるのだ。ちかごろ適塾の評判があがるにつれ、新入門生の気風が功利的になりつつある。そのときにあたって百姓を診療して世を終える、という尊公のことばはすがすがしい」

と、いったが、しかし塾監の佐伯はあとで二階へもどってから、

「村田さんという人はどうも面憎《つらにく》い」

と、塾生たちにこぼした。

「どうせわれわれが学問をやるというのは出世のためではないか。村田さんもそのはずであったことは、あのひとの尋常一様でなかった勉強ぶりをみてもわかることだ。諸欲を断って、あのひとは蘭語を身につけた」

他の塾生がそれを受けて、

「いや、諸欲を断ってではあンめえよ、あの人は酒を飲む、べらぼうに好きだ」

というと、いまひとりの塾生が、

「ただしその酒も、村田さんのは人におごりもせずおごられもせずという独り酒だ。つまり吝嗇《りんしょく》家の酒よ」

「要するに村田さんは諸欲を断ってきた」

と、佐伯がいった。

「村田さんにすればそれほど力行《りょっこう》して将来の栄達にそなえたのに、不運にも推挙の口がかからなかった。正直にそういって泣けばよかりそうだのに、逆手に出やがって、おれはサ医術をもって出世の道具としねえ、なんてえって、先生の面前でわしに恥かかせやがる」

「そりゃちがうやろ」

と、弁護する者もいた。

「当の本人はそない信じこんどるんや。要するに生来の村夫子《そんぷうし》でな、田舎にゆくと、よほど腹黒いくせに自分を善人やと思いこんでいる連中がいるが、村田さんはあれや」

どうも、蔵六はどこか孤独ないこじな体臭があるせいか、塾生の評判はかならずしもよくない。かれの退塾を心から悲しんでくれたのは、かれがひまさえあればおぶってやった少年の平三ぐらいのものであったろう。

蔵六が適塾を退塾して故郷へむかったのは嘉永《かえい》三年の春である。

「患者をみて、わからぬことがあれば手紙で問いあわせてくるように」

と、緒方洪庵はいってくれた。このことはこの塾の塾風ともいうべきもので、修了生が遠くから手紙で問いあわせてくると、洪庵はその手紙に朱字でたんねんに回答を書き、送りかえしてやるのである。

蔵六は西宮までゆき、そこから船に乗るつもりだった。船は諸事便利がいい。西宮の街道わきは、桜が満開だった。蔵六は回船問屋の軒下から沖の船を見ているうち、なにやら見ているだけで船酔いがしてきて、そのまま兵庫にむかって歩きだした。陸路をとるつもりだった。

播州路《ばんしゅうじ》をすぎ、岡山城下がちかづくにつれて、蔵六の心がさわいだ。

(イネどのは、どうなされているのか)

という思いが、三石《みついし》の山を越えて春霞《はるがすみ》のなかの備前に入った蔵六の胸に去来した。ついその思いのざわめきが、蔵六の足を「沼ノ茶屋」の前で立ちどまらせ、なかへ入らせた。

腰をおろすと、

「もち。――」

といった。茶店の造作も、このあたりの景も、なにもかも一年前のままである。表のよしずのそばに、白い蝶《ちょう》が飛んだ。転々と飛んでゆくその蝶を追って、まだ歩行のあやしげな女児が、蔵六の目の前をよこぎった。

「あの児《こ》は、ここの児かね」

と、蔵六は、もちと茶をはこんできた若い内儀にきいてみた。内儀は愛想のいい女で、顔を笑みくずしながら、そうです、というと、蔵六はわれになく感慨がせまってきて、

「以前、私がこの街道を通ってこの茶屋に休んだとき、あの児はちょうどうまれようとしていた。そのとき産婦——おそらくあなただろうが——を診察にきた女医どのにわしはもちと茶を運んでもらった。あの女医どのはどうされているであろう」

というと、内儀は全身で驚き、

「左様でございましたか」

と、蔵六の前の床几《しょうぎ》に腰をおろした。

「シーボルト先生でございましょう」

「うん。岡山お城下の石井宗謙先生のお内儀であるときいた」

「もう岡山にはいらっしゃいません」

（えっ）

とおもったが、蔵六はさあらぬ顔で、そうかえ、と女児のゆくえをながめている。

「長崎へ帰られたということです」

（宗謙先生とは、やはり別れたか）

あのとき、イネの宗謙に対する言動がきわめて不自然で早晩なにごとかがおこるという予感が蔵六にもしたが、やはりイネは離別して長崎へ帰ってしまったらしい。この街道で、奇遇がもうひとつ、蔵六を待ちうけていた。

尾道で一泊したとき、旅籠《はたご》の泊り客のなかに夜中、急患が出た。そのことで番頭が蔵六の部屋にかけこんできて、診療をたのんだ。宿帳に「医」と書いておいたからである。

「医者をよんでおきなさい」

と、蔵六はそれだけを命じた。番頭は、蔵六が承知せぬのかと思い、さらに懇願すると、

「医者をよんでおきなさい」

というのみである。蔵六にすれば自分は薬箱を用意していない。診察はするが、しかし投薬ができないから医者をよんでおきなさいという意味だったのだが、この男はつねにそこまで言わない。そのため生涯ひとに誤解され、ときには傲岸《ごうがん》であるということで、嫌悪《けんお》された。蔵六という男はまったくちがう。傲岸ということが煙ほどもない男なのである。

患者は、中年婦人だった。

亭主がそばにいる。自作の小百姓らしいことは、質素な服装と陽やけして齢《とし》よりも老いた顔、荒れた手足などでわかる。夫婦とも日本人の中年の平均的な状態として栄養状態がややわるく、とくに亭主の顔がよくない。青黄色く、ややむくんでいた。蔵

六は蘭医のつねとしてまず栄養状態の観察をするのである。さらに吐瀉物《としゃぶつ》を箸《はし》でつついてその内容をたしかめ、そののちに診察した。

患者ははげしい胃痛とむかつきを訴えているが、蔵六は無表情でいる。亭主は、

「持病なのでございます」

と、いった。在所の医者は癪《しゃく》だといったことがあります、ともいった。

「これは病気というほどのものではない。俗にいう寸白《すばく》だな」

と、蔵六は吐瀉物でそれをみていたから、確信をもって診断をくだした。寸白というのは、さなだむしのことである。胃痛もむかつきもそのいたずらなのであろう。

そこへ宿場の医者がきた。

蔵六がその男をみておどろいたのは、岡山の石井宗謙のもとにいた書生なのである。

「ああこれは村田先生」

と、その医者は低頭した。蔵六は患者についての所見を告げた。医者は、ああ結構なお診たてでございまするな、と言い、しかるべき薬を投じ、養生についての注意を患者と亭主に語ったあと、蔵六にむかい、

「おイネさまは長崎で産科をご開業なさっております」

と、イネについての大体の消息を話した。

蔵六は、旅をつづけた。

やがて長州藩領である周防《すおう》の国に入り、三田尻《みたじり》をへて宮市《みやいち》へ入った。三田尻も宮市も、いまは防府《ほうふ》市になっている。

この土地の大医で梅田幽斎というのが、蔵六に医術の初歩をおしえてくれた恩師であったから、蔵六が帰国のあいさつをすべくたずねると、

「やあ、父御からうかがっていた。このたびは帰国して医業を継ぐそうだな」

と幽斎のほうが知っていた。老《ふ》けこんで、顔なども一まわり小さくなっている。

やがて道中に禁物の雨になったが、この夜は幽斎の家にとまるつもりだったから、苦にはならない。幽斎は蔵六を、弟子ながら座敷に招じ入れてくれた。田舎の作法としては、非常な優遇であった。

「もうわが弟子ではない。周防きっての蘭方の大家なのだ」

と、幽斎は大よろこびし、蔵六にしきりに質問しては緒方塾のはなしやら、蘭方の話やらをさせた。

夜がふけて、ふと、

「それはそうと、岡山の石井宗謙の妻というのは、シーボルト先生の娘御だそうだ

な」

と、意外な話題に転じた。蔵六は、左様でございます、というと、

「なにか、お前との間にあったのか」

と、いよいよ意外なことをいう。

医者の世界はせまい。まして宗謙の岡山も幽斎の周防宮市もおなじ山陽道に面しており、それに幽斎は旧式蘭方（正しくはオランダ流）ながら、蘭方は蘭方であって、その仲間の石井宗謙の消息も耳に入る。

「うわさでは、あるとき緒方塾の塾頭が岡山の宗謙のもとにやってきて物を書写しているうちに夫人の心を得、それがもとで夫人が出奔するさわぎになったというが、その緒方塾の塾頭というのはお前でなければなるまい」

「左様です」

「できたのか」

と、それまで寝ころんでいた幽斎が起きあがって、蔵六の顔をふしぎそうにみた。この変な顔の朴念仁《ぼくねんじん》が、色や恋などといった話題に登場するのが、正直なところ、不審だったのである。

蔵六は、ありのままを話した。

「あっははは、そうだろう。さもあろう」

と、幽斎はひざを打った。

「夫人は別件で逃げたのだ。おまえは濡《ぬ》れぎぬを着せられた。いや、浮名もうけをしたというべきかな」

「私は、あの夫人が好きです」

蔵六が、のどがからからに渇く思いでやっとそれだけのいわば無意味なことをいったのは、よほどこのとき思いが切なかったのであろう。が、幽斎は、

「冗談もたいがいにしろ」

と、あとは話題を変えてしまった。


朝、幽斎宅を出た。

昼前には故郷の村へ入れるだろうとおもうと、蔵六の足は自然にはやくなり、その足もとに白い蝶が舞った。

蔵六が歩いてゆく山陽道の左右は、一望青い海のような田園である。

蔵六の村は、遠崎という村のさきから北へ折れるのだが、その遠崎とおなじ地名がちょっと離れたところにもある。そのほうの遠崎には妙円寺という浄土真宗の寺があ

って、月性《げっしょう》という風変りな詩僧が住んでいる。蔵六は月性にあったことはないが、その有名な詩の幾編かは知っていた。

「男児志を立てて郷関を出づ　学若《も》し成るなくんば死すとも還《かえ》らず　骨を埋むるいづくんぞ墳墓の地を期せんや　人間到《いた》る処《ところ》青山あり」

月性は「海防僧」としても知られ、ちょうど蒙古《もうこ》襲来を予言した日蓮のように危機説をとなえて四方に遊説していたから、蔵六が遠崎を通過した日は寺にいなかったであろう。月性は吉田松陰にも影響をあたえたが、この嘉永三年という年、松陰はまだ二十歳の無名青年で、藩きっての秀才として藩命による九州遊学の旅に出ようとしていた。
が、蔵六にとってはそのような時勢のなかのひとびととはなんの縁もない。蔵六は志士的気質をもっていなかった。天下を憂《うれ》えるといったようなことばを一度も吐いたことがないし、そういうひとびとと交際したことがなく、しようともおもっていない。

ただ月性の男児うんぬんの詩だけは、年少のころから家郷を離れてほうぼうに遊学しただけに、それを憶《おも》いだすつど、臓腑《ぞうふ》にしみるような感傷をおぼえる。

（いまその郷関に帰るのだが）

と、蔵六は遠崎をすぎつつおもった。べつに学が成ったわけではなかった。しかし蔵六にあたえられた目的は、学者になることではなく、必要な医学と医術を修得して百姓医者の家を継ぐことであった。

父の村田孝益は老境にいる。

(帰れば、すぐ父と交代することになるだろう)

とは、覚悟している。

父の孝益は元来が養子であった。

——いやいや養子。

と、近在ではいわれていた。祖父の村田良庵《りょうあん》には嗣子がなく、一人娘(蔵六の母)に養子をしようと思い、むりやりに孝益をひっぱってきて娶《めあわ》せ、蔵六が出生した。この孝益は吉敷《よしき》郡秋穂《あいお》村の藤村家のひとで、もともと藤村家を相続しなければならないところを、祖父良庵が頼みこんで村田家にきてもらったため、つねにそれが不満で、

「わしは早晩、藤村家に帰らねばならない」

と、落ちつかず、蔵六がうまれたとき、

「これでわしの用が済んだ。藤村へ帰ろう」

などといって、蔵六の母お梅を悲しませたりした。結局、蔵六の父孝益は、蔵六が帰郷してほどなく藤村家に復籍した。

蔵六の家は、鋳銭司《すせんじ》のなかでも、

「大村」

という小さな字《あざ》にある。近在のひとびとはこの医者の家を、

「大村の良庵さん」

という。屋号のようなものである。祖父の良庵が近在に鳴った名医だったから、祖父が死んだあともこの呼びかたでよばれた。

このため、養子である父の孝益が、患家に往診に行ったりしても、

――ああ、大村の良庵さんが見えられた。

と、ひとびとはいう。父の孝益はこれをいやがり、

「わしには孝益という名があります」

と、いちいち言っていたが、ひとびとはなにやらコーエキという名ではなおる病もなおらぬような気がして、言われたしりから、

「良庵先生、お薬は？」

などと問いかえした。

孝益はうんざりして、蔵六が元服したとき、

「良庵」

とつけた。どうせゆくゆくは「大村の良庵さん」になる子だから、それを本名にしておけば、自分のようにいちいち腹が立たずにすむであろう。それに「良庵」というのはこの地方では名医で売った老舗《しにせ》名なのである。もっとも蔵六はこの名をきらい、大坂の適塾に入ってから、蔵六と改名した。

屋敷に入ると、母のお梅が出てきた。蔵六の顔をみてたすきをとり、とったあとで相好《そうごう》をくしゃくしゃにして笑った。お梅は蔵六そっくりの顔で、自然美人ではない。

「お父さまは？」

ときくと、秋穂村の藤村に行っておられるがすぐお帰りになる、とお梅はいった。

（相変らず、藤村か）

と、蔵六は父という当家の養子がおかしくもあり、気の毒でもある。これほど実家を恋しがる養子もないであろう。

ほどなく父の孝益が帰ってきた。

「イヤァ、りっぱになった」

土間からかまちにあがりながら、板敷の上の蔵六にいった。小柄で、顔も小さく、小さな顔に目鼻がよく整頓《せいとん》されてついている。お梅にはもったいないほどの美男といっていい。

「そうしてむっつりすわっていると、おまえの祖父の良庵先生そっくりじゃ」

夕食に、酒が出た。

蔵六の杯の持ちように癖がある。三本の指で上からつまみ、だんだんヒジをあげて行って、きゅっと一口で飲むのである。

「まったく」

父の孝益は声をあげた。

「良庵先生にそっくりじゃ。良庵先生もそのようにして飲まれた」

「よい三代目が出来ましたインタ」

と、母のお梅が目を細めていうと、孝益はいやさ、ちがうぞ、良庵の二代目よ、わしという男は代抜《だいぬ》けよ、わしは藤村孝益で、蔵六が二代目村田良庵よ、といった。蔵六はどうしても村医にならざるをえない。

蔵六は、開業した。

「若良庵さん」

と、ひとびとは呼んだ。

あまり流行《はや》らなかった。もともと父の孝益が診断《みたて》上手ではなかった。孝益は漢方医学の文献的素養のふかい人物だったが、なんとしてもかんがにぶかった。たとえば風邪ひきの患者がきても、はだかにさせてすかしたりだましたりしつつ望診し、深刻な顔で脈をとり、井戸の底をのぞきこむようにしてのどをのぞき、そのあげく、

「ははあ、お前は風邪じゃな」

と、感心したようにいう。患者にすれば風邪だから医者にきているわけで、ばかばかしくなってしまう。元来、医者とくに内科医は、一定の医学的教養や経験歴があったところで、どうにもならない。うまれつきのかんのよさが大事で、でなければいかに学識と経験があったところで、その経験がかんを生む素地にはならないのである。

「葛根湯《かっこんとう》医者」

と近隣ではかげ口をたたいた。風邪でもなんでも葛根湯をあたえる。葛根湯というのは葛根を主体に大ナツメや麻黄《まおう》、甘草《かんぞう》などを入れて煎《せん》じた薬で、解熱にもよく、頭痛もとる。

皮膚科のほうは、家伝の膏薬《こうやく》をあたえる。外科の患者にも、孝益は漢方医だから膏薬をあたえる。各種の膏薬のほうは、村田家は良庵の代に家伝の製法を確立しており、その点だけは評判がわるくなかった。

蔵六が家を継いでから、そういう膏薬は出さない。

「なぜつかわない」

と、孝益が苦情をいったことがある。蔵六はさからわず、

「いずれ使います」

と言ったが、蘭方を学んだ蔵六は、どうも使う気にはならない。蘭方にも膏薬はあるが、蔵六はそれを調製してつかう。

葛根湯もつかわない。

「どうも若良庵さんは頼りない」

という評判が立ったのは、ひとつには葛根湯をつかわないことだった。父の孝益はこの葛根湯の使いすぎで評判がわるかったが、子の蔵六はその逆のために頼りながられた。たとえば少々の風邪の患者がきても、

「部屋を温かくして三日ばかり寝ていなさい」

というだけで薬もやらない。従って薬代はとらない。患者が不満をいうと、

「あなたの程度の風邪をなおせるような薬は世界中にありません」

と、にべもなく言ってしまう。

「蔵六、それはまちがっている。薬は効こうがきくまいが、患者の不安を鎮《しず》めるとい

う効能がある。葛根湯でもやりなさい」

と、父の孝益はいうのだが、蔵六の性分では、効きもしない薬を売って金をとるようなばかなまねはできなかった。

村のひとびとが蔵六におどろいた最初は、戸外で出あったときである。日本人の対人関係の生活は、あいさつでできあがっている。ことに村はそうであり、野良《のら》で働いていても蔵六が道をやってくると、顔の手ぬぐいをとり、

「お暑うございます」

と、あいさつをする。

このとき、蔵六は立ちどまる。体をその野良百姓のほうへむけ、

「暑中はあついのがあたりまえです」

と、こわい顔でいった。百姓はあきれたが、蔵六にすれば百姓の言いぐさこそおかしい。人間、言葉を発するときは意味のあることをいうべきで、すでに暑いとわかっているのになお言葉で説明して暑いというのは無用のことではないか、と蔵六はおもっている。

が、世間の習性はちがう。蔵六からこういう応答をうけた者が、みな肚《はら》をたてた。

「おらァ、こういわれた」

と、他の者がいうのに、この者が「お暑うございます」というと、蔵六は、

「そうです」

と、答えた。そうですというようなあいさつの返しようがあるだろうか。

別の応答をするときもある。

「暑中は、こんなものです」

という言い方である。そうですよりもいいかもしれないが、聞きようによってはトゲがあり、人をばかにしている感じである。

「若良庵は、ありゃなんじゃい」

と、ひとびとは言い合った。

「かみ（京大坂）で蘭方をやったちゅうが、オランダ人の体と日本人の体はちがう。蘭方で脈をとってもろうても、癒《なお》りやせん」

と、悪口をいう者もあった。

それやこれやで、患者が日に一人も来ないときもあり、あまり物事にこたえない蔵六もこれには参った。

（わしは、医者には不向きかな）

と、おもったりした。

蔵六が帰郷してから、それをよいことに父の孝益はその実家の吉敷郡秋穂村の藤村家へたびたび帰っていたが、蔵六が開業すると、もう鋳銭司村の村田家にはあまり寄りつかなくなった。母のお梅との仲がわるいというのではなく、両人は仲のいい夫婦で、お梅も孝益もろとも秋穂村の藤村家へ行きっぱなしである。孝益はその秋穂村で開業していた。孝益は葛根湯医者かもしれないが、その門戸は十分賑《にぎ》わっている。

あるとき孝益がもどってきて、

「おっそろしく閑《ひま》だな」

と、がらんとした母屋の土間に立ちながらあきれた。蔵六ひとりが、女中に給仕をさせてめしを食っており、患者などはたれ一人待っていない。

「蔵六、これは嫁を持たんけんの、それで繁盛《はんじょう》せんのじゃ」

と、孝益はいった。蔵六は父のために炉ばたの座を譲りながら、世の中には妙な論法があるものだとおもった。

「嫁と医者の繁盛とは」

と、蔵六はいった。

「関係があるでしょうか」

「大ありじゃ」

父の孝益がうなずいたが、蔵六は用心した。孝益にすれば蔵六に医家村田家を継がせたおかげでかれは後顧のうれいなく秋穂村の藤村に帰れる。この上、蔵六に嫁をもたせてしまえばいよいよ安心である。

（そのために、嫁をすすめるのであろう）

と、蔵六はおもった。じつのところ蔵六はこれほど閑な村医ではどうにもならぬとおもい、できれば家を飛びだして他郷へ出たいとおもっており、それにはここで嫁をもらってしまうとまずい。

蔵六は、話題を転じようとした。

「秋穂はいかがです」

と、漠然と質問した。

「ああ、海浜の風景は天下第一だな。魚がうまく、人情はあつく、鋳銭司村とは大ちがいじゃ」

と、自分の故郷をほめた。

秋穂村といっても鋳銭司から遠いわけではなく、十キロほど海岸へ行ったほうで、地形は海へ突きだして小半島をなしており、入江がいくつもあって景色はいい。鋳銭司村とはわずか十キロ離れているだけであるのに、気候がよほどちがい、夏は海風ですずしく、冬も温暖で、まわりに大きな山がないため陽あたりがいい。

「人の棲息《せいそく》に適しておりますな」

健康上の適地ということだが、蔵六は、そんな言葉づかいをする癖がある。これには孝益が感心して、

「ほう、蘭方ではそういうのか。秋穂はとくに老人の棲息に適している」

と、いった。

蔵六の村田家というのは、代々秋穂村と縁がふかい。父の実家の藤村家がそこにあるだけでなく、祖母の実家はこの村の中村という家で、ここへ蔵六の妹のお筆《とつ》が嫁いでいる。そのつぎの妹のお豊《とよ》も、この村の富重家にかたづいているから、まるで村田家の一族が秋穂村にかたまってしまったようで、山陽道の北の鋳銭司村の村田家にいるのは、この土地に帰ったばかりの蔵六ひとりということになる。蔵六は置きざりにされたようなものだ。

「嫁をもたぬと不便だ」

と、孝益はいった。もっともなことである。しかし嫁を持つと繁昌するというのはどういうわけであろう。

「にぎやかな娘をもらうのだ」

と、孝益はいった。

孝益は蔵六の無愛想を知っている。このひろい屋敷に蔵六のような偏屈面《へんくつづら》が、独りポッツリ暮していては、患者もこわがって寄りつかないだろう。愛想がよくて人づきあいのいい嫁をもらうと、屋敷に灯がともったようにあかるくなるにちがいない。

「すでに心あたりもあるのだ」

と、孝益はいった。

父の孝益は、ながく村医をしていただけに、鋳銭司村や秋穂村のほとんどの家の様子や、家族たちの顔をしっている。

「鷹《たか》ノ子の半兵衛を知っているか」

と、蔵六にいった。鷹ノ子というのは、鋳銭司村の字の名である。

「ほら、門構えの百姓屋敷だ」

「ああ、茅《かや》ぶき門の」

「左様」

孝益はうなずき、

「あの半兵衛の家に、お琴という娘がいる」

「お琴」

「知っているのか」

と、孝益は意外な顔をしたが、蔵六は知らない。が、お琴かどうかは不確かだが、先日切畑という在所に往診にゆくとき、鷹ノ子を通った。そのとき半兵衛の家のそばに小川がながれていて、田舟がうかんでいる。その田舟のむこうで、子供が魚でも獲《と》っているらしく数人さわいでいたが、その餓鬼大将の体つきをみると大人だった。それも、娘である。

派手に尻《しり》まくりをし、尻を蔵六に見せ、すねまで水につかってしきりに網をうごかしている。網かとおもえば、やぶれた百姓笠《がさ》らしい。やがて笠でフナでもすくいとったらしく、わっと声をあげたが、娘の声がいちばん大きかった。娘は立ちあがって、その拍子にうしろをむいた。蔵六が、下男に薬箱をもたせて土手道に立っていた。

それに気づき、娘はなにやら声をあげて、土手をかけのぼり、半兵衛の屋敷に逃げこんでしまった。

（あれは、大人ではないか）

と、おどろいたのは、娘より蔵六のほうである。仕ざまからみて十二、三の小娘かとおもっていたら、十七、八にもなるであろう。顔まではおぼえていないが、娘が蔵六をみて一瞬きょとんとした表情は、いかにも可愛《かわい》かったような印象が残っている。

（なるほど、あれなら陽気だろう）

とおもったが、蔵六は元来、自分のこの珍妙な容貌《ようぼう》について鬱屈《うつくつ》があり、平素婦人と話をすることさえ気ぶせりだった。

もっとも岡山で出会ったシーボルトの娘のイネに対してだけは、蔵六の対女性感情の歴史に例外をつくった。どういうわけか、あのとき、この痼疾《こしつ》のようになっている隔意が作動せず、対座していてイネが発散するあのふしぎなふんいきにひたひたと浸ることができた。

（いまは長崎にいるというが、しかし想《おも》っても詮《せん》がないであろう。元来この世では縁を結びがたいひとだ）

「どうだ」

と、孝益がいった。

蔵六は、どうでもいい。ただし先方が自分のこの容貌に異存がないというならばである。

「そのことは、おまかせします」

「いや、じつは先方に話したのだ。娘のほうの意向はわからぬが、半兵衛はねがってもないことと申していた」

お琴との縁談《はなし》がおこったのは年の暮であった。

この時代、縁談がまとまると、婚礼までの期間がみじかい。よけいな水が入らぬようにということだったのだろう。

「年を越して松がとれたころに」

ということになった。仲人《なこうど》にたのんだのは小郡《おごおり》の医者で、山田玄沢という七十すぎた老人である。孝益がたのみに行ったとき、

「この齢《とし》で婚礼の仲人をさせるのか」

と、玄沢老人ははじめぼう然とした顔をした。このころの仲人というのは両家のあいだを袴《はかま》のすりきれるまで往復せねばならぬだけでなく、婚礼の夜はほとんど徹夜で祝い酒をのむ。翌日も飲み、翌々日も飲む。よほど壮健な者でなければ仲人はつとまらなかった。

が、この玄沢は、村田家の家名を近在にあげた蔵六の祖父良庵の生きのこりの友人なのである。そのため、

「ぜひ」

と、孝益はたのんだ。

婚礼の日は、朝から風がつよく、田に氷が張って午後になっても融《と》けなかった。

陽が西に沈みはじめるころ、玄沢は、

「婿《むこ》どの、装束々々」

と、せきたてた。

蔵六は、紋服に裃《かみしも》をつけ、小さな脇差《わきざし》を差した。

このばあいの婚礼は、百姓階級の様式である。

ちなみに日本人の婚礼とその前後の礼式が確立したのは室町時代であった。公家《くげ》の礼式と武家の礼式のふた通りができた。武家といっても、将軍や大名のことである。この二つの様式が、それより下の階級にながれてそれぞれ簡素化され、そこに地方地方のシキタリが加味された。

婚礼は、原則として夜おこなわれる。蔵六のこの在所のあたりのシキタリでは、花嫁は中宿から駕籠《かご》で来ず、徒歩でくる。

お琴は、二丁ばかり離れた中宿で衣装をつけおわったときは、陽がややかげりはじめた刻限だった。

中宿の門前で供の行列ができた。供のほとんどは近所の百姓の息子たちで、元気がいい。行列がうごきはじめたが、できるだけゆるやかにすすむ。二丁ばかりの距離を、三十分もかかるほどの速度である。花嫁には付き女房がついている。玄沢の老夫人である。老夫人は風邪をひいていてしきりに咳《せき》をした。

やがて式場である村田家についた。村田家の表には丸に桔梗《ききょう》の定紋入りの高張提灯《たかはりぢょうちん》がかかげられている。

杯のとき、蔵六ははじめて自分の嫁になるお琴を見た。顔は綿帽子にかくれていて、唇と白くくくれたあごだけがみえる。あの娘だろうか、と蔵六はおもった。

杯事がすむと、あとは酒宴である。酒宴のとき、花嫁が衣装を着かえ、列席の一人一人にあいさつをしてまわる。蔵六はそれをみて、ああの娘である、と胸中、ひそかに合点した。

村田家の婚礼は、身分でいえば小さな庄屋程度の規模だろう。それでも当事者にはたいそうな体力が要る。

酒宴の第一夜は、親族とのものである。べつに板敷ノ間では婚礼を手つだってくれたひとびとが車座になって飲む。第二夜は近隣の衆、第三夜は近所の女衆を招待する。これは花嫁だけのためのもので、その仲間入りのあいさつのようなもので、この形式は百姓身分の婚礼のばあいだけのものである。村田家ではむろんこれをやる。

これが過ぎて里帰りであり、花嫁が家におちついて婿どのとゆっくり物語ができるのは十日目ごろからだった。

十日目は、雨である。

朝から患者が来ず、蔵六はかれの家で「裏ノ間」とよんでいる書斎の窓から、ぼんやり雨をながめていた。つめたい雨が裏の刈り田に降りつづいていて、大坂のころなどが思いだされ、なんともいえずものさびしい。

「なにをなさっております」

と、お琴がふすまをすこしあけて、かがんでいる。

「書見だ」

「うそばっかり」

と、お琴は入ってきて、蔵六の机の上をみた。書物らしいものが載っていない。

「いや、頭の中の書物を読んでいる」

「窓をあけていると、お風邪をひきますよ」

「すでにひいている」

と、蔵六はくしゃみをした。風邪がはやっていた。こんなに風邪がはやっているのに一人でも患者が来そうなものだが、みなどこの医者に行っているのであろう。

「わたくし、お医者さまの家というのはたえず人が出入りしていてさぞ賑《にぎ》やかだろうとおもって嫁《き》ましたのに、こんなにさびしいものだとは存じませんでした」

「賑やかな家がすきなのだな」

と、蔵六は、このお琴が村のこどもにまじって雑魚《ざこ》をとっていた風景をふとおもいだした。しかしそれを口に出してべつにからかおうともしない。

「旦那《だんな》さまは」

と、お琴はよびにくそうに言い、

「賑やかなのがおすきですか、それともさびしいほうが」

「さあ、どちらだろう」

と、蔵六は雨をみた。おれはどちらだろうと考えていると、不意に、

(嫁をもらうと人間がばかになるというのはこれだな)

と、われながらおかしかった。賑やかなのがすきか淋《さび》しいのがすきか、こんな愚問をかつて発せられたこともなければ、それについて頭をひねって考えたという経験もない。しかし考えてみると、蔵六はどちらでもないとおもった。長い修学の期間、ひとりできた。ひとりでいて結構、習学やら考えごとやら多忙に暮せる生活のなかにいた。

春になった。

蔵六はお琴の陽気なたちを気に入っていたが、しかしお琴は軽いヒステリー体質をもっているらしい。

平素とびきり機嫌がいいのだが、不意に気が鬱するらしく、

「こんな家に嫁《こ》なければよかった」

などと物をひき裂くような声をあげる。

この症状は蔵六の母のお梅が秋穂村からやってきて十日も泊ったりするとおこったり、蔵六の助手として働いたりするときにおこる。

あまりはやらない蔵六の診療室にも、患者がかさなることがある。蔵六は代診も書生も置いていないから、お琴を助手につかわねばならない。

「――をとってくれ」

といっても、まだ助手馴《な》れしないお琴にはその物の名もうろおぼえで、わからない。そんなとき、そのことに狼狽《ろうばい》するともうそれだけでお琴の思考力はとまってしまい、表情が膠《にかわ》をかけたように固定し、目だけが吊《つ》りあがってしまう。

「よくやろうと思いすぎるのだ」

と、蔵六は諭《さと》したことがある。お琴は一見のんき者のようにみえるのだが、しかしある面はそうではなく、医者の女房としての自分がとびきり優れた存在であろうとす

る心がつよすぎ、とくに患者の見ている前だとそれがもう、初舞台にあがった新米役者のように緊張してしまう。

「失敗をすまいと思いすぎるのだ。そのため気が鬱してあとで臓躁《ぞうそう》をおこすのだ」

「ゾウソウとはなんです」

「いつかおしえてやる」

と、蔵六はいった。臓とは子臓すなわち子宮のことである。躁とはサワグ。臓躁とは子宮がさわぐという意味で、ヒステリーのことである。

蔵六は適塾ではヒステリーについてはほとんど学んでいない。ただ Hysterie というのは子宮の義であるということは蘭書によって知っていた。

先日、患者がすくないままに張仲景の『金匱《きんき》方論』という漢方の医書をよんでいると、お琴の体質を示唆《しさ》するようなくだりがあった。

「婦人臓躁というのは、喜悲傷して大声をあげて泣く。ときにその状態は巫女《みこ》が神がかりになったのと似ている。しばしばあくびする」

とある。蔵六は気になったから、父の蔵書のなかから、鎌田碩庵《せきあん》の『臓躁説』をとりだして読むと「臓躁とは子宮の騒乱によって精神に変調をきたすことである」という意味のことが書かれている。

お琴は、一月に一度ほどは荒れた。蔵六はそういうときは裏の麦畑にゆき、そこでしゃがんで二時間でも三時間でもまった。人が不審におもうと、蔵六は、

「臓躁にはこれしかないのです」

と、無愛想にこたえた。

宇和島へ

嘉永《かえい》六年になった。

この年の六月、この国の歴史が一変したといっていい。米国海軍の提督ペリーがその艦隊をひきいて浦賀へ来航し、幕府を武力でおどして開国をせまり、この時期から天下がひっくりかえるようなさわぎになった。攘夷論《じょうい》がふっとうし、壮士が横行し、京では公家《くげ》が力を得、西国の雄藩はひそかに公家どもをおだてて幕府の軟弱外交を責めた。

幕末の風雲はこの時期からおこったといってよく、さらに大きくいえば、この国に歴史がはじまって以来、国家観念が世論のなかで成立したことがなかったが、そのこ

とがペリーの恫喝《どうかつ》外交によって成立した。それまでは日本は国家というよりも本来が「天下」とか「海内《かいだい》」とかいうものであり、四方が海であるため、この列島が日本人の実感としては唯一《ゆいいつ》の天地であった。それがペリーによってやぶられ、日本が国際環境のなかにあることを恐怖感情で実感することになり、同時に日本国家という概念が成立した。が、概念が実体になって統一国家ができるまでは当然ながら動乱がなければならない。つまり「天下」の崩壊から「国家」の成立までが、幕末の風雲期である。

江戸では、

「攘夷」

のために剣術の町道場が乱立した。それまで百軒もなかった町道場が、幕末のある時期には五百軒にもなり、どの道場も剣術をまなぶ田舎出の若侍で繁昌し、この時代の攘夷気分のなかから出てきた若侍どもは道場で剣をまなぶかたわら、道場仲間と攘夷の議論をし、たれもかれもが攘夷思想の本山である水戸風の攘夷論にかぶれた。

剣術がはやる一方、薩摩《さつま》、長州、佐賀、土佐、それに宇和島などといった時流に敏感な諸藩はヨーロッパの軍事技術を導入しようとした。反射炉をきずいて鉄をつくり、あるいは軍艦を手に入れ、西洋流の航海術を身につけ、さらには大小の銃砲を手に入れ、「西洋銃陣」といわれる軍隊編制と操練法を導入することによって西洋の圧迫に抵抗しようと考えた。産業革命方式の攘夷論であろう。

これには語学を知らなければならない。

かつては漢文を習得して中国の文物をとり入れたように、こんどは蘭語を習得してヨーロッパのあたらしい技術を藩に導入しようとした。日本では江戸初期いらいヨーロッパ語といえばオランダ語の伝統しかない。

オランダ語を知っている者は、ごく少数の蘭医しかなかった。蘭学者の需要が急騰《きゅうとう》した。

が、こういう時勢になっても、蔵六は周防《すおう》の国の片田舎で、村医をしていた。かれにあってはペリー来航も、流行の攘夷論も、一見かかわりのないかのような生活であった。

ペリーの来航が、蔵六の運命を大きく変えようとは蔵六もむろん気づいていない。

かれの運命を一変させたのは、伊予の宇和島藩である。十万石の小藩だが、仙台からここへ移ってきた江戸初期いらい、民治がよく、学問がさかんで、江戸期の天下を分治していた二百数十の諸藩の優劣でいうと、たとえば時計のような、精密機械の印象をもった藩である。その規模と教育水準の高さの点で似た藩をいえば越後(新潟県)長岡藩などがそうであろう。しかし長岡藩は三河以来の戦闘的な士俗がのこっていてやや粗豪のにおいがあるが、宇和島藩は場所がら、南伊予の温暖な気候風土の影響をたっぷりうけて、士も農もここほどおだやかなところは、ほかに類がない。

「蘭学は宇和島」

という評判が、すでに先代藩主の伊達《だて》宗紀《むねのり》のときから世にひびいていた。宇和島といえば明治後の交通地理では僻地《へきち》で、その小さな城下町のまわりを山々が屛風《びょうぶ》のようにかこみ、伊予松山からも土佐高知からもよほどの難路を踏みこえねばたどりつきにくく、しかも唯一の開口部は海でしかない。こういう土地に深耕度の高い学問文化がさかえたというのが、江戸期というこの分治制度のおもしろさであろう。その意味でいえば宇和島藩に似たところは、北陸きっての豪雪地帯といわれる越前大野の大野藩（土井家）四万石であった。大野藩も蘭学がさかんで、幕末の一時期、ほうぼうからこの藩へ習学にくる書生が多かった。この藩では保健のための体操まで研究されていた。

宇和島藩の蘭学熱心というのは、

「あれは物ずきのためではない」

と、蔵六は後年いっているが、しかし多分にこの学問ずきの土地の風として、知的好奇心がさかんだったのであろう。宇和島藩よりもその点で後進的な雄藩（たとえば薩長土）は、蘭学（というより西洋科学）といえば医学のほかに軍事改革と産業興隆とにじかにむすびつけていたが、宇和島藩も多少そういう実利的関心があったにせよ、においとしては工学部よりも理学部的なかたむきがつよかった。

現当主は、安政期の志士たちから「四賢侯」のひとりとして期待された伊達宗城《むねなり》である。伊達宗城はペリーが来航したとき、江戸湾警備に出て海岸からはるかにペリーの蒸気軍艦を見、

（あれを宇和島でつくってやろう）

と考え、幕閣のゆるしをえてその建造方を国もとに命じたという人物である。はじめてみたその文明の利器を、外人の技師のたすけもかりず、見本も設計図もなしにつくろうとしたところに、この時代のエネルギーというものを感じさせる。宗城だけではなかった。薩摩の島津斉彬《なりあきら》、佐賀の鍋島《なべしま》直正（閑叟《かんそう》）が同時におもい、げんに三藩ほぼ前後して三年後にはつくりあげている。

蔵六の運命は、この時期における宇和島の大昂揚《こうよう》とじかにつながりがある。

運命の転換には、仲介者が要るであろう。

蔵六のばあいは、二宮敬作という人物がそれであった。すでにこの稿での蔵六とイネとのかかわりのくだりで、その名前が幾度か出てきた。イネは生涯、

「二宮さんのことをおもいだしますと」

と言うような話題のときは、つねに胸をつまらせ、しばらく息をととのえてからでなければつぎのことばが出なかった。

敬作がシーボルトの内弟子であったことはすでにのべた。シーボルトが日本を去るとき、まだ幼児でしかなかったイネをだきあげ、

——去るにあたって心残りはこの肉塊である。この養育をよろしくたのむ。

と、敬作ともう一人の内弟子高良斎《こう》にたのんだ。そのことが敬作という、この情義のふかすぎる人間にとって生涯にとってもっとも重い課題になった。かれはシーボルト事件に連座し、長崎所払いになったため、イネとその母お滝の住む長崎には住めなかった。このためやむなく故郷である宇和島藩領の僻村にもどったが、それでも捕吏の目をぬすんでひそかにゆききした。シーボルトが去ってからすでにふた昔以上の歳月が経《た》っているが、その間、敬作が不便な宇和島から長崎へ行ったり、岡山へ行ったり、長途の旅行をしばしばしたのは、すべてイネのためのものであった。

二宮敬作は、武士階級の出ではない。

かれは宇和島領の磯津《いそづ》村という文字どおりの僻村にうまれた。家はわずかな田畑をつくって軒下で酒の小売りもしているというような暮しで、封建時代、こういう階層

から出て人がましいかたちになるには、医者になるのがもっとも早い。

さらに驚嘆すべきことは、かれのうまれた僻村では宇和島城下へ旅行した者さえまれであるのに、かれが時代の先端的な学問である蘭学を志したことであった。

かれは一八〇四年（文化元年）のうまれである。蘭学をまなぶべく両親の反対をおしきって飲まず食わずで長崎に出てきたのは、十六歳のときであった。

長崎ではつてを求めて幕府の長崎通詞吉雄《よしお》某について蘭語をまなび、さらに蘭医美《み》馬《ま》順三について蘭方医術の稽古《けいこ》をした。三年でほぼ蘭語に通ずるようになった。

そこへシーボルトが来日した。かれはさっそく面会に行ったところ、シーボルトはこの獰猛《どうもう》な犬のような顔をしたしわ深い青年に見どころを見出し、自分の書生にしてくれた。

敬作は医学のなかでは外科を得意とし、その晩年、シーボルトが再び来日したとき、敬作の手術をみて、

「ヨーロッパでもこれほどの腕をもった外科医はめずらしい」

と、感嘆したほどであった。

医学者であり、理学者でもあった二宮敬作の生涯は、その実力のわりには栄達とさほどの関係がなかった。多少酒乱の気があるのと、それに天性、無欲のせいでもあっ

たらしい。

さらにひとつは、シーボルト事件の連座者として、江戸と長崎に居住することができなかったからでもあったろう。

かれはいったん、故郷の磯津で休養した。そのあと磯津から遠くない村で開業したが、自然にかれの名声が当時の宇和島藩伊達宗紀の耳に入った。

「天下に何人とない蘭学者であるというのにそれがそんな僻村にいるのか」

と宗紀はおどろき、せめて宇和島にちかい卯之町《うのまち》（現・宇和町）という街道ぞいの宿場まで出てくるようにとの内命をつたえた。二十九歳のときである。

かれは卯之町では医療のかたわら、河原に薬草園をつくって諸種の薬草を栽培し、近隣の医者にもわけてやった。その医術はおそらく伊予でも右に出る者がなかったはずだが、患者に対しては貧富の差をつけず、夜中急病といえば法華津越《ほけつごえ》の山中までもゆき、さらには手当はきわめて懇切で、しかも薬代や謝礼ということがほとんど念頭になかったらしい。ついでながらこの敬作というのは、患者についての金銭的な書きつけは生涯もったことがないという男で、かねがね、

「わしは人間に圭角《かど》が多いうえに酒乱ときていて、自分ながらそれが苦しくてずいぶん生きづらい。そのうえ、哀れな人間をみると身も世もなく気の毒になり、それやこ

れやで、生きるのがよほどつらい人間にできている」

と、ひとに洩《も》らしていた。

二宮敬作はこの卯之町にいるころ、当時十二歳になっていたイネを長崎からよびよせ手ずから基礎教育をあたえた。敬作にすればイネをずっと養育したかったのだが、イネの母親のお滝がさびしがって彼女を長崎へもどせとしきりに催促したため、二年ほどで長崎へかえした。

「夜中、イネのことをおもうと、床のなかで涙が出てきて仕方がない」

とも、大坂にいる同窓の高良斎に語ったことがある。

二宮敬作は、もう五十に近くなっている。宇和島藩が再三、

——仕えてはどうか。

といってきたが、かれはこのあたりも無欲で、自分は酒乱ですからとても御殿づとめはできませぬ、と終始一貫ことわってきた。

宇和島藩では、そのかわりかれに苗字《みようじ》帯刀をゆるすことで礼遇した。無禄《むろく》ながら武士の姿をすることをゆるしたのである。この藩は、藩の科学行政についてのすべてを敬作に相談するしきたりになっていたから、いわば準藩医であった。

そこで、当代の藩主伊達宗城が、ペリー・ショックのなかで藩の科学技術の充実方

をはかろうとし、それを宰領する人物を、二宮敬作に下問したのである。

二宮敬作は、情念の濃い人物であったが、物事を判断するについてはなかなか冷静の男だった。

藩主宗城の下問に対し、

「私にも腹案がございますが、やはりひとにも相談し、案を練ってみたいとおもいます」

と、返答した。そのため二十日のおひまをいただきとうございます、というので、宗城はその日数におどろき、さらにわけをきくと、

「大坂へのぼります」

と、いう。緒方洪庵《こうあん》に相談したい、というのである。蘭学界では、二宮敬作からみれば洪庵はずっと後輩であり、しかも洪庵はこの世界の名流であるシーボルトの門人ではない。蘭人にはほとんどつくことなしに自分の蘭学をきずきあげた人物だが、しかしその語学についての造詣《ぞうけい》は敬作は自分以上のものだとおもっている。さらに敬作は、あたらしい教授法を確立した緒方塾というものの実力をよく知っており、イネについても、

——婦人でなければ適塾にあずかってもらうのだが。

とおもっていたほどだったから、できれば洪庵にすいせんさせたいと考えたのである。敬作は、大坂へ行った。すぐその足で北船場の適塾へゆき、洪庵と対面した。旧知の仲である。洪庵は、敬作というこのうすぎたない老人を、

「先生」

と敬称し、上座にすえ、ていねいに遇した。

敬作は一件をもちだした。なにしろ宇和島藩は蘭学の名門で、かつては幕吏に追われていた高野長英をかくまい、藩蘭学を大いに向上させたこともある。こんど推挙さるべき人物はその長英のあとがまにすわることになるわけで、いいかげんな人材ではつとまらない。

「一人おります」

と、洪庵はいった。

「しかしその人物は国にもどって家業を継いでおります」

「どなたでござる」

「村田蔵六と申しますが」

といったとき、二宮敬作はひざを打った。自分もそれを考えていた、という。敬作は蔵六に会ったことはないが、せまい蘭学の世界だから、名前も実力もよく知ってい

る。

が、こまったことは、蔵六の側の事情である。家業からぬけだせるかどうか。それに宇和島藩が要求しているのは医学でなくじつは西洋軍事技術の翻訳による導入であった。蔵六はそういうことが好きかどうか。さらにひとつは蔵六の身分である。

「百姓でござるが」

と、洪庵はいいにくそうにいった。敬作は笑いだして、

「手前も百姓あがりでござるよ」

と、いった。敬作は藩から苗字帯刀をゆるされているが、元来宇和島藩というのは固陋《ころう》なところがなく、身分についても相当な礼遇をするということを敬作はいった。

蔵六が、緒方洪庵からの手紙をうけとったのは、この年の夏のおわりである。運命的な手紙であったといっていい。

——どうするか。

と、さすがに蔵六も事の重大さにしばらくぼう然とした。

手紙を持ってきたのは、飛脚ではない。歴《れっき》とした宇和島藩士である。

大野昌三郎《まさざぶろう》という中年の人物であった。蔵六の前におだやかな顔ですわっている。

大野はむかし高野長英から蘭学をまなんだという人物で、学問はさほどには達しなかったが、学問の世話ずきというか、そういうことならよろこんで駆けまわるという人物だった。大野は蔵六と対座しながら、

（よほど無口な人物だ）

と、感心するおもいがした。うれしいのか悲しいのかさっぱり要領をえない顔で蔵六がすわっているのである。

「即答が必要でしょうか」

と、蔵六がきいた。

大野昌三郎は、早いお返事がのぞましい、お返事があるまで自分は滞在する、なにしろ宇和島藩としてはいそいでいるのです、といった。

蔵六は、二宮敬作からの手紙も読んだ。この手紙は蔵六の胸を別な意味でときめかせた。二宮敬作という名前が、イネの献身的な保護者であるということを、蔵六はおもいだしていた。その意味からもこんどの仕官勧誘は奇遇の要素をもっていた。

（イネどのと沼ノ茶屋で出遭ったことが、そもそも自分の運命にかかわりがあったのかもしれない）

蔵六は平素、物事をそのようには考えない男だが、この二宮敬作の名前をみたとき

に、名前そのものが電磁を帯びて蔵六につよい感応をあたえた。

蔵六はお琴に、

「ちょっと藤村へ行ってくる。客人は今夜泊られる。わしは多少遅くなってももどる」

と、必要なことだけをいい、外出した。お琴にはこの一件をいっていない。いってお琴がもし反対するようなら、事がぶちこわしになるようにも思われた。蔵六の性格がそうなのか、双方の性格の問題なのか、どうもお琴に憚《はばか》るところがあった。

藤村家では、父の孝益が往診に出ていた。蔵六はその往診さきまでゆき、表で待っていた。帰路、野道をあるきながらあらましを語った。

「医者をやめるのか」

孝益は、そのことが不満のようだった。

その点については、師の緒方洪庵からもいってきている。「上医は国の病を治す」という中国のふるい言葉をひいて洪庵はむしろ蔵六に、宇和島藩の科学技術の前進のためにつくすほうがいい、というのである。

蔵六は、医学がすきであった。しかし開業医として患者に接するのはにが手で、にが手というよりも患者のほうが蔵六を避けるため、医師としてやってゆきにくいところへきている。

蔵六にすれば、なんでもいい。この気ぶせりな田舎から出たかった。父祖代々の業とはいえ、がらにもあわぬ開業医をして、それを患者がよろこんでくれているわけでもない。毎日、客も来ぬのに鶏《にわとり》と犬の遠吠《とおぼ》えをきいてくらしているのが阿呆《あほ》らしくなっているのである。

が、家業は重い。

この時代、このことはのちの時代の人々には信じられぬほどに重かった。家業を廃するということは、先祖への反逆というほどの倫理的内容をもっている。

そういう倫理的事件だから、父の孝益にすれば養子だけに、

「わしには亡父良庵どのへの義理があって、自分の口から廃《や》めろとは言いにくい。おまえの思いのとおりにすることだ」

そこまで折れた。それをきくと蔵六は路傍で急に立ちどまり、

「ではただいまからやめることにします」

と、いった。妙な男だった。

鋳銭司《すせんじ》村に帰ったのは、すでに夜中であった。客の大野昌三郎はもう寝ているという。

蔵六はお琴を別室によび、このたびのことを話した。お琴は意外にも、

——宇和島などにゆくのはいやです。

と言いだしたのである。彼女は一種の保守家で、現状の変ることをきらい、まして他国でくらすことはいやだという。それに身分まで変るのである。宇和島へゆくことは武家になることで、武家の夫人としてやってゆけるような素養やしつけはなにも受けていない。だから身ぶるいするほどいやだ、といった。もう、顔色が変っていた。

「お琴、武家の世などはおわる」

と、蔵六は突如予言めかしいことをいって、われながらきっとそうだ、とおもった。蔵六が想像しているところでは、イギリスが中国でやったアヘン戦争のようなことが日本でもおこるだろう。列強の兵が攻めてきて、長崎、博多、下関、大坂というようなところを開港地として租借しようとするだろう。日本人は戦わねばならないが、戦いは武士だけではできない。おそらく大きな社会変動がおこり、士農工商は一つになるにちがいない。この蔵六の予言はのちにあたった。しかもその社会変動をおこしてゆく梃子《てこ》の一つを蔵六自身がにぎるのだが、滑稽《こっけい》なことに、そう予言しながら自分自身の将来については思いもしなかった。

結局、お琴はこのお家をまもりますから、旦那《だんな》さまおひとりで宇和島へいらっしゃ

いまし、と言い、そう結論を出すと晴ればれした顔になった。

翌日、大野昌三郎に返事をした。

蔵六が鋳銭司村をあとにしたのは、この年の九月二十八日である。

蔵六の旅立ちは、淋《さび》しいものであった。村の衆へは、

――ちょっと伊予へ渡る。

といっただけだったから、村の衆も何人かが義理で街道まで送ってきただけだった。

村の衆は後年、蔵六が対幕戦の長州藩の総司令官になったとき、

――そんなばかなことがあるか、あの若良庵さんが。

といった者があるというから、蔵六が村を去ってからは、村ではもう彼への関心をうしなってしまったらしい。蔵六は故郷ではその程度の存在だった。

しかし村を出てゆく当の蔵六は内心、

（もう故郷へもどることはないだろう）

とおもい、そう思うとさすがにさびしく、第一夜を周防宮市《みやいち》でとまったときなども、宿の夕食の酒をふくみながら、しばしば杯を宙にとめ、ぼう然としていた。

蔵六はこの時期、よほど感傷的になっていたらしく、旅日記を書いている。かれの

生涯そのものが旅であったが、旅日記を書くようなことはあとさきになく、みな旅での金銭出納帳ていどのものであった。

　ところがこのときの旅日記は、かれのなかによほど大きな不安と期待があったらしく、ちゃんと和文で、それも意外に上手な文章をもって書いている。しかもあとで表紙までつけている。表紙までつけたのはこの旅での想《おも》い出《で》を生涯のものにしたかったのにちがいなく、なにやら人間というものの痛々しさが、このあたりに沁《し》み入るようである。表紙には、

「嘉永六寅《とら》ノ九月廿八日、和蘭紀元千八百五十二年、南遊了漫遊致シ記之」

と、入念に書いている。この当時、西暦をつかった例は、残っているこの蔵六の表紙以外にまずまずないであろう。ただし嘉永六年は一八五三年で、蔵六は一年まちがえている。

　この旅日記によると、宮市を出たのは未明であった。

「秋の淋しきをも厭《いと》はず、足に任せて志す方へと赴きける」

と、いかにもこの旅人は淋しげで、しかし一面前途の希望に心が駆られているようでもある。

　午前十時富海《とのみ》の港についた。富海はいまは海水浴場になっている。ここから船に乗

り、周防の多島海を東へ航走し、遠石（徳山市の東部）につき、下船して一泊。

翌日は陸路柳井《やない》（柳井市）へ出て、この港で、

「伊予へ渡る船はないか」

ときいてまわったが、なかった。やむなく島伝いにゆくべく、遠崎から大島（周防大島）へ渡った。船ヶ島の小松という港につき、ここで一泊した。

蔵六の服装はよれよれの綿服で、風呂敷《ふろしき》に自分の寝巻をつつみそれを肩の前後にひっかけ、みるからに旅の痩《や》せ浪人の姿であった。

宇和島城下に口碑がのこっている。

「村田先生が宇和島にやって来られたときはみすぼらしい浪人行脚《あんぎゃ》の姿で、それがのち藩用で江戸へ出られるとき、若党中間《ちゆうげん》、両掛人夫その他数人の供まわりを従えて大そうなものでありましたから、町のひとびとは目をみはりました」

蔵六の旅の文章を紹介すると、

「時しも七ツ時、源明坂にて上り下り、三里程の峠にかかりしに、不案内の山路を唯《ただ》一人、雨は篠《しの》つく如《ごと》く頻《しきり》に降りしきり、雲切れともなく、憩ふべき家は更なり。……道は険阻にして足は疲労し、彼の岩に行当り、此《こ》の石に跪《つまず》き、実に人の命を限る限命坂なるべし」

といったようなものである。

ところで、蔵六の生涯でのひとつの特徴は、人間とのめぐりあいの運にめぐまれていたことであったろう。

周防大島の小松の旅籠《はたご》は、本州との海峡に面している。

この宿で、たまたま相部屋になったのは、若い医師の夫婦であった。伊予松山の人である。風体《ふうてい》は旅よごれているというようなものではなく、夫妻ともこの季節にまだ単衣《ひとえ》を着、それも袖口《そでぐち》がすりきれていかにもみすぼらしい。

が、医者同士だから話は適《あ》う。

夫婦は松山から長崎まで蘭方の修業に行き、その帰りだというが、経済的にはよほど無理な遊学だったらしい。

翌朝、夫婦は蔵六の前でもじもじしていたが、じつは宿泊料のたてかえをねがえまいかというのである。

「ああ、よろしゅうござる」

蔵六は、こういう場合はつねにすっぱりした男であった。相手にそれ以上言わせぬよう、さっさと立って帳場へゆき、三人ぶんを支払ってもどった。

もどると、医師夫妻にはまだ頼みごとがのこっているらしい。亭主がいうのに、できれば自分たち夫婦を松山の藤井道一先生という医者の家まで送りとどけてくれまいか、という。要するに、途中の船賃やら宿賃やらもなくなっていて、蔵六にたてかえてくれというのである。蔵六は笑いだし、ご遠慮なさることはない、といって三人で小松の宿を出た。

そのあと海や陸をゆき、やがて伊予松山城下に入った。久松家十五万石の城下である。

この松山城下で、藤井道一といえば城下きっての名医とされていた。蘭語は解さないが蘭方も多少やる。

そこへこの夫婦をとどけると、藤井道一は蔵六の親切をよろこび、これほどの名医が、書生じみた蔵六に平伏してその親切を謝し、泣き声まであげた。

「ぜひ、お泊りくだされ」

と、蔵六をひきとめ、その日は患者を診ることもそこそこに蔵六を歓待することにかかりきった。さらに藤井道一は、

「宇和島はおなじ伊予ながら南のはしにて、途中、難路嶮路《けんろ》が多くあり、さればそれがしが道案内いたします」

とまで言いだした。蔵六はその好意をうけた。

伊予松山から宇和島まではことごとく山路で、途中、夜昼峠や法華津峠など名だたる嶮路が多く、しかも人煙まれで、連れでもあればともかく、一人旅のなかなかできる道ではない。

「私がついておれば」

と、松山の医者藤井道一はそう言い、翌朝蔵六とともに旅立った。松山城下第一の流行医が、診療所を閉めて出かけるというのは、容易ならぬ親切であった。伊予人は親切であるというが、この藤井道一は親切な上に感激家で、蔵六が大島小松の宿で藤井の弟子に旅費を立てかえてやったことを、これほどまでに感激してくれているらしい。

なるほど、難路である。途中山中で一泊し、翌日の日没後、山峡の小さな城下町である大洲《おおず》についた。

大洲城下には、山本有仲《うちゆう》という有名な医家が住んでいる。山本有仲は蔵六にとって大坂の適塾の先輩で、面識はなかったが、名声はきいている。案内役の藤井道一とはむろん懇意で、

「山本の家に泊りましょう」

と、最初から予定していた。考えてみると蔵六は幸運であった。藤井は単に道案内

人ではなく、伊予の医師仲間の顔役であり、いまから見も知らぬ宇和島へのりこんでゆく村田蔵六という一介の寒士にとっては、これほど賑々《にぎにぎ》しいことはない。

山本有仲もよろこんでくれた。

「それでは、わしも村田さんのために宇和島まで同行し、露ばらいをつとめよう」

と言いだした。

実際のところ、これほど蔵六の今後にとって重要なことはない。宇和島での村田蔵六の処遇はまだきまっていないのである。このようにして松山第一の名医と大洲第一の名医が先導してくれて乗りこんでゆくなら、宇和島藩の蔵六への印象も大いに重量を加えるにちがいなかった。げんに、これが蔵六にどれだけ幸いしたかわからない。

ところが、まだ奇遇が待っていた。この山本有仲の屋敷に、適塾で同門だった伊藤慎蔵が泊っていたのである。

伊藤慎蔵は、長州の萩《はぎ》の郊外の浜崎の人で適塾では蔵六が塾頭をしていたときに入門してきた。非常な秀才で、語学のほかに数学までできたが、蔵六が塾を出てから町で乱暴したことがあって洪庵から破門された。のち蔵六のとりなしで再入門し、塾頭をつとめ、さらに越前大野藩にまねかれてその蘭学所の館長になったりしたが、この伊予大洲の山本家で蔵六と会ったときは、伊藤は破門された直後であった。

べつにこのとき伊藤とのあいだにさほどの話はない。とにかく蔵六という男は、人と奇遇することの多い男であった。奇運のもちぬしというのは、元来そういうものらしい。

蔵六は、さらに宇和島に近づいた。

その七里手前が、卯之町である。街道に面した山間の宿場で、宇和川が藍《あい》色の水を迸《ほとばし》らせつつながれている。大洲にせよ卯之町にせよ、伊予の渓流は他国にまして清らかである。

「南伊予は、美人が多いといわれます」

と、藤井道一は駕籠《かご》のなかから、蔵六の駕籠へ声をかけた。蔵六は、婦人に対してかるい恐怖心があるようで、

「ああそうですか」

と、笑いもせずに答えただけであった。

かれらは、大洲から駕籠にした。駕籠は藤井道一のおごりであった。大洲では伊藤慎蔵が大はしゃぎしてわたしも村田さんの露ばらいとして宇和島へゆくといいだして、自分で馬を借りてきた。伊藤だけが馬で先頭をゆく。その上、大洲の山本有仲までがわしもゆかずばなるまいといって診療所を閉め、自分の持ち駕籠で一行のなかにまじ

っている。あわせて駕籠三梃《ちょう》、騎馬一騎という、ちょっとした大一座《おおいちざ》で、沿道のひとびとも、

「なにごとであろう」

という顔で見送る者が多い。

卯之町では二宮敬作の屋敷にとまるつもりであった。一行は、門前で駕籠をとめた。堂々たる大庄屋風の屋敷で、門も大きい。敬作は藩から苗字《みようじ》帯刀をゆるされているが、江戸身分社会ではこのばあい大庄屋なみということになる。庄屋でなくても、庄屋門をつくることがゆるされるわけである。

敬作は在宅していた。

玄関へとびだしてくるなり、

「伊予じゅうの名医がきた」

とさわぎ、藤井が蔵六を紹介すると、とびあがるようにしてよろこんだ。敬作にすれば自分が藩にすいせんした男が、はるばるやってきたのである。

その夜、二宮家は夜どおし、灯がともっていた。話題は、蘭学のことばかりだった。みな敬作と蔵六のあいだでやりとりされる学問ばなしを傾聴するかたちになった。

蔵六のとくに語学についての実力には、シーボルト仕込みの敬作ですらかぶとをぬ

いだかたちで、

「いや、甲斐《かい》があった。宇和島の蘭学もいちだんと大輪の花をひらくだろう。ところで尊公、イネどのと岡山で会われたそうだな」

「お会いしましたが」

「よぼう」

敬作はひざをたたいた。たれをよぶのだろう。

翌朝、二宮敬作も、

――わしも宇和島へゆく。

といってくれた。卯之町から宇和島へは、有名な法華津峠をふくめて七里である。敬作も駕籠であった。本来、無名の書生にすぎなかった蔵六にすれば、未知の宇和島城下に入るのに、これほどの大医たちがとりまいて先導してくれるという幸運は、容易なことではない。

みちみち、敬作は駕籠を蔵六のほうへ寄せてきて、

「イネどのは、よろこんでいた」

と、昨夜の話題をつづけた。蔵六が岡山でイネが所持している内科書を訳してやったことについてである。イネはあれからすっかり蔵六に傾倒しており、そのことを敬

作にくわしく書き送ってきたというのである。

「わしは、イネどのに親切にしてくれるひとはみな神仏にみえるのだ」

と、この感情家はもうそれだけで泣き声になってしまっていた。

ついでながら、いまでも宇和町の図書館に、敬作の遺品がいくつか保存されている。

「ちちははの御事を思ひ出して、ある夜、泣きたるに、孝行のしたい時分に親はなし……」

などという文章からはじまる書きちらしの反故《ほご》のなかに、

「お井禰《イネ》を思ひて」

というのがある。

「待ちわびん人はしらずたびのはる」

という俳句であった。

敬作は一日としてイネのことを思いださぬ日がないらしい。

「わしは、短命だな」

敬作の話は、すぐ飛ぶ。短命の理由として大酒をのむこと、ちかごろ胃腸が弱ったことなどを敬作はあげ、自分の死後のイネの身の上が心配だ、と駕籠にゆられながら言い出した。

(大変なとりこし苦労だ)

と、蔵六はおもったが、実際、敬作はこのあと十年足らずの文久二年五十八歳で死ぬ。その墓は卯之町にもあるが、長崎の皓台寺《こうだいじ》にもある。長崎の皓台寺の墓は、イネがたてたものである。戒名は、

「青雲院徳光如山居士」

とある。

敬作はつづけた。

「村田どの、縁というのはふしぎだ。イネどのが尊公の学識におどろいてわしに手紙を送ってきたときから、わしの心に尊公のお名前がきざみつけられた。こんどわしは宇和島藩に尊公を推挙したのだが、その遠い縁は尊公がイネどのと岡山で会ったときからできたと申していい。いや、そうなのだ」

と言いだした。

(なるほど、そういうものかもしれない)

と、蔵六も、人間の縁という一事を思った。イネと岡山で会ったのは、行きずりの縁というものではなく、蔵六の運命をあやつる糸のようなものが背後で作動しているようにおもえてならない。イネと会わなければ、ひょっとすると蔵六は宇和島藩に招《しょう》

聘《へい》されることもなかったかもしれない。

二宮敬作も、これほど村田蔵六に肩入れしなかったろう。敬作は、イネのことになるともう涙腺《るいせん》がゆるみ、たえず洟《はなみず》が垂れてしまうほどの愚人になってしまう。その敬作が、蔵六をどうやらイネと結びつけて見込んだらしい。

もともとシーボルトが日本を去るにのぞんで、イネの養育を敬作と徳島の人高良斎に頼んだ。その相棒の良斎が、先年、四十八の若さで大坂で死んだ。

「そこへゆくと、尊公は年若だ」

だから、イネのためによき保護者になってやってくれまいか、と敬作はいう。

「イネどのはいま長崎の銅座という町で産科を開業している。しかしまだまだあの娘《こ》の」

あの娘の、と敬作はいう。

「学問は未熟だ。いっそ長崎から宇和島へよび、尊公の手もとにあずけるゆえ、おもに蘭語と病理を仕込んでくれまいか」

と、駕籠をすりよせてきて、そういうのである。蔵六は、当惑した。

「しかし、婦人でござるゆえ」

「それは村田どの、思いすごしだ。恩師の娘は婦人であって婦人ではない」

「二宮先生はなにか思いちがいしていられるようです。私はシーボルト先生の弟子ではありませんが」

「だからどうだというのだ」

敬作の顔は、険悪になってきた。

「日本で蘭学という学問をする者なら直接であれ間接であれ、シーボルト先生の御恩はうけているはずだ。ではあるまいか？」

（なるほど、そうでもある）

と、蔵六はおもった。シーボルトは無酬の行為として日本に蘭方医学のたねをまき、去った。かれの来日がオランダ政府の新貿易政策の一環であるにせよ、またシーボルト個人の関心は日本の動植物研究にあったにせよ、かれが日本人にヨーロッパでの最新医学を懇切にほとんど献身的に教授して去ったということは蘭学につながるすべての者がそれを恩として感ずべきかもしれない。だからイネを教えよ、と敬作はいうのである。

（伊予の山は優美だときいていたが、なかなかどうして）

と、蔵六は、法華津の山坂のけわしさには、駕籠のなかながらもおどろいてしまった。とにかく山また山である。この山のむこうに、宇和島という十万石もの城下町があるのだろうかとふしぎの思いがした。

「山にかこまれて、入江に面して、ちょうど隠れ里のような町だ」

と二宮敬作がいったが、なるほど着いてみると、桃源郷のような印象をうける町で、宇和海の光とまわりの高峻《こうしゅん》な山壁がつくる影とがしずかな華やぎをつくっている。町の中央に独立の岡があって南国の樹叢《じゅそう》におおわれ、その岡の上に伊達家十万石の城があり、すでに紅葉しはじめている梢《こずえ》のむこうに白堊《はくあ》三層の天守がみえた。ついたその足で、さきに周防国鋳銭司村までたずねてきてくれた藩士大野昌三郎を訪問した。あいさつのためである。

大野はなにか内職をしていたらしく、ひざの塵《ちり》をたたきながら出てきて、蔵六をみて妙な顔をした。ひどい近視であった。蔵六が声を出すと、とたんに相好《そうごう》をくずしてよろこんだのは、おかしかった。

そのあと、この大一座に大野もくわわった。

「マイガンさんのところへ参りましょう」

と大野は言い、袴《はかま》のモモダチをとって蔵六の駕籠わきにつき従った。まるで蔵六が殿さまで、大野が家来のようなかっこうである。

町を練った。

「大野どのもぜひ駕籠を一梃……」

と、だれかがいったが、大野昌三郎はきかなかった。これが、この親切者の策略であった。村田蔵六という宇和島人にとってはどこの馬の骨かわからぬ書生を、大野にすれば世間で高名な学者であるかのように城下の士庶にみせておきたかったのである。

この城下の町並みが東南に尽きて山道にさしかかるあたりに金剛山大隆寺という禅寺がある。そこの住持が晦巌和尚《まいがんおしょう》と言い、時勢に対する見識の高さで京や江戸にまできこえていた。晦巌は禅僧のくせに蘭学の必要をつねに説き、宇和島での蘭学者たちのいわば後援会長のような存在になっている。その上、晦巌は宇和島侯の先代からの顧問格でもあった。大野にすれば、他国からきた蔵六をまっさきにこの和尚にひきあわせ、その好意を得ておくことが、あとあとの蔵六の処遇にプラスすると思ったのである。蔵六は、ひとの親切にめぐまれていた。

城　下

その日は、城下本町一丁目の旅籠《はたご》宇和屋藤蔵方でとまった。

そこを当座の宿所にした。宿の表に、

「大村亮（良）庵先生御宿所」

という紙がはりだされた。世話好きの大野昌三郎《まさざぶろう》のしわざであった。

五日ばかり経《た》った。

蔵六を当地まで送ってくれたひとびとも帰ってしまい、蔵六ひとりが、毎日所在なげに宿で起居している。

（なんだか、妙なぐあいだ）

と、蔵六がおもいはじめたのは、いっこうに音沙汰《おとさた》がないのである。大野昌三郎は毎日のように訪ねてきてくれるが、身分がきまったわけでもなく、屋敷もきまらない。わるくとると、宇和島藩招聘《しようへい》というのはうそだったのではないか、とさえおもえる。

「いま、しばらく」

と、大野昌三郎は蔵六にはそう言い、じつのところ、大汗をかいて奔走していた。

藩吏たちが、

「そのような件、わしは聞いとらんぞ」

と、言うのである。

宇和島藩の藩庁組織は、他藩とはちがい、西洋流に分掌が明快にわかれていて、その点ではなかなか機能的なのである。部というのは、会計、市郷、練兵、奥組支配、文学頭取の五部で、この点整然としているのだが、しかしまだ運営の上で能率的でない。蔵六を招聘する件は、殿さまの宗城《むねなり》がじかに決定して、その旨《むね》を家老の松根図書《ずしょ》に通じておいたが、下部のどこかでややこしくなってしまったらしい。しかもわるいことに、目下殿さまは江戸で、松根図書は京都にいた。

「そんなばかなことがありますか」

と、大野昌三郎は、各部局をかけまわっては役人に苦情をいったり、泣訴したりした。

「そんなにえらい蘭学者か」

と、役人がいまさらおどろくような始末であった。とにかく正式のとりきめは松根図書が帰ってからのことにし、とりあえず蔵六の身のおきどころをきめねばならない。

このことについての藩の藩庁日記が、いまも残っている。その嘉永《かえい》六年十月二十七日のくだりに、こうある。以下直訳。

「大野昌三郎からの申越しである。このたび長州の蘭学者村田亮庵と申す者、宇和島へまかり越した。蘭学のほうはよほど熟達の様に相見える。この者に蘭書の翻訳などをさせれば御為筋《ためすじ》（藩の利益）になるはずであるから、しばらく滞在させたい。さしずめ宿は本町一丁目の宇和屋藤蔵方へ頼みおいた。しかしなにぶん小身者であるから、自費では滞在しにくい。はなはだ自由がましく恐れ入ることだが（勝手に事務を決めるようであるが）二人扶持《ぶち》と年に十両の金をさしくだしたい」

話とはまったくちがう冷遇である。

村田蔵六というのは、ちょっとえたいが知れない。

ある日、世話ずきの大野昌三郎が、藩庁とのかけあいのいきさつを正直に明かしてあやまると、べつに不快がりもせず、

「ああそうですか」

というのみで、あとはなにもいわない。大野も蔵六の心底をはかりかね、

（ひょっとすると、よほど腹をたてているのかもしれない）

とおもい、いよいよ躍起になって、二宮敬作や金剛山大隆寺の晦巌《まいがん》和尚などをうご

かし、藩庁にかけあってもらったりした。

その間《かん》、宿屋ずまいは入費がかかるというので、大野昌三郎は蔵六の体を自分の屋敷に移した。

「あなたのお屋敷に移るのですな」

と、蔵六はそのときもごく安直に例の荷物——寝巻だけだが——をかついで、神田《じんでん》河原《がわら》の大野家に移った。

「二人扶持、年に金十両」

という蔵六への手あては、そのあたりの門番の中間《ちゆうげん》程度のもので、話がちがうのもはなはだしい。話では百石以上の士分ということになっている。十万石の宇和島藩で百石以上といえば、堂々たる高級官吏である。町家の下女でさえ、住みこみで年に三両の給金が出る。この藩が、藩の科学技術部門の最高官として蔵六を招いたのに、中間や下女程度とはどういうことであろう。

（へんな男だ）

と世話ずきの大野昌三郎でさえそうおもったのは、蔵六が大野家の離れ一間でべつに不足もいわず毎日平然と蘭書をよんでいることであった。本音《ほんね》がどこにあるのか見当もつかぬ人物であった。蘭書というのは、宇和島藩が、江戸や大坂で買入れた兵学書がおもで、歩兵操典や騎兵操典があったり、ゲベール銃の解説書があったり、船のボデーをつくる造船関係があったりである。藩庁では藩庁の書庫からこれを出してきて、

——村田先生に読んでもらってくれ。

と、大野にことづけたものであった。蔵六のしごとは、蘭書の読み屋らしい。

「どの藩でも、役人とはこうしたものでござって」

と、大野は、毎日蔵六と顔をあわせるのがつらく、顔をみるとそうこぼしている。

藩庁の役人は、大野に対して、

「村田蔵六と申す者、百姓ではないか」

というのである。百姓なら、その程度の待遇でけっこうで、十分なほどだ、というのである。なるほど、それは通念である。

藩庁も、冷淡なだけではなかった。家を一軒、世話しようとしていた。たまたま、神田《じんでん》川に沿うた徒士《かち》(下士)屋敷町に、空家がひとつあって、それへ蔵六を住まわせようとした。

「ああ、そうですか」

蔵六はこのときもそういっただけで、例の寝巻をかつぎ、大野家を去った。

宇和島城下の南辺を限っている神田川は、この城下の外濠《そとぼり》の役目をなしているのであろう。

町の東南の森からおりてきた渓流が、地をふかぶかと割って町を流れ、その両岸は石垣でかためられて人工の堀の姿をなしている。石垣のあいだにはグミの木やムクゲの木が、季節になれば赤い実をつけたり、白い花を咲かせたりして、宇和島のひとびとにとっては、なんともいえずなつかしい界隈《かいわい》らしい。土地では、

「神田河原」

という。あたりは徒士や足軽階級の小さな屋敷やお長屋が多く、おどろいたことに、こんにちでもほぼ江戸末期の面影をとどめて残っている。蔵六が、藩庁からあてがわれた徒士屋敷も、このかいわいの一軒である。

(のどかな土地だ)

と、蔵六は毎日おもった。屋敷のうらにイタチが二ひき棲《す》んでいて、ときどき蔵六の視野に姿をあらわす。

「あれは貂《てん》ですらい」

と、蔵六の家にくる客がいったが、他の客はいやまぎれもなくイタチぞ、とやかましく主張してゆずらなかった。

「イタチとテンとは、どうちがうのです」

と、蔵六はきいてみた。

二人の論客《ろんかく》は、この点では一致していた。

「テンは人をだましますが、イタチは人をだまさないのです」

そんな毎日である。

客は、ひっこした当座でも毎日十人ぐらいはあったが、日に日にふえた。いつも半分は新顔だった。オランダ語を教えてほしいというのである。

かつて高野長英から手ほどきをうけたという者もあれば、まったく知らない者もある。知的好奇心のつよい土地で、それに、一種独創を尊ぶふんいきがあるのか、

「村田先生、要するにオランダ語も漢文と同様、角兵衛獅子《じし》のごとくでんぐりがえるのでございますな」

と、いう。

「そうです」

と、蔵六が答えると、独創家の一人が、

「それではいっそ、漢文のように送りガナ返り点をつければいかがでしょう」

と、意見を出した。これには蔵六は感心したが、採用しなかった。

身分もきまらずに、このように一ト月もすごしているうちに、家老の松根図書が、京から帰ってきた。松根図書は、俳人の松根東洋城《とうようじょう》の祖父にあたる。

藩庁で蔵六の処遇をきいて、

「そりゃ、いかん。宇和島は日本の僻陬《へきすう》にありといえども、人材を遇する点では天下に名がある」

と、家老の身ながらわざわざ蔵六の仮屋敷へゆき、自分の留守中の不始末をわびた。

ちょっと余談になるが、伊達《だて》家というのは本来、奥州《おうしゅう》の大名である。

伊達政宗（一五六七―一六三六）の代に大いに興《おこ》って奥州第一の勢力になったが、中央に豊臣政権が勃興《ぼっこう》したため、やむなくその勢力下に入った。この豊臣期から徳川期に入る複雑な政情のなかを政宗はうまく遊泳して徳川政権でも生きのこり、仙台六十二万余石という大封《たいほう》を保全した。

その政宗の長男が、宇和島藩の初代秀宗である。長男が仙台伊達家を相続しなかったについては、諸説があるが、ひとつには政宗の自家保全政策から出たらしい。長男秀宗ははやくから秀吉の人質として大坂城でそだち、のち秀吉の養子並みの処遇をうけ、秀の一字をもらって秀宗と名乗った。徳川氏の世になってから政宗はこれをはばかって別の子の虎菊丸という者を徳川将軍秀忠に拝謁《はいえつ》させ、忠の字をもらって忠宗と名のらせ、仙台伊達家を継がせた。

そのかわり秀宗のために幕府に運動して伊予宇和島十万石に封じた。秀宗が家来たちをつれてはるばる奥州から南国の宇和島にうつってきたのは、大坂夏ノ陣の年である元和《げんな》元年十二月である。以後、版籍奉還まで、二百五十数年のあいだ移封はない。奥州のひとびとが集団で西のほうに移動して、気候風土方言のすべてちがう土地に定着した例は、この藩のこのばあいだけかもしれない。

多少の影響が、いまでも残っている。方言については、伊予松山のあたりは京大阪の方言圏内だが、おなじ伊予でも宇和島だけは東日本のことばにややちかい。ほかに七夕《たなばた》祭がさかんであったりする点などが、仙台に似ている。

ところで、松根図書である。余談ついでにこの人物の家系をしらべていると、この姓そのものが東北の姓で、やはり初代秀宗とともに仙台から宇和島へ移ってきた。

図書は、蔵六が宇和島へ入った年の嘉永六年にはまだ三十四歳であったが、その明敏で剛毅《ごうき》な資質はすでに他国にまできこえていた。

のち、西郷隆盛なども、

「伊予では松根図書」

と、いつも言い、幕末の風雲期に汽船に搭乗してわざわざ会いにきている。

幕末、英国が対日外交の方針として、幕府より反幕勢力のほうに接近したが、その情報の収集者が、公使館付きの通訳官アーネスト・サトウであった。サトウは慶応二年の暮、軍艦アーガス号（三五〇〇トン）に乗って宇和島を訪問し、前藩主の伊達宗城と松根図書に会っている。そのとき、宗城はサトウを御殿に招待してご馳走《ちそう》したが、やや酔って立ちあがり、英国の士官を相手にダンスをした。

「家老も一緒に踊りだした」

とサトウが書いているその家老が、松根図書である。


年がかわって、嘉永七年になった。正月の松がとれて数日後、藩庁の中間がやってきて、差紙《さしがみ》をとどけた。出頭せよという。

大野昌三郎ともども出頭してみると、御用部屋に家老の松根図書がすわっていて、

「じつは村田先生の処遇がきまったのでな」

と、棒のように長い顔を、うれしげにほころばせた。松根図書としてもこのことが気がかりだったのだろう。

「月々米六俵、雑用トシテ下ゲクダサル」

というのが辞令である。

月々米六俵というと、宇和島藩では知行百石取りとおなじ実収になる。百石といえば藩でも藩の士官階級としても相当上位で、一介の他国者に対する処遇としては破格にちかい。

上士待遇による嘱託ということであろう。

正規の上士を、石取《こくと》りという。藩が蔵六に対し、石で勘定する身分をあたえなかったのは、かれが百姓階級の出であるということで、いきなり身分を飛躍させることをはばかったからにちがいない。嘱託もしくは準藩士というべき存在だから、いつでもやめようとおもえばやめることができる。

が、ここで、村田蔵六にとって大きかったのは、これによって天下公認の武士になれたことであった。後年、かれの故郷の長州藩がかれを貰《もら》いにきたとき、宇和島藩が簡単に手放したのは、嘱託であったからである。さらにかれが長州藩の士分階級に編入されたのは、すでに宇和島藩の手で「士分」になっていたからであった。

「過分のことでござる」

蔵六は、小さな声で礼をいった。べつにうれしそうでもなかった。

ほどなく藩主の伊達宗城とその行列が、江戸からもどってきた。

「御帰国、御帰国」

という声が城下に満ち、お目見得以上の藩士は総登城した。もっとも蔵六については、実質は百石取りでも儀礼上の義務がないため、登城しない。神田川ぞいの家で、毎日みかんを食っては蘭書を読んでいたが、数日経って、裃《かみしも》をつけて登城せよ、殿さまが謁《えつ》をたまわります、といってきた。これには、蔵六はおどろいた。

「私は、裃などもっておりません」

とことわったが、大野昌三郎が自分の裃をむりやりに蔵六に着せ、家老の松根図書の屋敷へひっぱって行った。そのあと、蔵六は図書につれられて、伊達宗城の御前にまかり出た。

宗城は灰色の顔色の男で、両眼を光らせ、ながいあごを前につき出している。

この男が蔵六に命じたことが、蔵六にとって意外きわまりない後半生に踏み入らせることになった。

この殿さまが蔵六に命じたことは、

「蒸気でうごく軍艦一隻《せき》と、西洋式砲台を一つつくれ」

ということであった。

蔵六は、耳をうたがった。蔵六は緒方塾で医学をまなび、国もとで村医をしていただけが経歴で、軍艦も砲台も、作ったことはむろん、この目で見たこともない。

（大名とはこういうものか）

と、蔵六はひそかにため息をつきたいほどの思いで、平伏している。高飛車に一声出せば、軍艦でも砲台でもたちどころに出てくるとおもっているのだろうか。

「火桶《ひおけ》を。火桶を。――」

と、宗城はいった。蔵六は火桶も作れといわれているのかとおもったが、実際はこの藩の御殿でのしきたりで、家来に火鉢をあたえることによってくつろぎを許すという作法のひとつであった。

小姓が、火鉢をはこんできた。この火鉢を合図に、宗城は急におしゃべりになった。

「わしはな、蔵六」

と、体をくずし、顔をせり出してきた。――品川沖でな、例のメリケンの黒船というものをな、この目で見た、といった。

動く城のように巨大で、たえず煙を吐き、白波を蹴《け》り、無数の砲を載せており、欧米文明の一大象徴のようにおもえた、と宗城はいうのである。日本もあれをつくらねば外国の侵略にうちまかされる、そこで、江戸城において、薩摩《さつま》どの、肥前どの、それにわしという三人で約定《やくじょう》したのよ、といった。

「三藩、相競うて、競争であの黒船をつくろうではないか、と」

薩摩どのとは島津斉彬《なりあきら》のことであり、肥前どのとは、佐賀藩主鍋島《なべしま》直正のことである。薩摩は七十七万石の雄藩であり、佐賀も三十五万七千石で、大藩といえる。財力もあり、人材も豊富であろうが、宇和島は十万石でしかない。その仲間入りをしようという宗城の気宇は大いに見あげたものだが、技師がいない。薩摩にも佐賀にもいるはずがない。

「蔵六、そのほうにきてもらったのは、そもそもそれをやらせたいからだ」

（やらせる。……）

蔵六はおかしくなったが、しかしその顔はあくまでも魚のように無表情でいる。

軍艦に蒸気機関を積んで自走させるというのは、浦賀にきたペリーの艦隊がきわめて先進的存在で、去年前後して長崎にきたロシアのプチャーチンの艦隊はむかしどおりの風帆船であった。プチャーチンはペリーとおなじ要求をつきつけるためにきたのだが、ところが長崎滞在中に、英仏が、ロシアに対して宣戦布告したことを知り、あわてて錨《いかり》をあげて遠いヨーロッパの戦場にゆくべく上海《シャンハイ》へむかった。いわゆるクリミア戦争がそれである。

このクリミア戦争のとき、世界一の海軍国である英国の艦隊すら大艦は風帆船で、蒸気船ではなかった。もし宇和島など三藩が蒸気船を開発すれば、世界の水準とひとしくなる。

余談ながら、日本人が、あたらしい文明の型をみたときにうける衝撃の大きさとふかさは、とうてい他民族には理解できないであろう。日本人を駆りたてて維新を成立せしめたのは、江戸湾頭でペリーの蒸気軍艦をみたときの衝撃であるということは、すでに触れた。

衝撃の内容は、滅亡への不安と恐怖と、その裏うちとしての新しい文明の型への憧《どう》憬《けい》というべきもので、これがすべての日本人におなじ反応をおこし、エネルギーになり、ついには封建という秩序の牢獄《ろうごく》をうちやぶって革命をすらおこしてしまった。この時期前後に蒸気軍艦を目撃した民族はいくらでも存在したはずだが、どの民族も日本人のようには反応しなかった。

憧憬は危機心理に裏うちされるときに強烈になるものらしいが、この江戸湾頭で蒸気船をみた日本人たちのうち、島津斉彬、鍋島直正、伊達宗城という三人の代表的危機論者が、

——自分もあれをつくろう。

と、戦慄《せんりつ》とともに決断したことが、この時機にわきおこったエネルギーのすさまじさを象徴している。

事実、三年後にかれらのひきいるこの三藩が、相前後してそれをつくることに成功したことは、大げさにいえば世界史的奇蹟《きせき》といっていい。

「信じられないほどのことだ」

といって驚嘆した最初の西洋人は、これよりすこしのち、幕府がオランダから海軍教師としてまねいたオランダ海軍二等尉官《いかん》ファン・カッテンディーケである。カッテンディーケは長崎海軍伝習所で勝海舟らに海軍技術をおしえているとき、伝習生をのせて練習船「咸臨丸《かんりんまる》」で江戸まで航海したことがある。途中、鹿児島に寄港し、島津斉彬に歓待された。

鹿児島港は、岩石できずかれた波止場と、砲台用の高い塁壁とをもち、その塁壁には無数の銃眼がうがたれている。咸臨丸がイカリをおろしたそばに、小さな外輪蒸気船がつながれていた。

長さ二丈（約六メートル）ほどの木造汽船で、船体には銅板が張られている。カッテンディーケがおどろいたのは、この蒸気船は薩摩藩が純粋に自分の手でつくったということをきいてからであった。かれらは本物の蒸気船を見たこともないのに、「そのエンジンは、フェルダム教授の著書にある図面のみをたよりにつくったものである」と、その著『日本滞在記』に書いている。なにぶん最初のものであったため、十二馬力の設計のはずが二、三馬力しか出なかったという。

蔵六がつくれといわれたのは、要するにそれである。

傍目《はため》から蔵六の運のころがりようをみておれば、これほどこっけいなことはあるまい。周防鋳《す》銭司《せんじ》村の村医が、宇和島藩のお召しかかえというので、海をわたり山を越えしてやってくると、

——蒸気船をつくれ。

と、いわれてしまっているのである。それが宇和島におけるお前のしごとだという。

（来てしまった以上は、やむをえまい）

と、その翌日から、藩の御書物庫に入ることにした。先代から買いたくわえた蘭書が多く、なかには写本もある。

数日して、自宅のほうへ二宮敬作がやってきた。

「黒船をつくるそうだな」

敬作は半ばおかしみを噛《か》みころしながらきいた。

「そうです」

「そうですとのんきに構えているが、あんた、黒船を見たことがあるのか」

「ありません」

蔵六は、敬作の前に五合徳利を置いた。自分の前にも、同様の物品を置いている。たがいに手酌で傾けては茶碗《ちゃわん》に注ぎ、ゆるゆると飲んでいる。

「お前さんも頓狂《とんきょう》な男だな」

敬作は、蔵六の人柄が、一見したところとまったくちがっていることにちかごろ気づきはじめていた。敬作は、

「頓狂」

ということばがすきで、ふだんしきりにつかっている。オッチョコチョイというほどの意味だろうが、敬作の妙なところは、親に孝、君に忠という倫理綱目と同列ぐらいの美徳にそれをあつかっているのである。

「人間は頓狂でなくちゃいけないよ」

これが、口ぐせだった。敬作は、まじめくさった大人くさい、事なかれの常識的慎重さ（それが封建的徳目なのだが）だけで生きている連中が大きらいで、

「人間、ゆかなくちゃならないよ」

と、つねにいう。どこへゆくのか、それはわからない。敬作が、深夜三里の峠をこえて炭焼小屋の急患のもとに行ってやったりするのも、頓狂の心であろう。イネのことを想《おも》うと不安と悲しみで身も世もなくなるのも頓狂の心かもしれない。常識人はけ

っしてそうはならないのである。

「西洋の文明を興したのも、頓狂の心だ」

と、敬作はいう。

天才とは頓狂人だが、西洋人はそういう者を愛し、それをおだて、ときには生活を援助して発明や発見をさせたりする。日本人は頓狂人をきらうから遅れたのだ、という。シーボルト先生も頓狂人だからはるばるヨーロッパにとって、未知の日本にきたのだ、という。なるほどそういえばそのようでもある、と蔵六はおもうのである。

二宮敬作は、卯之町から法華津《ほけつ》峠を越してきては、蔵六の家にとまるのである。はなしといえば、イネのことであった。

「尊公々々」

と敬作はいう。

「尊公以外に、イネについて語る相手がいないのだ」

と、敬作はいう。しかし聴き手の蔵六にすれば、イネの想い出は岡山でのあのとき以外になく、蔵六から話すことがあまりにもすくなく、聴くばかりであった。イネがまだむつきにくるまれていたころのこと、二歳のときにはすでにガクモンということばを知っていたということ、漢字のおぼえが早かったわりにはオランダ語の覚えが存外にぶいこと、しかし少女のころから異様なばかりの向学心をもっているということ、など、イネのことになると二宮敬作ほどの大知識人が、愚父にかえったようになるのである。

「イネが、武術もすきだということをごぞんじか」

と、敬作は意外なことをいう。蔵六はむろん知らない。イネは少女のころ柔術《やわら》に興味をもち、長崎にすむ楊心《ようしん》流の秋山仙蔵というひとについて学んだという。

「切紙《きりがみ》をもらったというから、相当な達者だ」

と、得意げにいう敬作の口もとを、このときばかりは蔵六はとまどいつつ見つめた。蔵六の想念のなかにあるイネの像は、香の炷《た》かれた茶室に端座して釜《かま》のたぎりにじっと耳をかたむけているような、そういうふんいきにふさわしい女性のようにおもえ、それとやわらとを結びつけるのがやや困難であった。が、むりにそのふたつのイメージをかさねる作業をしてみると、意外にも蔵六にとって息をわすれるほどの女人《にょにん》が、かれの想像のなかでいきいきとうごいた。

（イネどのは、きっとそうであるにちがいない）

蔵六はおどろきをもって、想念のなかのイネをみつめている。

「どうした」

と、敬作の声で、蔵六はわれにかえった。

「あっははは、頓狂な男だ」

敬作のいう頓狂はいつもの口ぐせの頓狂で、蔵六をほめている。

「みたこともない黒船と砲台をつくれといわれて一考もせずに承って候《そうろう》と返事をする尊公は、古今未曾有《みぞう》の頓狂だ」

古来文明を興したり、あるいは人類を救済してきたのは、そういう精神だ、と例のひとつ文句をいって、

「それはそうと、きょうきたのは、船体は尊公がうけもつ、蒸気機関は他の者がやるというそれ、その一方の蒸気機関をうけもつ男がきまったのだ。それを伝えにきた。それがまた稀代《きたい》の頓狂者でなあ」

と、心地よげにいった。

宇和島藩にすれば、蔵六に黒船もつくらせ砲台も設計させるというのでは、蔵六のために負担がおもいだろうとおもい、蒸気機関については別の人間を物色していた。

家老松根図書は、

(御家中にはひとりもいない)

と、あたまからきめこんでいた。武士というのは規則と作法ずくめの環境であたまがかたくなっており、あたまの梁《はり》や柱をたたき折って想像をそとへひろげるという力をもっていない、とみている。そこへゆくと職人であった。職人はたえず手足の実感で物をつくっており、その実感のなかから蒸気機関を想像することはできないかとおもった。松根も途方に暮れているとはいえずいぶん乱暴な着想をしたものである。

「たれか、城下、お領内におもしろいおとこはいないか」

と、市政担当の家老である桑折《こおり》左衛門にきいた。

市政にあかるい桑折といえども役人だから、城下の戸数三千の住民のひとりひとりの能力を知っているわけではない。それには町年寄にきくといい、と桑折がいった。ついでながら江戸時代は、自治というより一種の請負行政で、村では庄屋がそれにあたり、町では町年寄がそれにあたる。

町年寄は清家市郎左衛門という五十年配の男で、思慮もふかく、町の事情にも通じている。その市郎左衛門が、桑折の屋敷によばれた。

「ああ、そういうことでございますか」

と、さほどおどろきもせず、ちょっとくびをかしげてから、

「心あたりがございます」

と、たのもしげにいった。

「それは町人か」

「町人ではございませぬ」

江戸体制では、江戸や大坂でも同様だが、「町人」というのは自分の家屋敷に居住している者しかそうよばない。だからおれは代々のお町人さまと自慢をする者もあるくらいで、町人はたいていは運上金（税金）をおさめているかわりに、町年寄を選挙したり、選挙されたりする権力をもっている。フランスの王制下の第三階級としてのブルジョアジーにほんのすこし似ているかもしれない。

町人以下の階級を、借家人といった。

「借家人か」

桑折は、どんな身分の者でもいいとおもった。もっとも借家人にも二通りの階級があって、町の表通りに住むのを表借家人と言い、裏通りの者を裏借家人という。落語に出てくる熊公八公はこの階層である。

「それも裏借家人でございます」

と、市郎左衛門がいったから、桑折がさすがに声をのんだ。裏借家人ごときに殿さまの御用を言いつけてよいかどうか。が、桑折は胸中踏みきった。

「連れてきてくれ。それでもいい」

といった。この瞬間、見えざる場所で封建制というものが崩壊したといっていい。

その裏借家人は、

「嘉蔵《かぞう》」

といった。なりわいは、提灯《ちょうちん》のはりかえである。念を入れていうが、提灯屋ではない。古提灯のやぶれを修繕するしごとで、これではとても三食くえる収入はない。

住いは、城下の裡町《うらまち》四丁目で、その長屋は平兵衛店《だな》という。棟のかたむいた軒下に、

御ちやうちん

はりかへ　いたします

かぞう

と、書かれている。

提灯はりかえだけでは食えないから、あらゆる修繕をひきうける。仏壇の修繕、これは彫刻と塗りの技術がなければならないが、嘉蔵はならったこともないそういう技術も、らくらくとできた。鎧《よろい》カブトの修繕にいたっては具足師しかできないものとされているのに、嘉蔵はやった。城下町だけにこういう品の繕《つくろ》いをたのまれることがままある。

「器用貧乏を見たければ平兵衛店へゆけ」

といわれた。たぐいまれな器用だけに、その貧乏もちょっと類がない。嘉蔵は下帯をひとつしかもっていないといわれた。洗ってあるときは、なしで歩いた。

——きょうは嘉蔵さんは下帯なしや。

とおなじ裏店《うらだな》のひとびとがいったのは、歩きかたでわかるのかもしれない。

嘉蔵はいま四十二の厄だが、むかしこの男にも女房がいた。あまりの貧と、嘉蔵の世渡り下手にあきれ、一児を置いて実家へ帰ってしまった。その一児は、八幡浜《やわたはま》に住む兄が養っている。

嘉蔵の家には畳が二枚しかなかった。あとは床板が露出していて、ちょうどこの季節では縁の下から針のように痛い風がたえず吹きあげていて、宇和島じゅうで嘉蔵の家ほど寒い家はなかった。

「そんなに寒いか」

と、桑折は、聞くだに寒いという顔をした。

「いったい、以前なにをしていた男だ」

と、町年寄の市郎左衛門にきいた。

八幡浜のうまれだという。八幡浜というのは伊予では国中きっての商港で、ここの出身の者は商売がうまい。嘉蔵は、はじめは八幡浜で軒店の雑穀《ざこく》屋をしていた。それもうまくゆかず、二十三のときに宇和島城下に出てきて、雑穀のふり売りをした。なにもかもうまくゆかず、ついに持ってうまれた器用さで生きようとし、右のようななりわいをしてほそぼそと生きているというのである。

「すぐ嘉蔵をよべ」

と、桑折は命じた。

翌日、町年寄につきそわれて、嘉蔵がやってきた。

藩庁での桑折左衛門の御用部屋は、小庭に面している。

桑折はひざに扇子を立てて、座敷。

町年寄の市郎左衛門は町人ながらも苗字《みょうじ》帯刀の身分だから、板敷の縁にすわっている。嘉蔵にいたっては裏借家人だから、縁の下の地面に土下座して、ときどきひたいを土にこすりつけている。これが、封建身分制というものである。さらには桑折が嘉蔵に質問しても、嘉蔵は直答することができず、市郎左衛門のほうにむかってものをいう。

さて、例の一件である。

嘉蔵はさすがにすぐには請けあわず、しばらく猶予《ゆうよ》をねがった。お上《かみ》への怖《おそ》れのためである。もしうかつにひきうけてできなかったら、どのようなお叱《しか》りをうけるかわからない。

十五日、経《た》った。

嘉蔵はその間、家にひきこもりきりであった。黒船はみたことがない。まして船舶用機関などみたこともなく、一般の蒸気機関というものについても想像の手がかりもないのである。

が、嘉蔵は、考えぬいた。ただ考えるだけでなく、かれの想像力をもって一個の機械《からくり》をこしらえてみた。

これを十五日目に、町年寄の市郎左衛門のもとにとどけた。

市郎左衛門はすぐ藩庁へかけつけた。それを松根図書と桑折左衛門のふたりの家老がみて、驚嘆した。

高さ二尺五寸、横一尺、奥行七寸ほどのほそながい箱のようなものに車輪が四つついている。その箱のなかが機械室で、大小の歯車がいくつとなくかみあっており、そのうちの心棒を一回転させると車輪が三回転するというしくみになっていた。こころみに松根図書が心棒をまわすと、

――あっ。

と、桑折が声をあげたほどの早さで、箱車が走りだした。やがてとまった。どこまでも走らないのは動力がないからで、この伝導装置に動力さえつければ、もうりっぱに蒸気機関である。

「このようなものでございましょうか」

嘉蔵は、蒸気機関という動力を生む実体を知らないから、黒船は自走する、といわれただけで想像したものはこれがぎりぎりのところだった。

「そのほうに、頼む」

と、松根図書は、座敷から頭をさげた。経費その他は追って沙汰《さた》する、という。

二宮敬作は、蔵六のところへこの情報をもたらしてくれたのである。

翌日、蔵六は藩庁で、嘉蔵のつくった箱車をみた。

蔵六がむしょうに腹が立ってきたのは、これに驚嘆したあとだった。嘉蔵がヨーロッパにうまれておればりっぱに大学教授をつとめているであろう。それを思えば、嘉蔵の身分のあわれさもさることながら、もっと大きいものへの腹立ちを感じたのである。

藩庁でそういうことがあって幾日か経った朝、問題の嘉蔵が、蔵六の家へたずねてきたのである。

「どなたです」

と、勝手口のほうで人の声がするので、蔵六は書物から目をあげた。勝手口の方角で人声がするなら物売りかなにかにきまっている。蔵六が耳を澄ましていると、小さな声で、

——お取次ぎのお方はいらっしゃいませぬか。こなたは裡町の平兵衛店に住む嘉蔵と申す者でござります。

と、きこえてきた。

（あの男だ）

蔵六は、宇和島にきてこのときほど心が躍ったことがない。かれは、ヨーロッパ人に対抗できるほんものの日本人とは嘉蔵のような男だとひそかにおもっていた。いま京や江戸ではやりの攘夷《じょうい》さわぎの志士どもについては、蔵六は口に出して批判したことがないが、軽蔑《けいべつ》していた。

「どうぞ、玄関へおまわりください」

と、蔵六は大声をあげた。かれが大声をあげるのは、何年に一度あるであろう。が、勝手口では、蚊の鳴くような声がつづいている。自分は下郎でございまして、

お玄関はおそれ入ります、どなたかこれにてお取次ぎを、と言いつづけている。蔵六が立って台所の土間へ降りると、勝手の戸が半びらきになって、蔵六がかつて緒方塾でつくったパンのような頬をもった男が、半顔をのぞかせている。

「嘉蔵どの、はなしにきいております。玄関へおまわりください」

「お取次ぎのお方を」

と、嘉蔵がそれを固執するのは、身分のひくい者が高い者の家をたずねるとき、取次ぎをとおすのが礼儀だからである。蔵六はすこしいらだって、取次ぎはおらぬ、といった。

「拙者のひとり住いです」

(ほう、これも変ったお人だ)

と、嘉蔵はおもい、相手が自分同様変人らしいとわかると、なんとなく気が楽になってきて、菜園を踏まぬようにしながら、表の玄関にまわった。

蔵六は、むりやりに座敷へあげようとしたが、嘉蔵の足がよごれている。かれはつまさきだけの小さなわらぞうりをはいているのである。蔵六はたらいを出してやり、足を洗わせた。

座敷で対面した。

嘉蔵は小男で、まるい顔に薄あばたがある。蔵六がものをいうたびにペコペコ頭をさげていたが、やがて話が蒸気船のことになると、嘉蔵のなかから卑屈さが消え、堂々と語りはじめた。

（こういう男が尊敬されるような世の中をつくらねば日本はほろびるのだ）

と、蔵六はしみじみおもった。ヨーロッパのことはよくわからないが、日本は人間についての価値観がどうやらまちがっている。

嘉蔵は、蔵六にものをききにきている。

「舎密《せいみ》（化学）というのは、あれはハンダ付けのようなものをいうのでございますか」

といったような質問である。

「蒸気は舎密でございますか、窮理（物理）でございますか」

そんなふうな質問である。

蔵六は、化学や物理の概略をおしえてやると、嘉蔵はおどろくべき理解力を示した。

嘉蔵は、毎日きた。

「要するに機械というものは」

嘉蔵はときどき、うがったことをいう。

「回転でございますな」

そうだろう。

蒸気を動力とする西洋の機械はすべて物を回転させるということにつきる。その回転については、ところどころに歯車を仕掛けて回転の方向を変えたり、小さくしたり大きくしたりする。船をうごかす機械もそうだし、工作機械もそうである。ところが嘉蔵は、箱車をつくるときに早くもそれを察し、大小の歯車を入れたり、遠心力を利用したりした。

「ところで、あなたは、どういうご身分になられました」

と、蔵六はきいてみた。

「おかげさまにて御船手方の御雇にしていただきました」

と嘉蔵はよろこんでいるが、要するに藩のお雇い大工という身分である。階級でいえば中間《ちゆうげん》程度で、足軽などのほうがはるかに上である。下しおかれるお扶持《ふち》は、二人扶持五俵であった。

(それが封建制度というものだ)

蔵六は、おもった。嘉蔵ほどの男が、この宇和島十万石に一人でもいるかといいたいのである。

「長崎へ参れ、ということでございます」

という。長崎へ行ってもべつに蒸気船があるわけでなく、蒸気船の作り方を知っている人物がいるわけでもなかったが、藩としてはこの嘉蔵を長崎へでもやればなんとかなるだろうと漠然と期待している。長崎とは、元来そういう印象を日本の他の地方にあたえていた。

「長崎へ行って、なにをなさる」

「それがわかりませぬゆえ、村田様のお智恵をお借りしに参りました」

「わしにも智恵はありませぬが、長崎には妙な物好きがいます」

長崎には科学狂とでもいうべき閑人《ひまじん》が多くいて、ちょうど隠居が俳句をひねったり盆栽をやるようにして化学実験に熱中したり、数学を道楽にやったりしている。ある町寺の僧で、ブリキ坊主《ぼうず》というのがいることも蔵六は知っている。金属にくわしく鉄板に錫《すず》をひいてブリキを作ったりしている。またドンドロスという手榴弾《てりゅうだん》の製法に長じている町の僧もいれば、両突《りょうつき》フイゴで鋳物《いもの》をつくることの上手な閑人もいる。その連中に物習いすればいいでしょうと蔵六は教えた。

オランダ紋章

藩は嘉蔵《かぞう》をせきたてるようにして長崎へやった。ほどなく蔵六に対しても長崎ゆきを命じた。

「とにかく行ってくれ」

と、藩の重役はいうのである。

「長崎へさえゆけば、なにか智恵《ちえ》が湧《わ》くのではあるまいか」

智恵というのは、蒸気船をつくるについての智恵である。

（べつにゆく必要もあるまいが）

蔵六はおもっている。

おどろくべきことであったが、蔵六はこの時期、蒸気船の船体設計の図面を三種類ばかりつくっていた。書物をみるだけで十分に理解できた。こういう理解力は、蔵六だけのものではなく、日本人の民族的才能というべきものであったかもしれない。

「せっかく藩がゆけというのだ。私も一緒にゆこう」

といったのは、二宮敬作であった。敬作にとっていい機会であった。

「行って、イネどのを連れて来よう」

というのである。それが敬作にとって懸案であった。イネを宇和島にひきとってちゃんと学問をさせなければならない。

「イネも来たがっている」

敬作はうれしそうにいった。

梅がほころびはじめるころ、蔵六と敬作は宇和島を出発した。

やがて長崎の町に入ると、敬作はまっすぐに銅座町に足をむけた。

銅座町の小さな商家風の家に、イネが住んでいる。母親のお滝はいまはその家にいない。隣家の油屋に再縁していた。

敬作は、まず油屋に寄ってお滝に声をかけ、路上であいさつをした。蔵六のみたところ、お滝は小柄で平凡な初老の婦人で、目がとびきり美しかったという往年の面影はややうすれているようにおもわれた。

「イネはおりませぬよ」

と、お滝は青い眉《まゆ》をひそめ、うろんくさげな表情をつくりながら敬作にいった。この二人は、一種のかたき同士なのである。お滝にすればイネをつねにそばに置いておきたいのだが、敬作がそそのかしては旅に出し、学問をさせようとする。そのつど淋《さび》しい目をみるのは、お滝であった。

「稲佐のほうへ往診にゆくと申して、昼すぎに出たようです。日暮れ前にならぬともどりますまいよ」

「いっこうかまわぬ。もどるまで待たせてもらうまででござるよ」

敬作はそうことわって油屋の隣のイネの家にあがりこみ、まるで自分の家であるかのように押入れから座ぶとんを出してきて、蔵六にあてがった。棚の上に提灯《ちょうちん》の箱がおかれている。そこに異様な紋章が入っていた。

「あの家紋、めずらしいだろう」

と、二宮敬作も棚のうえの提灯箱をみあげながらいった。

「オランダ紋章だ」

敬作はいったが、本当はドイツのシーボルト家の紋章である。シーボルトは日本に自分の子のイネをのこすにあたって、成人すればこの紋章を用いさせてほしいとお滝にたのんだ。

さらにシーボルトは、自分の姓を名乗らせてほしいと言い、

「失本《しもと》」

という姓を残した。このためイネはいま失本という姓を名乗っているが、のちにこれは宇和島の殿さまの命令で改姓した。失本というのは漢字の意味からいえば本ヲ失ウというあまり縁起のいいものではない。楠本《くすもと》と改姓した。母親のお滝の実家に家系伝説があって、その遠祖は南北朝のころの楠木正成の家来だったというから、そのように変えたのである。

日暮れ前に、イネがもどってきた。格子戸《こうしど》をあけて土間に入ると、見世座敷に敬作と蔵六がすわっていることを発見して、まるで声をうしなったようにうごかなくなった。

じっと立ち、敬作と蔵六を見つめたまま、息を詰め、目をみはったままでいる。

(変った婦人だ)

と、蔵六はおもった。普通の婦人なら、あいさつというものをする。江戸期の日本人の人間関係はあいさつというものでできあがっているのである。

敬作も、敬作だった。棒立ちになっているイネに捕縄《ほじよう》でも投げるように、

「イネどの。宇和島へゆこう。長崎などで開業していても、患者あしらいが悪達者《わるだつしや》になるだけで、学問はできぬ。宇和島で蘭語と外科と産科をもう一度基礎からやるのだ」

と、一挙にまくしたてた。積る思いがあるだけに、つい語調がするどくなった。滑《こっ》稽《けい》なことに、親の仇《かたき》にでもめぐりあったような勢いだった。

「どうだえ」

敬作は、即答をうながした。

イネはまだ土間である。そのままの姿勢で自分の運命を変えるべき返答をしなければならなかった。

「行きます」

というと、イネの顔にみるみる血がさしのぼってきて、まつげがあわただしく動き、涙をあふれさせた。彼女自身、学問がしたかったのであろう。ところがそういう環境も師匠ももつことができず、そのことについての憂悶《ゆうもん》やら不満やらが胸につもっていたにちがいない。それがいま融《と》けようとしている。

「腹がへっているのだ」

と、敬作が話題を変えた。めしを馳走《ちそう》してもらおうとおもった。ところがイネはどうもふつうの婦人ではないらしい。やや憤然として、私もそうなんです、と土間で立ったままでいる。どちらが客か主人か、わからない。

蔵六が長崎に滞在したのは、半月ほどの期間である。そのあいだ、かつて代診として住みこんでいた蘭医奥山静叔《せいしゅく》宅を宿にした。

「ほほう、黒船の船体をつくるのか」

と、奥山はおどろき、それは三百年来の壮挙だ、いやまったく赤穂浪士の討入りにまさる快挙だ、などとさかんに感心癖《へき》を発揮した。

「しかしできるのかえ、おぬし一人で」

と、奥山はそれがふしぎでならないらしい。蔵六は日本の伝馬《てんま》船の作り方さえ知らないはずではないか。

「まあ、八分どおり出来ましょう」

蔵六は、妙なことをいった。

銅座町から、イネがときどき訪ねてくる。このイネも、奥山同様の質問をした。蔵六はおなじように答えると、

「まあ、八分どおり?」

と、イネはおうむ返しにつぶやき、爆《はじ》けるように笑いだした。相手はお船ではありませぬか、八分どおりなら沈みましょう、と彼女はひどく無遠慮である。彼女の蔵六への尊敬心は最初の出会い以来いよいよ深くなっているが、一方で親しみも深くなった。蔵六の人柄が彼女にとってどこかおかしく、顔をみるとついからかいたくなるよ

うな悪い癖ができてしまっている。

「沈みはしません。しかし強い風が吹くとホバシラが倒れましょう」

「まあこわい」

「ホバシラの据え方にいま一つ不明のところがあって、このように長崎にきています」

このため、蔵六は懇意の長崎通詞の案内で出島のオランダ屋敷へゆき、そこの備えつけの造船の書物を毎日読んでいる。

「しかし八分どおりでいいのです」

と、蔵六はいった。

蔵六にいわせると、まず作りあげてみることであった。作ってうかべて動かしてみれば欠陥がぞろぞろ出てくるであろう。その欠陥を手直しする過程において、宇和島藩の造船能力が養われるのである。まずやることなのだ、というのが、蔵六の思想であった。

一方、ちょうちん張りかえの嘉蔵は、宇和島藩の長崎における荷あつかい商人である有田屋彦助というところにとまってほうぼう駆けずりまわっているらしい。かれのばあいは蒸気機関をつくらねばならないから、蔵六以上に困難なしごとだった。

一度、町で出あったことがある。声をかけてやると、あっ村田先生、と叫び、懐《なつ》かしさにいまにも泣きだしそうな顔で、

「私のほうはまだ五里霧中で」

と、いった。

（しかしこの男はやってのけるだろう）

蔵六は、かんでそうおもった。

やがて長崎での用が済み、宇和島へ帰らねばならぬことになった。帰るについては、イネを同行しなければならない。

蔵六はこうみえても多忙の身である。たとえばかれが長崎にいると、宇和島から飛脚便がとどいた。

「砲台の石積みに疑問の点がある」

という意味の問いあわせである。蔵六は黒船の設計をしている一方、宇和島湾頭に西洋式の砲台をきずく設計も命ぜられていた。どちらもオランダの兵書を読んだだけの知識でつくろうというのである。

だから、滞留期限きっかりで長崎を離れねばならない。一方で、二宮敬作は、

「もう十日、延ばされんか」

と、いうのである。敬作とすればイネを同行したい。イネを宇和島へつれてゆくについては母親のお滝に十分なっとくさせねばならないし、またイネが身辺を整理する時間もみてやらねばならない。

「十日とはいわぬ、もう五日」

と、敬作がいったが、

「いや、帰ります」

と、蔵六は無愛想に答えた。蔵六という男はつねに言葉に断定があって、言いだすと取りつく島もないような調子なのである。

「砲台の用事か」

「それもあります。期限どおりに帰ります」

と、理由はいわない。理由といえば、この男は生涯、自分の発言や行動についての理由を他人に説明したことがなかった。このきわだった特徴が、のちにかれに幸運をあたえたり、不運をもたらしたりした。

蔵六は、長崎を去った。

道中、かれの脳裏を、イネの印象がうごきつづけている。ときに居たたまれぬほどの思いに駆られた。ふと崖道《がけみち》で立ちどまっている自分を発見して、あわてて歩きだしたりした。蔵六はそういう自分を好まない。

（自分の面《つら》を考えてみろ）

とまでは思いたくないが、人を恋うることは自分をみじめにすることだという奇妙な信仰がかれにあって、自分の意志の力をあげてそういう自分をおさえようとしていた。

（人生は、単純明瞭《めいりよう》に生きてゆくほうがいい）

これも、蔵六の信仰のひとつである。蔵六には故郷に妻がいる。相手が遊女ならばともかく、ではない女性を恋うてしまえば、自分の心なり自分の身辺なりの操作がきわめて複雑になる。蔵六は、そういうことの煩瑣《はんさ》さにたえられる自分ではないと自分を規定していた。

かれは、イネをこれ以上に好きになってしまう機会をよりすくなくするために、道中での同行を避けたのである。

村田蔵六らがつくった砲台というのは、そのあとがいまものこっている。

「樺崎《かばさき》砲台」

という。宇和島湾にやや突き出た岬《みさき》（とまではいかないが）にあり、海ぎわに低い石塁をきずいた程度のものだが、いまはそこに老松が枝を天に張っており、過ぎた日の宇和島藩の盛事を物語るかのようである。

この宇和島という開明的な藩は、すでにペリー来航以前の嘉永三年に御荘《みしょう》久良に砲台をきずいたことがある。設計は、当時この藩にかくまわれていたおたずね者の蘭学者高野長英であった。

目的は、いうまでもなくヨーロッパの列強が日本侵略のために宇和島湾に入ってきたばあいの防衛のためである。はたして英国やフランスが宇和島を侵略するかどうかということになれば、可能性はおそらく薄いであろう。しかしこの当時の日本の知識階級のひとびとにとっては、きわめて現実性に富んだ危機意識であった。この病的なまでの危機意識をわかってやる以外に幕末史はとうてい理解できず、逆にいえば幕末の諸状勢はすべてこの病的な危機意識を軸に旋回したものである。

さて、砲台である。

宇和島藩主伊達宗城《むねなり》にすれば、砲台よりも本格的な西洋式の要塞《ようさい》をつくりたかった。宇和島城という白堊《はくあ》にかがやくみごとな城をもちながら、宗城にすればこの城はすでに戦国の軍事条件の時代の遺物にすぎない。列強の艦隊が攻めてきたとき、役に立つかどうか。それよりも西洋式要塞である。

「西洋には、軍艦の基地としての専門の港がある。その港は要塞をもって鎧《よろ》われている。宇和島もそうあるべきだ」

といっていたが、それをするにはとほうもない財力がいる。宇和島というこのちっぽけな、たかが十万石の藩にはその力がない。

もっともこの当時、世界最大の大要塞として、ロシアのセバストーポリ要塞がある。それが完成したのは一八二五年、日本の第十一代将軍家斉《いえなり》のころ、いわゆる文化文政の江戸文化の爛熟《らんじゆく》期であった。ヨーロッパの築城史上、十九世紀は大要塞の時代といっていいが、伊達宗城が夢想した要塞はそれほどの大要塞ではない。

いま函館《はこだて》にのこっている五稜郭《ごりようかく》のような城郭である。この式のものは十七世紀から十八世紀にかけてヨーロッパで大流行した。火力が巨大化した伊達宗城の十九世紀ではもう時代遅れのものであった。しかし宗城はそれでも作りたかった。話のついでだが、五稜郭の設計者は宇和島にちかい伊予大洲《おおず》の出身の武田斐三郎《あやさぶろう》で、蔵六とは緒方洪庵《こうあん》塾の同窓であり、のち幕府にまねかれて五稜郭をつくった。が、宇和島では五稜郭をつくるほどの財力もないため、海岸砲台でがまんしたのである。

樺崎砲台は、蔵六ひとりでつくったわけではない。おおぜいの人がそのことに参加した。

現場の責任者（奉行）は、宇都宮綱敏と松田常愛というふたりの藩士で、しかも工費の大半は、危機意識をもった町人の醵金《きょきん》でまかなわれた。町人の名は二宮在明といった。蔵六はその図面をひいただけである。

工事は山をくずし、その土砂でもって海岸をうずめることからはじめられた。のちここに四門の大砲がおかれる。

「私はその砲台指揮官の屋敷にまねかれ、ごちそうになり、泊めてもらった」

という記録がある。さきに登場した英国公使館の日本語の名人アーネスト・サトウがそれで、この蔵六の時期からずっとあとの慶応二年の暮、サトウがアーガス号という三千五百トンの大艦にのって宇和島をおとずれたときである。

「このとき十七発の礼砲が轟然《ごうぜん》と天地をゆるがし、砲台の一つがこれに答礼した」

と、サトウが書いているその砲台が、樺崎砲台である。むろんアーガス号の前には砲台としての威力などはなにもなく、お城の天守閣と同様、装飾的存在になりはてていた。幕末の危機意識が生んだこの砲台が、外国人の記録に「礼砲をうつ大砲」としてしか登場しなかったのは、歴史がうんだ素朴なユーモアであろう。

ところで、蔵六が宇和島にもどって半月ばかりたったある日の昼すぎ、玄関のほう

で、

「――ご在宅か」

と、耳なれたしわがれ声がきこえ、二宮敬作が長崎から帰ってきたらしいことがわかった。蔵六が玄関まで出てみると、おどろいたことに、敬作の横にイネが立っていたのである。

「あ、イネどの。――」

と、蔵六は不覚にも声がかすれた。敬作はあがりながら、

「三日ばかり前、イネどのともども長崎から卯之町《うのまち》にもどった。そこで頼みがあるのじゃ」

と、いった。

蔵六の家には、ざぶとんというものがなかった。三人が、古畳の上にすわると、敬作がいきなり、

「頼みというのは、イネどのをあずかってもらいたい、ということじゃ」

と、いった。

蔵六は、すわっているひざの下が急に海に化《な》ったほどにおどろき、声をあげようとしたが、しかし顔つきだけは変らず、声もついにあげなかった。

しかし男の独りずまいのこの家に、美貌《びぼう》の女医を住まわせようとする敬作の意図は、蔵六にはまったくわからず、凝然としている。

「尊公の家にイネどのが住むのがいちばんなのだ。尊公も、これだけは承知してもらわねばならない」

敬作は、言いだせばあとにひかない男だった。

敬作はそのわけを説明しながら、ときどき右ひじを上げ、タモトで鼻汁をこすった。癖であった。このため敬作のタモトは、いつもかわいた鼻汁で光っていた。

「わしは酒乱じゃ」

と、敬作はいった。たしかに敬作は神のように愛情ふかい性格でありながら、酒をのんである域にいたると人格が一変し、狂人のように荒れくるうことがある。酒乱のことを漢方医学では、

「酒酗《しゆく》」

という。酒酗というのはあるいは遺伝をするかもしれない精神体質であるらしく、敬作の子の逸二もこれであった。逸二の医学教育についてはのち蔵六が世話をし、緒方洪庵塾などに入れたりしたが、酒酗のために人にきらわれ、若くして路上で不慮の死をとげた。暗殺説もあったほどであった。

「ときに抜剣して立ち躁《さわ》げり」

と、逸二はいわれたが、父親の敬作も抜剣して立ち躁ぐことが、つねであった。敬作のあわれさは、その翌朝、床のなかで酔いがさめて昨夜の狂態を知ると、心がやぶれるほどの苦痛のなかではげしく後悔し、ときにはこれ以上生きることをやめようと決意するほどに悔むことであった。なににしても敬作ほど、生きることをつらく生きている人物もめずらしい。昼間のかれは、自分の酒酗についての罪悪感を感ずれば感ずるほど、患者に対して身も世もないほどの献身的なつくしかたをした。一日のうちに、神と悪魔との、敬作が別々にいた。

「酒をのめば、わしは自分をどうすることもできぬ。この世が辛くなってきて、つい刀をふるったりするのだ」

「では、お飲みにならなければいかがです」

蔵六は、はじめて口をひらいた。

「飲まぬ？」

敬作は、かっと両眼をひらき、意外なことをきくといった表情をした。が、すぐ笑い、酒を飲まずにおれる人間はよほどの悪党だろう、といった。感情がもたないのだ、ともいった。一日世の中ですごすと、もうひとへの憐憫《れんびん》やら世間への怒りやらときに攘夷《じょうい》問題についての憂悶《ゆうもん》やらで、酒でも飲まなければとても夕方を迎えられない、と敬作はいうのである。

だからイネをあずかれば、これほど大事にしているイネに、イネへの想《おも》いがこもればこもるほど、酒をのめばその感情が溢出《いっしゅつ》し、ときには刀をふりあげるかもしれない。イネを傷つけるか、殺すか、そんなぐあいになってしまうかもしれない。

「だから、尊公にたのむのだ」

と、敬作はいうのである。

蔵六のためにちょっと滑稽だったのは、二宮敬作が自分の手もとにイネを置けぬということはまあいいとして、なぜ蔵六のもとにあずけようとしたかということであった。

「他にひともござろうに」

と、蔵六は迷惑げであった。

「それは尊公が」

と、敬作がいってから、つぎのことばをのみこんだ。醜男《ぶおとこ》だからだ、とはまさかいえない。

「女人《にょにん》に対して、堅牢《けんろう》なるお心をおもちであるからだ。わしは類《たぐ》いまれなお人と見こんでいる。わが藩には」

と、敬作はいう。

「多士済々。ひとわたり見わたしてみたが、しかし婦人をあずけて大丈夫という人物は一人もおらず、ついに尊公のみということに落ちついた」

その夜は、敬作は泊った。

翌朝、卯之町へ帰って行ったために、夜分蔵六ははじめてイネと一ツ屋敷の下で二人きりになった。

イネに机をあたえてある。そのイネへ、蔵六は毎夜二時間ずつ産科と外科の講義をするのが約束であった。敬作のたのみで、テキストはオランダ原典である。イネに語学力をつけさせるためであった。

イネの手もとを行燈《あんどん》がひとつ照らしている。蔵六の手もとにも行燈がおかれていた。不経済ではあったが、もし行燈が一つきりなら、両人の距離がちかくなりすぎるであろう。

イネの机の上に硯箱《すずりばこ》がおかれている。硯は、敬作がイネにあたえた。その裏に「なせば成るなさねばならぬ何事も」というイネへの教訓の歌が刻まれている。敬作はイネがうまれたときから知っているために、いつまでもこどものようにおもっているのかもしれない。

三日目の夜、蔵六は、

「きょうは講義を休みます」

といって、自分の机の上に船体の設計図をひろげ、その修正作業に没頭した。イネは、そのむかいで自習している。辞書がないため、ときどき単語がわからなくなる。

それをつい、イネは質問した。が、蔵六は、

「申したとおり、今夜は休みです」

と、設計図から顔もあげなかった。なるほど二宮敬作が見込んだとおりの状況である。

が、イネにはそれがえもいえぬ愛嬌《あいきよう》に感ぜられ、噴きだしたいほどにおかしく、かえって蔵六という男への思慕（と、この時期はすでにそういえるであろう）が深まるようであった。


夏がきた。

この宇和島での夏の景色は、イネにとって終生わすれられない想い出になった。

神田《じんでん》川は掘割のふかい川で、その河原にところどころに大きなムクゲの木が繁《しげ》っている。それに白い花が無数に咲き、夕闇《ゆうやみ》が濃くなるにつれ、目に痛いような白さになってゆく。

蔵六は毎日、早朝から御船蔵のある海岸へ出かけて行った。船体の工事がはじまっていた。

午後二時ごろに帰宅する。いつも裏で水をかぶって汗をぬぐい、そのあと、夕食までのあいだ、藩から頼まれている兵書の翻訳をするのが日課であった。

夜は、イネへの講義である。

「では、おはじめなされ」

と、蔵六は判で押したようにいう。イネは音読し、和訳する。蔵六はときどき誤りをただし、二時間経《た》つと、講義の終了を告げるために自分の行燈を吹き消す。あとは、立って別室へ去るのである。なにからなにまで、毎日かわらなかった。むだばなしの一つでもしたことは一度もないというのは、やや驚嘆すべきことであった。

この夏のある夜、蔵六のこの習慣がわずかながら崩れた。講義がおわったが、かれは行燈を消さず、軸物を一本とりだして床ノ間に掛け、その床ノ間に行燈を移し、自分はずっとさがってながめた。この動作のあいだ、イネの存在を無視した。

軸は茶掛けで、鶏《にわとり》が二羽、水墨でえがかれている。

イネは、蔵六が示したたったこれだけの変化に、子供のように心がはずんだ。つい自分もいそいそと位置を移し、軸を鑑賞する姿勢をとった。これが、蔵六の気に入らなかった。

「イネどのは、いつものごとくおやすみなさい」

イネにだけは日課どおりにせよと強いるのである。イネは、不意に腹が立った。あまい、うずくような感情が、この腹立ちを湿ったものにした。低い、小さな声で、いやでございます、といった。

蔵六がもしもう一度退室を強いたら、イネは床ノ間へ行ってあの軸をやぶってやりたいとおもい、思いながらそんなことをおもった自分にたじろぎ、そっとつばをのんだ。わけもなく口中がかわいていた。

「どなたの筆でございましょう」

「道具屋の申すところでは、谷文晁《ぶんちょう》の妻の幹々《かんかん》の作だということですが、よくできております」

蔵六は、道具屋で買ってきたらしい。かれは絵を見ることが唯一《ゆいいつ》の趣味であった。

「あなたは、もうおやすみなさい」

蔵六は、もう一度いった。

イネは無視した。この絵の作者の幹々というのはどういう女性か、ときいた。蔵六は、幹々が画人谷文晁の妻であるということ以外に知らない。

「では、谷文晁というひとは、どういう絵師でございましょう」

「それは無用のことです」

と、蔵六はいった。蔵六が二宮敬作に頼まれたのは、イネに蘭語と産科と外科をおしえるというだけで、絵画鑑賞までをおしえる必要はありませぬ、という意味らしい。

これにはイネは息を呑《の》み、蔵六を見た。その目がよほど恨みがましかったのか、蔵六は言葉を多くした。

「私は、酒を好みます」

と、蔵六は突如いった。緒方塾のときも毎晩独酌でのんだし、故郷にいるときもそうであったが、このイネと同居してからは、その習慣を自分に対して禁じた。蔵六は敬作のような酒乱でないにせよ、酔えば多少は気がゆるむ。あるいはイネになにごとかをふるまうかもしれぬということをおそれた。自分に酒を禁じた。蔵六にいわせれば、そこまで自分を不自由せしめてこのイネとの同居をつづけている。

「だからイネどのも、学則を守られよ」

「学則があるのでございますか」

イネは、奇妙におもった。ここは学塾ではあるまい、蔵六の家ではないか。が、蔵六はいった、私はあなたの師匠である、たとえ一人対一人でも学塾である、学塾となれば師匠を尊ばねばならぬ、師匠の気分がすなわち学則である、私はあなたをあずかるについてそういう気分でいる、その気分を、弟子としてはよく汲《く》み、それに従い、それによって自分を律せねばなりませぬ、と平素、無口なこの男が、めずらしく言葉数を多くした。

蔵六はひくい声でものを言うとき、声に霧がかかるようなうるおいがにじんでくる。イネは、その声をきくことが好きであった。

不意に、イネは、

「わたくしは、村田先生がすきなのでございます」

と言ってしまい、言ってから瞬《まばた》きをわすれた。ぼう然とした。

それをきいた蔵六の狼狽《ろうばい》ぶりは、イネの目にもおかしかった。かれにすれば、うまれてはじめての狼狽だったかもしれない。かれは奇妙な挙動をした。突如、行燈の一つを吹き消した。さらにいま一つの行燈をも吹き消してしまった。

闇になった。

イネは闇のなかで、蔵六のこの挙動におどろき、そのせいで呼吸をわれになくみだした。あとでおもうと、なにごとかを期待する衝動が、心のどこかにあったかもしれない。が、蔵六は立ちあがった。

「学則です。ご自室にさがりなさい」

と言い、部屋を出てしまった。

この蔵六の宇和島滞在中というのは、世間は尊王攘夷のあらしが吹いている。が、蔵六の生涯にとってもっとも平和な時期であった。

蔵六は、その一生で一度も過去を追想することばを吐いたことのない男だが、おそらく唯一の例外として、

「宇和島のころは、たのしかった」

と、かれの後年の弟子伊藤雋吉《しゅんきち》に語ったことがあるという。

楽しかったであろう。

かれは安政二年の正月から、藩の内命によって、その拝領屋敷で洋学塾をひらいた。

「宇和島の俊才は、すすんで洋学をまなぶべし」

というのが、藩主伊達宗城の意志であった。宗城は、これを文章で布告するようなことをせず、現実的政策でその気運をもりあがらせようとした。宗城はこのあたり、

政治家であった。

かれは蘭学をまなんだ者に対し、どんどん身分をひきあげたのである。蔵六の世話をした藩士大野昌三郎に対しては、蘭学熱心ということで御徒士頭格《おかちがしら》に抜擢《ばってき》した。のちに大野を藩費でイギリスに留学させた。

「私は、大野昌三郎のひまごの子でございます」

という電話が、たまたまこのくだりをかいている最中に筆者宅にかかった。東京のひとで、旧姓大野、まるやませつこさんという若い女性だった。彼女のいうには自分の「祖父の祖父の昌三郎という人はたいそうえらかったということを伝えきいておりますけど、どういうひとだったのでしょうか」ということなのである。

ざんねんながら、この大野昌三郎については、かれが早く死んで業績をのこさなかったために筆者もこの稿以上のことは知らない、と答えざるをえなかった。

伊達宗城は、大野を抜擢したときに、町人身分の蘭医で「寛斎」という者に苗字《みょうじ》をゆるして熊崎《くまさき》と称させている。侍待遇であった。また二宮敬作も、御徒士格にひきあげられた。

「蘭学をやると、出世がはやい」

という気分が、蔵六の塾を賑《にぎ》わせた。もっとも、蔵六は禄《ろく》をもらっているから、授業料はとらない。

蔵六はイネにたのみ、この学塾の塾頭になってもらった。

「教えれば、学ぶこともすすむものです」

と、蔵六はいった。

たちまちイネは、宇和島家中の評判になった。美貌で、気品がある。そのくせ塾生が読みちがったりすると、叱《しか》るよりもうつむいてしまい、きゅっと自分のひざをつねって笑いをこらえた。それやこれやで、

「シーボルト先生」

といえば、門人たちの敬慕のまとであった。武士が、婦人に学問をならうようなことは、徳川三百年来はじめてのことであった。

蔵六の一生ほど、おかしなものはない。かれがのちに変化《へんげ》のように変身して「大村益次郎」になり、幕府をたおす司令官になるなど、すくなくとも宇和島時代のかれをみれば、たれも信じられないにちがいない。

「あの村田さんが」

のちに、かれの「勇名」が宇和島につたわったとき、宇和島人はみなうたがった。蔵六は蒸気船づくりをすすめる一方、気球までつくって飛ばしているのである。

さらには、藩命によって他のひとびととともに長崎から医療用の電気機械を購入した。

兵書の翻訳も多くしたが、かれの翻訳力は同時代の蘭学者をぬきんでていた。著述もした。この人物は、その前額部が大きく盛りあがっていることでもわかるように、数学的才分があった。この当時としては高等数学の域に入れるべき『測角法ならびに三角測法』という数学書まであらわした。

「藩というのは、どの藩でもいまのままの制度では、外国の軍隊がくればひとたまりもないでありましょう。まず制度を変えることでございます」

と、藩主伊達宗城の下問にこたえて、そんなことをいったことがあった。藩主はそれを文章にせよ、と命じた。その文章の草稿がのこっている。

「外国でいう士とは、当然日本の士とはちがいます。日本の士は代々高禄を食《は》んでいるだけのことで、なんの役にも立たない。外国の士は、兵を指揮し、軍隊を運動させる能力をもった者をいいます。でありますから、まずこの技能者を養成しなければなりませぬ」

とか、

「足軽、陪臣《ばいしん》、農民、町人をもって軍隊を編成する必要があります」

などと、いっている。このような草稿を書いたというあたりは、いかにものちの「大村益次郎」のにおいはあるが、これは殿さまに上呈しただけの文章で、一般のひとの目にはふれていない。一般のひとにとっては、蔵六は、見たとおりの蔵六であった。

その蔵六が、

(イネどのを、別の家に住まわさねば)

とおもいはじめたのは、安政二年の初秋、月が満ちようとしている夜である。夜半、蔵六が目をさましたとき、雨戸のすきまから月光が差しこんでいた。

部屋を一つへだてたむこうで、イネがまだ起きて調べものをしているらしい。

蔵六は、イネの夜ふかしを好まなかった。彼女の健康を、二宮敬作がつねに気づかっていたからであった。

蔵六は起き、イネの部屋の隣室までゆき、しかし入らず、ふすまごしに、

「イネどのはなぜやすみませぬ」

と、強い調子で叱った。

この、子供にいいきかすような調子が、この夜イネの気持にひどく障《さわ》った。

「わたしは子供ではございませぬ」

と、そう叫んでしまったイネ自身が、ふと自分におびえてしまったほどの高調子で叫んだ。そのおびえとは別に、すでに昂《たか》ぶってしまっている癇《かん》は自分でもどうにもならない。

(言ってしまえ)

と、イネはおもった。

「村田さまは大きらいでございます」

言ってから、自分の気持とはおよそかけはなれたこの言葉の内容にわれながらおどろいたが、しかし言葉とはときに内容ではないであろう。いまの気持にはこれほどぴったりしたことばはないとおもった。

――はて。なぜきらいだろう。

ふすまのむこうで、ちょっと考えこむ気配がうかがえた。その蔵六の相も変らぬ朴《ぼく》念仁《ねんじん》ぶりが、イネのいまの癇をいよいよたかぶらせた。

なにか、おもいきってひき裂きたかった。物を、ではない。言葉で、それもはげしい言葉で、できれば蔵六とのあいだでできあがったこの師弟というなまぬるい関係をおもいきってひき裂いてしまいたかった。ひき裂いたあとがどうなるのか、イネにもわからない。長崎へ帰らねばなるまいか?

どうも自分は、とイネはおもった。胸の奥にはげしい戦慄《せんりつ》があって、そこから突きあげてくるままに言葉を叫んでいるらしい。

ふすまのむこうの蔵六は、いよいよおどろいているらしい。

「学問をしたくないのですか」

「村田さまのお指図をうけねばならぬほどなら、学問など」

（おやおや）

と、思うイネが別にいる。

「捨ててしまいます」

「では、私以外の師匠ならよいといわれるのか。それなら、さがしてもよい」

「たれも、さがしてくれと頼んではおりませぬ」

「イネどの」

蔵六は、腹が立ってきたらしい。

「人間の関係など、もろいものだ。利害でなければ感情でつながっている。その感情のきずなを断ち切ってしまうなど、これほどたやすいことはない。イネどのがいま言った言葉、それだけでいい。イネどのは、私とのあいだの感情を断ち切ろうとするのか」

（ああ、断ち切りたい）

イネの理性ではなく、イネの戦慄が、そうおもった。断ち切ってべつな感情の関係をつくりあげたい。師弟という、このあいまいなつながりからぬけだして、もっと激しい情念で蔵六とのあいだを結びあげたいとおもった。いや、思ったというのは、うそであろう。イネはこのとき全身でそうのぞみ、つまさき立つ思いで、ねがった。もっともそういう自分を、自分で気づいていたかどうか。

このとき蔵六は、切るような素早さでふすまをひらいた。腹が立っている。ついイネの癇のたかぶりに応じてしまったのであろう。

が、蔵六が見たのは、イネの黒いシルエットだけであった。うしろに行燈がある。行燈のあかりが、天井にまるい暈《かさ》をうつし出していた。翳《かげ》だけのイネの像が、ちょうど泰西の宗教画にあるように、まるいひかりの輪をいただいているようでもあった。

が、蔵六がイネに感じたのは、聖女ではない。

「――なんとも」

と、蔵六は意味不明のことをいった。後悔をした。部屋に入ったことを、である。翳だけであるはずのイネが、蔵六にとっては、そのあまい体液がにおいたつほどになまなましい。

イネは、猟師をみた森のなかの小動物のように息をこらしている。蔵六を見つめていた。はげしいおびえと、それ以上のはげしさで期待がイネにあった。が、イネ自身は自分のそれに気づかず、とっさに、

「怒らないでください」

と、少女のような悲鳴をあげてしまった。蔵六は、はっとした。

「イネは、こわがりなのです。怒られるのがこわいのです」

夢中でいったが、これが本心であるかどうか、イネにもわからない。

蔵六は、滝に打たれている行者のように凝然としている。

が、胸中、イネへの愛が満ちてくるのを、どう仕様もない。ふとおかしくもあった。あれほど悪口雑言をならべておきながら、「怒らないで」とは、なんという虫のよさであろう。

「イネどの、私はひとに意地悪をしたことがある。が、叱ったことがない」

——質《たち》がわるい。

と、イネは、また叫びたくなった。

蔵六は、このまま自分を放置しておくことの危険さをおもった。イネを抱くかもし

れない。これだけは堪えねばならぬとおもった。

「私は、頭がかゆい」

と、蔵六はいった。

髪をあらいたい、と蔵六はいう。さいわい湯殿の湯はさめていまい。

「罰に、わしの髪を洗っていただく」

イネは、唇をひらいた。

が、声も言葉も出さずに蔵六を見つめていたが、やがて勢いよくうなずいた。

イネはタスキをかけ、湯殿に入って用意をした。

蔵六が、裸になって入ってきた。存外、肉のしまった体をしている。

イネは、桶《おけ》を湯ぶねに入れ、そっと湯を汲《く》んだ。

(どのようにして差しあげよう)

自分の内心にきいた。

――どのようにして差しあげよう。

とイネがおもったのは、蔵六への親切の仕方を考えたのでもなんでもない。ばかばかしいことだが、蔵六というこの煮固めすぎた煮抜きタマゴのような妙な男に、どうにかして悲鳴をあげさせてやりたい。キリキリと悲鳴をあげさせるほかに、イネは自分の胸の底のもの（自分でもそれが何かはわかりにくいが）をひきずりだして自分で見確かめる方法がないようにおもえる。

というようなりくつよりも、とにかく蔵六に対してめちゃめちゃな攻撃をしかけてみたいというわけもない衝動にかられた。

湯殿の小窓に、羊歯《しだ》がのぞいている。そこはもう山肌なのである。湯は、まだあたたかい。やけどをするような熱湯ならば、イネにとってどれだけ幸福だったろう。

イネは、シャボンを秘蔵していた。

シャボンは、織田・豊臣時代ぐらいに南蛮人の手で入ってきたものではあるまいか。そのころの南蛮人は、スペインとかポルトガル人であったから、この石鹸《せっけん》の俗称はこの両国のうちのどちらかの言葉がなまったのであろう。

イネが、この宇和島へ発《た》つとき、長崎出島のオランダ人が、はなむけの品々のなかにそれを三個入れてくれた。なにしろ日本ではめずらしい（製法は江戸初期からわかっていたが）ものなので、イネは宝もののように大事にし、常はぬか袋をつかって、シャボンなど一度もつかったことがない。

蔵六が湯殿に入ったとき、イネはいそいで荷物のなかからそれをとりだし、いま懐中に入れている。

「どうぞ」

と、イネは蔵六をうつむかせた。

頭に湯をかけ、何度もかけた。蔵六は気持よげであった。

（いまに見てごらん）

と、イネはおもった。髪にシャボンをこすりつけた。一度流し、またシャボンをつけたのは、むかし母がそうしてくれたからである。

「それは、シャボンか」

とも蔵六はいわない。内心おどろいてはいるのだろう。ただし、別なことをいった。

「シャボンの成分をいってみなさい」

と、洗われながらいった。イネは知らなかった。蔵六は教えた。蔵六はシャボンというものを使ったのはいまがはじめてだが、成分やら製法はくわしく知っていた。日本の蘭学者というのは、大体書物の上の知識である点蔵六とかわらない。

蔵六の髪に、白い雲ができた。

雲はだんだん大きくなって、入道雲のようになったころ、イネは突如、その雲を蔵六の眼にこすりつけてやった。蔵六が懸命に目をつぶろうとしたが、それを指さきでこじあけて、膏薬《こうやく》でもすりこむようにすりこんでやった。

蔵六はやはり変った男だった。

イネのばか(と蔵六はおもっている)がシャボンを蔵六の目玉にすりこんでいるのに、べつに抗《あらが》いもせず、

(なんのつもりだろう)

と、痛みのなかで考えている。このころ、精神や神経をあつかう医学の分野はない。しかし蔵六は似たようなことをあれこれ考えた。やはりイネも婦人なのだ、とおもった。蔵六が自分の学問をイネにそそぎこむ。イネも懸命に受けた。しかしこまったことに、イネは学問だけでなく愛情までほしいと考えるようになった。これは、奇怪なことになる。

(まったく、奇怪なものだ)

学問は人間のもつ精神の作業だと蔵六はおもっている。数学すら、蔵六にいわせれば精神の作業であった。しかし愛情というのは人間のもつ別な深部から出てくる。イネのその別な深部が、このようにイネを狂わせてしまった以上、このさきイネはどうなるのであろう。もう学問どころのさわぎではあるまい。たとえ学問をつづけることができても、

（イネがたまるまい）

と、蔵六は考える。女は愛情を渇くようにしてもとめるが（げんにイネがシャボンを蔵六の目にこすりつけているように）、同時に欲ふかいことに、愛情の安定をもとめるのである。ところが蔵六とむすばれてしまっては、安定がない。蔵六には国もとに妻がいる。イネは、その不安定さに堪えられず、あがき、焦《こが》れ、苦しみのみ多い生涯をおくらねばならぬであろう。

そんなことを、目にシャボンを入れられながら蔵六は考えた。妙な男であった。そのくせこの男は、イネを、女性として欲する衝動がひょっとするとイネ以上に大きいのである。

（——抱こうか）

と、ふとおもうことが、いまにかぎらない。以前にもあった。しかし蔵六はいまだけでなく、以前もこの衝動を殺した。蔵六は、単純明瞭《めいりょう》な一生をおくりたいということが、いつのまにかかれの信条のようになってしまっている。それには、イネとの関係に男女の課題を入れてはならないとおもっていた。入れれば、糸のもつれたような複雑さのなかで、蔵六はあがかねばならない。

実際には、右のように蔵六はながい思案をしていたわけではない。ふと思っただけのことである。

イネは、動じもせぬ蔵六にあきれた。

「痛うございますか」

と、耳もとでささやいた。声は、できるだけ小さくしなければならない。深夜である。隣屋敷にでもきこえることがはばかられた。が、蔵六にとって、かえってこれは酷であった。イネが、耳もとに唇をつけた。で、囁《ささや》いた。イネの息が、蔵六の耳のうぶ毛を熱くした。

「まず、痛い」

蔵六は、やや悲しげに、しかし憮然《ぶぜん》と答えた。

イネは、声を忍んで笑いだした。そのあと急におだやかになり、手ぎわよく髪を洗いあげてくれた。


船が、できた。

蔵六らがつくった船体に、嘉蔵のつくった蒸気機関がのせられた。蒸気で生れる力が歯車やシャフトによって伝導し、船腹につけられた外輪をまわす。外輪がいきおいよく水を掻《か》き、船を推進させる。

蔵六は、船ができあがったとき、九島《くしま》にいた。九島とは、宇和島湾にうかぶ大きな島である。沿岸に漁村がある。

船はその九島の荘屋浦につながれている。蔵六は、その船上にあった。

例の嘉蔵が、機関室にいる。蔵六はそこへおりて行って、

「嘉蔵どの、そろそろ動かすと致そうか」

と、折り目ただしくいった。

嘉蔵は、前夜から船にとまりこんでいて、エンジンのテストをしつづけていた。水夫の着る布子《ぬのこ》一枚で、脚にはモモヒキをはいている。機械のあいだから這《は》いでてきて、

「村田さま。どうも気になることがございますが、申しあげてもよろしゅうございますか」

「どうぞ」

蔵六は、嘉蔵の油だらけの顔をみた。

「この船は、波を切りましょうか」

と、嘉蔵がいう。波を？　と蔵六はいぶかしんだ。船が波を切るのはあたりまえのことではないか。

嘉蔵は、いう。村田さまがつくった船体が、どう考えても私のエンジンにくらべて

大きすぎるようにおもわれます、だからこの小さい馬力のエンジンではこの大きな船体を推進させないかもしれない、というのである。

「ははあ」

蔵六は、虚をつかれる思いがした。自信が不意になくなったのは、書物だけをたよりにやった作業だからであった。書物には、そこまで書いてはいない。

「しかし、昨日は動きましたな」

と、蔵六はいった。きのう、この九島を一周したのである。そのときは、きわめて快調に船はうごいた。

が、嘉蔵の不安は去らない。

「それは、内海でございますからね」

外洋は波があらい。その波を切って割ってすすむには、相当な馬力が要る。この船を外洋へ出すと、とたんによろけて漂うてしまうのではあるまいか。

ところが、日がせまっている。

きょう、ここで技術者ばかりの試運転をして、あすは殿さまの御試乗ということになっている。

蔵六には、結論がない。

ともかく動かさねばならなかった。かれは甲板へ出、船奉行に「どうぞ」といった。運転がはじまり、船がこまかく震動しはじめ、やがて動きはじめた。

藩主伊達宗城の、

「御試乗」

がおこなわれたのは、九月一日である。ついでながらこれよりすこし前、薩摩《さつま》藩では成功したという風説がつたわった。この風説はやがて事実とわかった。長さ十一間、十五馬力の蒸気船である。ただしこれは純国産ではなく、長崎で行方不明になった（というのが幕府に対する表むきの理由）オランダ海軍士官が設計に参加しているというわさであった。これも事実である。

宇和島藩は、やや遅れた。が、すでにできあがって九島につながれているこの船は、日本最初の純国産蒸気船とよばれる名誉をになうべきものであった。

宇和島藩ではこの船のことを、

「軍艦」

とよんでいた。ただし本格的な製造コースにのせる前の試作品であったから、

「お雛形《ひながた》」

と公称されていた。

公称はそれである。実際はこの建造に莫大《ばくだい》な（小藩としては）金を食いつつあるため、これに従事している役所のことを、藩のひとびとは、

「お潰《つぶ》し方《かた》」

とよんで、白眼でみていた。藩をつぶしてしまうだろうという皮肉である。いってみればこんにちの宇和島市が、市の独力で人工衛星をあげるにも似ていた。市の財政は破産状態になるであろう。

この点、伊達宗城は、おもしろい殿さまであった。

「ヨーロッパを勃興《ぼっこう》させたのは産業革命である。そのもっとも大きな成果が蒸気船であり日本もこの産業革命に参加しなければならない。幕府はこの点、鈍感である。過激志士は攘夷《じょうい》攘夷とさわぎまわってこの点に目ざめていない。わが藩小なりといえどもよろしく先覚し、さきがけをなし、日本国に大刺激をあたえたい。このため藩財政がかたむいてもやむをえない。日本がほろびて宇和島のみが生きのこることはありえないからである」

という意味のことをたえず家老たちに申しきかせていた。家老でその意味がわかっていたのは松根図書《ずしょ》ぐらいのもので、あとはにがい顔をし、家中の蔭口《かげぐち》に同調していた。

この「御試乗」の日、伊達宗城は野服に身をかため、お供をひきつれて午後一時、城門を出た。まず桝形《ますがた》へゆき、そこに待たせてあった伝馬船に乗った。その伝馬船で九島にわたり、やがて九島荘屋浦へゆき、そこにイカリをおろしている蒸気船に乗った。

嘉蔵は、船底にいた。汽罐《きかん》の焚《た》き口にむかって薪《まき》をどんどんほうりこんでいた。

「石炭のかわりに薪を用い候《そうろう》」

と、蔵六の日記にもある。

湯が沸き、蒸気圧の計器がどんどんあがってきた。嘉蔵は殿さまが降りてきているともしらず、その計器をじっとみつめていたが、やがて気道をひらいた。車輪がごうごうと回転をはじめた。

ブリッジというのは、前甲板にある望楼で、艦長や船長が指揮をする場所だが、そこに藩主伊達宗城がイスを出させてすわっていた。

だまるとひどく不機嫌そうになる顔相だがこの日は唇をゆるめ、微笑をたやさない。

蔵六は船底からのぼってきて、藩主のうしろに立った。

船が、すすみはじめた。

「オッホホホ」

と、鳥が啼《な》いたような声がきこえたから、蔵六はすこしおどろいた。

(鳥がいる)

と、おもった。しかしもう一度この啼き声がきこえたとき、それはブリッジから海をのぞきこんでいる殿さまの笑い声だとわかり、貴人というものはああいう声をたてるのかとおもった。思いあわせてみると、蔵六は草深い村にそだち、百姓身分からあがって、いまは宇和島侯の背後に侍立できる身分にまでになった。かれをここにいたらしめたのは、たったひとつ、技術であった。この重苦しい封建身分制を突破できるのは「技術」だけであり、それは孫悟空の如意棒《にょいぼう》にも似ていた。

(妙なものだ)

と、蔵六はそのことを考えた。

船が、うごいている。海が背後に押しやられ、へさきに白波が湧《わ》いている。平素沈鬱《ちんうつ》なばかりの家老松根図書までが子供のような燥《はしゃ》ぎ声をあげ、

「村田、進んでいるではないか」

と、ふりかえって叫んだ。が、蔵六は悪いくせが出た。

「進むのは、あたりまえです」

これには、松根もむっとしたらしい。そのほうはなんだ、物の言いざまがわからぬ

のか、といった。蔵六は松根からみればひどくひややかな表情で、

「あたり前のところまで持ってゆくのが技術というものです」

と、いった。この言葉をくわしくいえば、技術とはある目的を達成するための計算のことである。それを堅牢《けんろう》に積みかさねてゆけば、船ならば船でこのように進む。進むという結果におどろいてもらってはこまるのである。もし進まなければ、はじめて驚嘆すべきであろう。蔵六にいわせればそういうものが技術であった。

が、殿さまはおどろいている。

「ペリーの蒸気船に日本じゅうが尻《しり》もちをついたのは、わずか三年前だ。三年後のいま、宇和島湾で蒸気船がうごいている」

伊達宗城は、これがアジアにおいてアジア人の手に成った最初の蒸気船だといった。

船は、宇和島湾をぐるぐるまわった。思いきって外洋に顔を出してみたが、すぐひっかえしてきた。どうも波切りに自信がなかったからである。しかしそれでもよかった。こんどつくる場合は、もっと馬力を大きくすればいいだけのことであった。

妙なことになった。

この夜、亥《い》ノ刻（午後十時）を告げる鐘をききつつ、蔵六は思った。自分がいま振

舞いつあることに、われながらおどろいてしまっていた。

（なんということだ）

イネが、蔵六の腕の中にいる。そのかぼそい肩を蔵六は抱いてしまっているのである。

蔵六が、オランダの歩兵操典の翻訳仕事をしていると、イネが外科書をもって入ってきた。あるくだりのオランダ語の文章がわからないというのである。夜分、イネが蔵六の部屋に入ってくることは、めったにない。

「朝にしなさい」

と、蔵六はいった。

とたんにイネはひどく悲しげな表情をし、うなだれた。ひざが、蔵六の左にある。

蔵六は、翻訳をつづけた。蔵六にとっての最大の悦楽は、歩兵操典を翻訳していて、歩兵の動く情景が目にうかぶことであった。歩兵の運動が、刻々かわる。そのつど、蔵六のあたまのスクリーンに、それが映るのである。立っている歩兵が、急に臥《ふ》せる。右手の銃が前へ置かれる。左手がうごいて肘《ひじ》を立て、掌《てのひら》の上に銃が載る。そのときには右手は銃把《じゅうは》をつかみ、右手の指がひきがねにかかっている。

分隊教練の項を訳しているときもそうであった。分隊の運動が、いきいきと蔵六のスクリーンに映った。文字で書かれたものをこのように頭のなかで映像化できるというこの想像力は、蔵六の巨大な才能であった。この才能が、蔵六の運命を変えるのだが、かれ自身はこれを才能であるとは気づいていない。

ただ楽しみなのである。医学書であれ、兵学書であれ、蔵六が書物をよむたのしみは、そこにあった。

が、イネが動かない。蔵六のスクリーンはこのために暗くなり、なにも映らない。蔵六は、ペンを置いた。イネを去らせるには、質問に答えてやるほうが早い。そうおもいなおし、だまってイネのひざから書物をとりあげ、自分の机の上に置いた。

蔵六は指をもって単語を一つずつたたきつつ、文法どおりにおしえた。いつのまにかイネの吐く息が、蔵六の頰になま温かく感ずるまでにイネは近づいていた。蔵六は最後にいった。

「あなたは、ガランマチカ（文法）をばかになさるからこの程度のことが読めないのです」

というと、イネは、ちがいます、と、顔を蔵六の鼻さきであげた。肉づきのいい唇の奥に、白い歯がわずかにみえる。唇のひだがわずかに動き、それをつい見てしまった蔵六のあたまに、イネの肉体のすべてがおそるべきあざやかさで映った。

蔵六の不覚は、それからであった。

気づいたときには、イネの肩を抱いてしまっていたのである。

イネは、肩を抱かれたままうごかない。目を閉じ、かすかにまつげをそよがせている。

(ああ、ひよこの羽毛のようにやわらかそうなまつげだな)

と、蔵六はぼんやりおもった。

蔵六の息が乱れている。蔵六はそれをこの期《ご》におよんでも整えようとした。かれは意志力の讃美者であり、自分を自分の意志で統御しきっていることに誇りをもち、快感をすら感じていた。同時に人間関係における主題主義者であった。ということはたとえば、

「殿さまはえらいものです。学者は学問をすべきです。イネは弟子です。イネは一般論としては女性であるかもしれないが、私にとっては女性でも男性でもなく、弟子という存在です。師弟という関係以外の目でイネを考えることは、余計なことです。余計なことは自分はしません」

というような信条をもつ男で、この信条をくずさずにいままで生きてきた。一見平凡なこの男が、ひょっとすると突っ拍子もなく風変りな男であるかもしれぬ点は、こ

のあたりであった。冬は寒いものです、というあいさつが、蔵六という人間の奥底を解く意外なカギなのかもしれない。

が、いまの蔵六はとまどっている。意志というこの巨大な筋肉力で、自分の人間をおさえきってゆけると信じていたこの男が、

（人間とは、もっと不可解なものかもしれない）

と、イネの肩を抱きながら、はじめて人間というこの生きもののむずかしさを知った。

「イネどの。人間には情欲というものがあります」

と、このその面《めん》のあほうは、抱いているイネの小さな耳たぶにむかい、講義をするようにして話しかけたのである。

蔵六は、儒教時代にうまれた。だから人並みの程度は、漢学をまなんだ。儒教では、人間の情欲について、禁欲は強いない。が、緒方洪庵塾でまなんだ蘭学は、どうやら禁欲を讃美するにおいがある。そのにおいはキリスト教的なものなのだが、蔵六はそうとはうけとらず、西洋人のえらさとして受けとった。禁欲が偉いのかどうかは別にして、蔵六は禁欲というものがもっている緊張感がどうやら気に入る体質であるらしい。

「私は、自分の情欲を制することができると思っていたし、げんにそうしてきた。しかし一つ思わぬ伏兵がいることを知りました。人間が人間を好きになってしまうと、なまなかな意志の力ではどうにもならぬということを知ったのです。それも不幸なことに、いまの今、気づいた」

そう演説されてもイネにはこまることであった。どう返事していいかわからず、

（こまったお人だ）

と、うなだれている。

世界の大宗教は、たいてい性欲の課題と正面から取りくんでおり、そのほとんどが禁欲をたたえている。

が、日本人は古来、性欲については寛大で、一部の僧なかまのほか、禁欲思想というものがおこなわれていない。江戸期は儒的な教養時代であった。その儒教は、現実の性欲を多少は秩序づけたにしても、禁遏《きんあつ》しなかった。江戸日本人は、その体格や体力からみてヨーロッパ人のように、これを禁遏もしくは制限するにあたいするような大性欲はもっていないために、野放しにしておいてもさしつかえなかったのかもしれず、このため禁欲思想が成立しなかったのかもしれない。

江戸日本人は禁欲という幻想にあこがれず、ごく現実的で、性欲を社会秩序のなか

に組入れた。街道の宿場宿場の旅籠《はたご》には酌婦という官許の娼婦《しょうふ》がいた。旅をして宿にとまると、食事をとるという行為とおなじ日常的な感覚のなかに酌婦という存在がいる。これはヨーロッパ風にいえばおどろくべき風習であった。さらに一方では、好色本や好色画が、ふつうに販売されていて、べつに幕府も藩も禁止しない。性欲が、三度の食事をとるといったようななだらかさで存在しているのである。性欲が西洋のばあいのようにそれをもし野放しにすれば人間の社会秩序に大混乱をおこすほどには、日本人たちはつよくはなく、せいぜい好色、助平といわれるたぐいにとどまっているからであろう。

そういう江戸日本人のなかでは、村田蔵六は禁欲家といえる。禁欲家であること自体ですでにもう、蔵六という男が、江戸期社会では珍奇な存在なのである。

その孤独な禁欲家に、重大な事変がおこったのは、蔵六は、この夜、イネを最後まで愛しきってしまったことであった。

そのことがおわったあと、蔵六は天井を見つめながら、イネにいった。どうもこれは、と蔵六はいう。

「窮屈なことになりましたな」

(窮屈なこと？)

イネには意外であった。イネは、蔵六とこのようなことになったことについて、彼女自身が自分でひそかにおどろいているほどに大きな安らぎが、心に訪れている。イネは意識下のことながら蔵六を欲していたのであろう。蔵六への尊敬心が高まるにつれ、また蘭学の授受という日々の反覆行為が二人の関係を緊密にしてゆくにつれ、イネはいっそ二人の間の距離をなくしてしまいたいと思う欲求が高かった。イネのそういう望みは、たとえば水が低地を満たすような自然さであったにちがいない。

じつは、藩主の参覲《さんきん》交代の時期がちかづいている。

「こんどの御出府（藩主の江戸ゆき）のときは、お供つかまつるように」

という達示を蔵六はうけていた。

——それを機会《しお》に、宇和島を去ろう。

と、蔵六はおもっていた。

蔵六は、正規の藩士ではなく、藩士待遇である。嘱託であった。この当時の用語でいえば、

「被相留《あいとどめらる》」

という身分である。その境涯をすてようとおもえば、捨てられるわけであった。

蔵六は、宇和島ではすべきことをほとんどした。砲台をつくり、軍艦を建造し、兵書を翻訳した。兵書の翻訳はまだまだ十分でないが、それは江戸に出てからでもできることであった。

江戸で名をあげたいとはおもわないが、しかし宇和島の田舎で朽ちはててしまうこともどうかとおもわれる。江戸は、蘭学者がとても足りない。蘭書とくに兵書は、時節がら、幕府や諸大名がどんどん買いこんでいるが、それを翻訳する者が足りない。蘭医はいる。しかしどの蘭医でも、兵書の翻訳ができるわけではない。その点、蔵六は宇和島でこの仕事に没頭しているうち、軍隊用語を十分に知った。いま日本中で蔵六以外に兵書にあかるい蘭学者がいないのではあるまいか。

蔵六は、江戸で兵書翻訳業をひらくつもりであった。それならば藩に拘束されることなく自由で居られるのである。

江戸へゆこうという理由は、そればかりではない。イネとのことがある。苦しいのである。

蔵六は、イネとそのようになった翌日、大野昌三郎に頼み、イネを間借りさせてくれる家を世話してほしい、とたのんだ。

人間は、習慣にもろい。イネとのあいだが習慣化してしまうことを蔵六はおそれた。

やはりもとの師弟の関係にもどそうとした。このあたりに、蔵六のもっている一種の超人性をみとめてやらねばならない。

「このままでは、あなたとのあいだが、窮屈になりますから」

と、蔵六は「窮屈」ということばをもう一度つかった。常識的には、男女が結ばれたことを「窮屈になった」とはいわない。が、蔵六の意識はちがうのである。第一に人の目をはばからねばならない。第二に、イネの生涯をそれで拘束するおそれがある。そのおそれを蔵六が感じて、窮屈になるのである。

蔵六は、あの夜一度だけ結ばれたが、翌日はいつもの態度でいた。その後、そういうことがあったかという態度を維持した。

イネも、うわべはそうである。毅然《きぜん》としたところをうしなっていないし、げんに大野が世話をしたあたらしい住居へゆくときも、蔵六には狎《な》れた態度をみせず、

「それでは行ってまいります」

と、深く頭をさげただけであった。

江戸鳩居堂《きゆうきよどう》

蔵六はこの年の後半、かれの宇和島における最後のしごとである海軍関係の蘭書の翻訳に没頭した。

『七種軍艦訳書』

と、かれが題をつけたものや、

『海軍銃卒練軌範』

といったものであった。海軍銃卒とは、海軍陸戦隊のことである。

この間、藩主はかれにほうびとして金五百疋《ぴき》をあたえたり、煙草《たばこ》入れなどをあたえたりして、その労にむくいた。蔵六が宇和島でやったしごとというのは、宇和島の幕末における開明事業のほとんどすべてに関係があった。

そのかたわら医者たちのために、ときどき解剖もやってみせた。

「二十七日、晴天、猫解剖」

などという日記のくだりがある。

年があけ、安政三年になった。

三月に入ると、蔵六は身辺の整理をしはじめた。殿さまの参覲《さんきん》交代に従って江戸へゆかねばならない。そのまま江戸に居つくつもりであった。そのことは三月に入って、二宮敬作に話した。

「あっ」

と、敬作はのけぞるような様子をした。大げさな男だが、大まじめなのである。しばらくものもいわず、そのかわり涙をポロポロこぼした。やがて、

「わしはとめぬ。殺されても尊公を引きとめぬ。尊公は天下の大宝だ」

泣き叫ぶようにいうのである。べつに酔っているわけではない。

「その大宝を、宇和島のような田舎がいつまでもおさえておくわけにはいかぬ。宇和島にはそれだけの力がない」

(冗談ではない)

と、蔵六はおもった。ひろく自分を估《う》るがために江戸へゆくのではないのである。それに宇和島は田舎ではない。その証拠に、二宮敬作のような日本一の外科医が、天下に自分を估ることもせずに悠々と暮しているではないか。蔵六は、それほどの二宮敬作からそのように言われることは、皮肉のようにきこえてつらかった。蔵六は、イ

ネとの関係が深くなることをおそれているのである。

が、敬作はいった。

「イネも連れて行ってくれ」

これには、蔵六はおどろいた。

しかし敬作には断乎とした理由があった。

かれがいつもいうように、自分の寿命はながくない、これだけの酒量だ、いつか卒中で死ぬ、そのあとたれがイネを見てくれるか、尊公しかないではないか、というとまたポロポロ涙を流すのである。

「しかし、旅は独りのほうがよろしゅうござる」

「そうだろう、だからあとを追わせる。江戸での落ちつきさきがきまれば、一報をたのむ。決して今後尊公の足手まといになるようなことはさせぬ」

蔵六は、うなずくしかない。

蔵六はこの夕、イネが居住している丸ノ内の屋敷をたずねた。その屋敷の長屋門の一角を借りて、イネはオランダ語を若いひとたちに教えているのである。

塾生たちはすでに帰ったあとらしく、イネは土間におりてかまどに薪《まき》を入れていた。そとはまだ明るいが、土間は暗い。蔵六は入口に立ち、入らず、必要なことだけをいった。蔵六の肩のむこうに夕映えがあった。

イネは、かまどの前から立ちあがり、タスキをとった。師匠への礼儀であった。しかしタスキをとるまに、すでに蔵六は用件をしゃべりおわっていた。

(……江戸へいらっしゃる)

イネは、かまどをへだててぼんやりと蔵六を見た。

「あとは二宮先生からきかれよ」

と、蔵六は夕映えのなかに出た。

殿さまは三月十一日に発《た》たれる、ということはイネもきいている。殿さまは、船で大坂まで出られる。ただし村田蔵六はお供の列には入らず、その翌朝、陸路宇和島を出、松山の外港ともいうべき三津浜までゆき、そこから大坂ゆきの便船に乗るということであった。

その夜、二宮敬作がイネのこの住いをたずねた。くわしく語った。

「そなたは、ついてゆくのだ」

と、敬作はいった。

「残される私は、淋《さび》しい。しかし村田どのに跟《つ》いて離れぬことが、そなたのしあわせになることだ。凡庸な者にとって学問とはそういうもので、大きな人につき従っていれば自然学問が深くなる。それに江戸ならば開業もできるだろう。あるいはあたらしい町の横浜で開業してもいい。そのことも、村田どのが面倒をみてくれるだろう」

言ってから、敬作はさびしさがこみあげてきたらしく、両眼を宙にこらした。なにか堪えているようであったが、やがて、

「ゆくな?」

と、念を押した。

イネはあおい大きな目をみはっていたが、急に涙をあふれさせた。イネがもし蔵六への愛がなければ、敬作といっしょに卯之町《うのまち》に住むと言ったであろう。敬作も存外、それを期待していたかもしれなかった。が、敬作にとってかすかな不幸は、イネがうなずいたことである。行きます、という意味であった。

「もし今後」

と、敬作はいった。

「村田どのがそなたをもとめるようなことがあれば、受けたほうがよい。かれは名こそ無いが、日本一の男子だ。そのおとこの子供をうむというのもわるくはあるまい」

敬作は、両眼をぎらぎらさせながら、声だけは表情の緊張に似あわず、低い。心中の何かをおさえているのか、かすかにふるえてもいる。

「村田どのの道中服でも縫ってやれ」

と、敬作は自分の感情をかき消すつもりか、話題をかえた。

蔵六が大坂についたのは、三月二十一日である。宇和島を出て、九日目であった。すぐ適塾へ行った。緒方洪庵《こうあん》はよろこび、夜は酒になった。

塾の建物やら調度は、蔵六のいたころとすこしもかわっていない。その上、洋学ばやりでいよいよ塾生がふえていた。

最近の塾生のはなしになったとき、

「中津から福沢諭吉という男がきている。これはものになる」

と、洪庵はいった。

福沢は去年、入塾した。まだ一年にしかならないが、上達が他の者の数倍早い。ただわるいことに蔵六がこの塾をたずねたとき、福沢は熱病にかかって中津藩の大坂藩邸に寝ていた。

「ぜひ、ひきあわせておいてやりたいが」

と、洪庵はよほど福沢が気に入っている様子で、塾の先輩の蔵六に紹介しておいてやりたかったらしい。

蔵六がよくおぶってやった緒方家の次男平三が、いまはいない。おととし、加賀へ留学させたのである。十一歳であった。加賀大聖寺《だいしょうじ》藩の藩医渡辺卯三郎という者に師事させたのである。渡辺は、この適塾の出身であった。洪庵としては自分がおしえるより、他人に師事させたほうがよいとおもったのである。

ところが平三は二年間大聖寺にいて、どうやら辛抱をしかねたらしく、勝手にのがれて越前大野へ行った。大野藩の蘭学所にやはり適塾出身の伊藤慎蔵がいる。この伊藤の門に入った。

「今年のことです。平三を勘当しました」

と、洪庵は事もなげにいった。勘当とは父子の縁を切ることであり、

(先生も存外おもい切ったことをなさる)

と、蔵六は息をのむ思いがした。むろん、洪庵はその後数年して平三をゆるしてはいるのだが、それにしてもやりかたが手きびしい。洪庵は、適塾の門下生にとっては叱《しか》らない先生として評判があった。しかし自分の子に対しては類のないきびしさでのぞんでいるらしい。

「すると、もう宇和島へは帰らぬのか」

と、洪庵はいう。蔵六はそのつもりですが、先生が宇和島にのこれと申されれば残ります、といった。

洪庵は、江戸をすすめた。

「江戸には、本当の蘭学がない」

と、洪庵はいった。そのとおりであった。だから江戸に蘭学の門をひらく必要がある、やはり子弟をとりたてたほうがいい、といった。

翌朝、大坂の宇和島藩邸へ行った。藩主の行列が出発しようとしていた。

蔵六はこの行列に加わり、東海道をくだった。

江戸についたのは、四月九日である。

(さすが、天下第一の大都だ)

と、江戸がはじめての蔵六には、見るものすべてがめずらしかった。

江戸というこの日本の首都は、この当時すでに人口は二百万を越え、世界最大の都会のひとつになっていた。しかも、年々流入人口がふえ、これが歴代の幕閣の頭痛のたねになっていて、さまざまの抑止策が講ぜられたが、いっこうにききめがない。

「江戸にゆけば食える」

ということであった。手に職があればその日に親方がみつかるし、わずかなモトデで振り売りをしてもこれだけの巨大人口の海でなら、なんとか日銭がかせげる。

(江戸の繁華というが、これほどとはおもわなかった)

と、蔵六は江戸へきた当初、毎日感心ばかりしていた。

江戸の名物のひとつは、大名屋敷と、大名の登城行列である。蔵六が知っている都会は大坂であったが、大坂は商人の町で、一戸あたりの地割りは小さく、火見櫓《やぐら》から町を見おろすと、平らな屋根の海原で、たまに大きい屋根があれば、寺院ぐらいのものであった。

ところが江戸は三百諸侯が江戸屋敷を置いている土地で、どの大名も上中下三つは屋敷をもっている。その大名屋敷というのは、蔵六の想像を越えて巨大なものであった。

ほかに、大小の旗本屋敷がある。旗本八万騎という。八万騎もいないにしても、数万軒という旗本御家人の屋敷または組長屋があり、それら屋敷屋敷には老いた樹木が枝をひろげ、それらの樹叢《じゆそう》が町のところどころで森をつくり、それがこの江戸美観の重大な要素をなしていた。大坂にはそれがなかった。大坂では大名屋敷というものがほとんどないためと、商家ではわずかな地面でもその商いのために利用しているため、街には樹木というものがほとんどない。このことが、江戸が東京になり、大坂が大阪になったいまもさほどかわりなくつづいている。

ともあれ、江戸は繁華である。

なにしろ、将軍や大名が多数の家来を住まわせていて、その人数は五十万を越えていた。それらの消費生活をまかなうために領地から金をもってきて江戸でつかう。人口が二百万であるとすれば、他の百五十万はそういう金がまわりまわるなかで生きていた。

田舎から江戸へくる侍どものための塾というのも非常に多い。学問塾やら剣術の塾やらが、大小あわせれば二百や三百という数字ではとてもない。それらの塾が、ペリー来航以来、国民的緊張が高まるにつれ、いよいよふえてきた。

ただ蘭学塾だけは、いいのがなかった。蘭学者が稀少《きしよう》なうえに、時節がら需要が高い。村田蔵六は無名のままで江戸へ出たが、蔵六ほど筋のとおった蘭学者はこれだけの大都会でありながら、まずいないのである。世間が、蔵六をすてておかなくなった。

蔵六は、巣鴨《すがも》にある宇和島藩の小さな控え屋敷に一時住んでいた。

「宇和島藩にはたいそうもない蘭学者がいるそうな」

という風評が、江戸の一部の洋学者のあいだにひろがったのは、いかにこの方面の需要がさかんで、しかもその供給者がいかにすくなかったかがわかるであろう。オランダ語を通じて西洋の技術（とくに医学と兵学）をまなぼうという時代の欲求が、蔵六の身辺を騒然とさせた。

毎日のように、蘭学修業の希望者がかれをたずねてきた。蔵六はそのひとりひとりに教授するわけにゆかないため、

「いっそ塾をひらこうと思いますが」

と、藩に申し出た。

幸い藩主の伊達宗城《だてむねなり》は憂国家なのである。蔵六の能力を独占するより、ひろく世間に出させて他藩の後進をも育成させるほうが天下のためであると思い、蔵六に従来どおりの身分と扶持《ふち》をあたえつつ、その自由をゆるした。

「先生、塾舎は私どもがみつけます」

という何人かの入門志願者がある。入門志願者たちが塾舎をさがそうというのであった。時勢が蔵六のために大きく潮を上げつつある。事がおもしろいようにはこんだ。

「麴町《こうじまち》の新道一番町に、手ごろな空屋敷がございます」

といってきたのは、加賀藩士の安達《あだち》幸之助という若者だった。安達は終生蔵六を無二の師とあおぎ、ついにその死所まで共にするにいたる人物である。

かれは加賀藩の足軽の家にうまれ、はじめは漢学に志した。ついで和算をやった。それだけではかれの強烈な学問的好奇心を満足させることができなかったのにちがいない。かれは西欧の技術にあこがれた。そのためオランダ語を学ぼうとし、飲まず食

わずの旅をかさねて江戸に出てきた。すでに三十という齢《とし》であった。

はじめ、湯島中坂下の箕作阮甫《みつくりげんぽ》についてオランダ語をまなんだが、骨をけずるような刻苦をしたことと粗食のため視力が衰えた。このためどじょうを獲《と》ってきてはそれを毎日食いつつ、衰えた視力で書物をよんだ。日本の知的エネルギーが洋学にむかおうとしているときの、これは無名ながらも典型的なひとりだった。

蔵六も、その屋敷を見に行った。

北は田安御門、南は半蔵御門といったあたりで、いまの地理でいえば英国大使館のあるあたりであろう。安政版の江戸切絵図にはこの屋敷地に、

「村田蔵六」

と名が入れてある。蔵六はこの屋敷を三十六両で買った。金は藩から借りた。

ハトというのは、他の多くの鳥とおなじように枯枝をあつめてきて樹《き》の上で巣をつくる。ただ他の鳥とちがっているのは巣の作り方がひどく粗雑で、下から巣をあおぐと卵が見える。

このハトを観察してその家づくりのへたさとそのこっけいさに気がついたのは古代中国人で、『詩経』にそんな詩がある。

「ここにカサギの巣がある。いつのまにかハトがそれを失敬して自分の巣にしてしまっている」

蔵六は、自分に対して存外皮肉な男で、

――わしもおなじだ。

とおもい、この三十六両で買った空屋敷の名前を、

「鳩居堂《きゆうきよどう》」

とした。ひとがつくった屋敷に、ハトであるかれが住んでいる、という意味であろう。それがかれの塾の名前になった。開塾したのは安政三年十一月の寒い日で、かれが江戸にきてから七カ月目のことである。

開塾早々、繁盛《はんじよう》した。もしかれがこの塾を明治までつづけていれば、適塾の同窓である福沢諭吉の塾とともに後世大いにさかえたことであろう。

塾頭には、太田静馬という者がなった。太田は因州鳥取藩士で、蔵六が適塾の塾頭をしているときに入塾してきた。蔵六はこの太田に対し、身を入れてオランダ語の手ほどきをしてやったことから太田は蔵六を終生の恩人だとおもい、こんど蔵六が江戸で塾をひらくというので、緒方洪庵のゆるしをえてはるばる大坂からかけつけたのである。塾頭(塾長)というのは師範代で、西洋の大学でいう助教授であり、助教授が

いなければおおぜいの塾生をあつかうことができない。太田はいわば押しかけ塾頭であった。

蔵六は、太田の来援をよろこび、

「ハトが二羽になった」

と、いった。

塾頭の下の学監には、例のどじょう食いの加賀藩士安達幸之助がなった。学監は、あたらしい入塾者に初歩のオランダ語をおしえるのである。

「先生は毎朝、暗いうちに起きた」

と、これよりもだいぶあとの入塾生である伊藤雋吉《しゆんきち》の追憶談である。

伊藤雋吉は丹後田辺（いまの京都府舞鶴市）藩のひとで、のち海軍中将になった。

「雋吉は俊敏な若者で」

と、筆者がたまたまこのくだりを書いているとき、舞鶴市字西四十一の郷土史家池田儀一郎氏からお手紙をいただいた。池田氏のお住いからちかいところに雋吉の屋敷がまだのこっており、そういうことなどからこの人物に興味をもたれ、調べられたという。目から鼻にぬけるような慧《さと》い人物だったらしい。

伊藤は、さらにいう。

「……先生は、まだ行燈《あんどん》のついている早朝から起きている。このため、早く起きた者が部屋へ入る。早く講義がきけるというぐあいだった」

このあたり、いかにも蔵六の塾らしい。

伊藤は、砲術を志していた。砲術の講義のときだけは朝早くからきいた。ところが講義の内容がよくわからない。

蔵六は親切な教師で、伊藤がぼんやりしていると目ざとくみつけ、

「どうも、おぬしにはわからんようだな」

と、いった。それはあらかじめ下調べして来ぬからだ、頭に七分どおりのものを入れてから講義をきけばよくわかる、それをせずに出ていると、いたずらに心気を労するのみで学問が苦痛になる、といった。

ところで砲術なら砲術の教科書は塾に一冊きりしかない。あすは講義という前夜、そのくだりをそれぞれが筆写するのである。筆写したあと、これまた塾に一冊しかないヅーフの辞書をひいて文章の大体の意味をつかんでおく。蔵六はそれをきちんとやっておけというのだが、塾生にとってはこれが大変であった。

さて余談ながら、この小説は大変革期というか、革命期というか、そういう時期に登場する「技術」とはどういう意味があるかということが、主題のようなものである。

大革命というものは、まず最初に思想家があらわれて非業《ひごう》の死をとげる。日本では吉田松陰のようなものであろう。ついで戦略家の時代に入る。日本では高杉晋作《しんさく》、西郷隆盛のような存在でこれまた天寿をまっとうしない。三番目に登場するのが、技術者である。この技術というのは科学技術であってもいいし、法制技術、あるいは蔵六が後年担当したような軍事技術であってもいい。

ただし伊藤雋吉が蔵六の塾にいるこの時代は、まだ革命情勢の未熟期にあり、松陰のような存在が生命の危険を賭《と》して思想を叫喚しているときで、戦略家の時代でさえない。まして技術者の時代がきていない。が、技術がそろそろ時代の招《よ》び出しをうけようとしていた。

たとえば伊藤雋吉が、いまの舞鶴市、その当時の丹後田辺藩というちっぽけな藩から蔵六のもとに派遣されてきたのは、

「大砲と砲台のつくり方をならってこい」

という藩命によるものであった。

それを、幕府が藩に命じているのである。海岸線を藩領にもつ藩は、砲台を築かねばならぬという幕命がすでに出ていた。丹後田辺藩ではうろたえて、物事に器用なこの伊藤にそれを習わせようとしたのである。

ところが、いざ蔵六の塾に入ってみると、オランダ語の習得からしてはじめねばならず藩の火急の要求に間にあわない。

伊藤は、せっぱつまっていた。ついにある日蔵六にそれをうちあけた。

蔵六はおどろいて、

「ああ、それはおぬしもこまるだろう」

と、伊藤雋吉に同情した。しかしすぐ砲台と砲の鋳造法をおしえるということもできない。

「大体、いま幕府が諸藩に命じている台場築造のことはあれはむだだ」

と、蔵六は論じはじめた。

幕府は、幕府みずから範を示すために江戸湾の品川に台場（砲台）をきずいた。設計施工したのは、洋式兵学者の江川太郎左衛門である。あれからして、なんの役にもたたない、と、蔵六はいう。

「江川先生はなるほどえらい。しかしそのえらさにも限度があり、あの先生はタクチーキ（戦術）というものをご存じであるだけで、それをつつむ大きなストラトギー（戦略というほどの意味）というものをご存じない」

蔵六が、雋吉にいったこのことばは、おどろくべき先覚的創見である。軍事上のことを戦術と戦略に分類して物事を考えるようになったのは明治三十年ごろからで、幕末にこういうことを考えたのは蔵六しかなく、おそらくオランダの兵学書もそこまで分類的ではなかったであろう。戦略的に江戸湾の防衛を考えるとすればもっと地理的なおさえどころがあるはずであるし、さらには戦略的展望眼をはたらかせて兵器が進歩する将来のかたちも考えあわせ、その上で砲台を設計しなければならない。

「江川先生の品川台場は、戦術的なものにすぎない」

と蔵六がいうのは、そこである。敵艦が台場すれすれに近づいてきてくれてはじめて砲が発射できるわけで、そういう間ぬけな軍艦はおるまい。それに艦砲の射程がどんどんのびているということを考えていない証拠に、砲台の砲がいかにも小さい。砲というものがいっさい発達しないという前提のもとに江川先生が設計したとしかおもえない、と蔵六はいうのである。要するに、品川台場ですら、なんの実質もない「いわば画にかいた餅《もち》である」と蔵六はいうのである。

「つまり画餅《がべい》だ。ひるがえって考えてみると、この画餅ということもなかなかばかにならない」

蔵六のいうところは、幕府が諸藩に台場築造を命じている、諸藩にすれば、外国よりも幕府のほうがこわい、幕府の命令をきかなければ小藩などは容赦なく国替えさせられてしまう、だから画餅でもなんでもいい、砲台をつくってしまうことも、これはこれでなかなか政略的なことだ、というのである。

画餅。

『広辞苑』によると、

「絵にかいた餅のように、物事が実際の役に立たないこと」

と、ある。蔵六のこの砲台画餅論というのは、この男の精神の容易ならなさをよくあらわしている。

丹後田辺藩は三万五千石の小藩であるのにそれが守備すべき舞鶴湾は広大で、とても二つや三つの砲台を海岸にきずいても、敵艦の侵入をふせげるものではない。

「しかし幕命はこわい。だから幕府の手前、かたちだけはつくりなさい」

そのつくりかたとして、

「大きな竹を多数用意し、その竹をナワでむすんで、その竹とナワだけで形だけ大きな台場をつくるがよい」

と、蔵六はいう。

「これすなわち画餅である」

と、蔵六はいった。

「それだけで工事中ということで幕府の手前がとりつくろえる。そのようにぐずぐずしているうちに、一、二年が経《た》つ。一、二年たてば天下の形勢がかわってきて、幕府も自然その愚に気づく。第一、幕府じたいの組織もいまのままではあるまい。大きな変革を遂げるにちがいないから、いまは画餅でやっておくがいい」

(この先生は底知れぬ豪傑だな)

と、伊藤雋吉はこのときほど蔵六という男が、大きくみえたことがない。大きいというより、古井戸の底をのぞくような暗い、底知れなさがあると感じたといったほうがより正確かもしれない。

「ただし、それは政略である。政略でそれをやっておく一方、砲台と鋳砲の技術はしっかり学んでおかねばならない。あすからそのほうの講義をしてやろう」

と、いってくれた。

時が経ってゆく。

塾の評判は、まずわるくない。おしえる課目は、オランダ語および物理学や生理学などの基礎的なもののほかに、医学コースと兵学コースがある。蔵六はあいかわらず無愛想だが、

「蘭語解釈の実力は村田さんが江戸一ではあるまいか」

という評判があった。たとえば佐久間象山（信州松代藩）や古賀謹一郎のような高名な学者よりも、蔵六のほうがなにやら実力がありげだということが、そろそろささやかれはじめている。

入塾生は、諸国からきた。ほとんどの雄藩をもうらしているといっていい。

安政五年九月五日には、長州藩から官費留学生として久坂玄瑞《くさかげんずい》という青年が入ってきた。

久坂は吉田松陰の弟子で、漢学の素養がふかいが、オランダ語ができない。ものの一月もいたかいなかったかで、ついてゆけずに退塾してしまった。

蔵六が、うごきだしたようである。

かれ自身がでなく、かれの価値をめぐって世の中がうごきだしたといっていい。

——くらやみから牛が出てきたようなものだ。

と、蔵六びいきの蘭方医学の大家大槻俊斎《おおつきしゅんさい》などはよくそういった。なにしろ周防鋳銭司村《すおうすせんじむら》の村医で、そのあと宇和島でいくばくかの歳月をおくった無名の蘭学者が、人物評価の市《いち》ともいうべき江戸に出てきて、にわかに声価をあげたのである。大槻俊斎は仙台藩領の百姓の家にうまれ、江戸で修業をし、のち長崎へゆき（この長崎時代にわかいころの緒方洪庵と交友関係があった）江戸にかえってから水戸藩の別家に侍医

としてつかえるかたわら、下谷練塀小路《したやねりべいこうじ》で外科を開業した。その大槻が、

「オランダ語の解釈のしかたのみごとさは、こんにち江戸で村田の右に出る者がない」

と、激賞した。おりがみがついたというべきであろう。

じつをいうと、この大槻俊斎と蔵六の関係はべつにひとの紹介によったわけではなく、蔵六が江戸に出てきた当初、目をわずらった。眼病をさいわい、

(大槻俊斎先生の人柄に接したい)

とおもい、一外来患者として大槻家をたずね、その診察をうけた。

「足下は、学問をするだろう」

と、俊斎はいった。夜間、暗い燈火の下で読書をしたための眼病であると俊斎はみたらしい。俊斎は、そういうかんにおいては超人的な能力をもった人物であった。なぜならそのつぎに、

「足下の学問は蘭学にちがいない」

と、いったからである。すぐれた臨床医であることの条件には、こういう能力も必要なのかもしれない。蔵六にもそれがあり、その点では俊斎以上であった。

こういうことで、親しくなった。俊斎はさっそく蔵六を奥にみちびき、一冊の蘭書

をみせ、俊斎にとって難解な部分を示し、訳するようにたのんだ。蔵六は筆をとってたちまちその訳文を書いたところ、俊斎はよろこび、

「どうもこのくだりが変だとおもっていたのだ。改訂版を出さねばなるまい」

と、いった。じつは俊斎は、外国が攻めてくるかもしれぬというこの時節がら、鉄砲傷をうけたときの治療法を出版した。モーリスとモストという二人の名が著者になっている外科書から要訳したもので、書名は『銃創瑣言《さげん》』という。

そんなことから俊斎は蔵六に目をかけ、幕府のいわば洋学顧問ともいうべき、江川太郎左衛門にも紹介した。

それやこれやの人のつながりで、江戸に出てからほんのわずかのあいだに蔵六の名は同学の連中に知られるようになり、かれが十一月一日鳩居堂をひらくと、その月の十六日には幕府が新設した洋学研究機関である蕃書調所《ばんしょしらべしょ》の教授手伝（助教授）にあげられることになった。この蕃書調所がのち洋書調所、開成所などと名称がかわり、さらに明治後、大学南校、ついで東京大学という名称と内容にかわってゆく。

この時勢のなかで蔵六の価値がみとめられはしたが、しかし奇妙なことにべつに知名度があがったわけではない。江戸の洋学者なかまの一部で、

——村田はできるそうな。

ということがささやかれている程度で、たとえば同時代の洋学者である箕作阮甫《みつくりげんぽ》や佐久間象山、薩摩《さつま》の松木弘庵《こうあん》（のちの寺島宗則《むねのり》）などからみれば、知名度ははるかにひくかった。蔵六はいわゆる国士ぶって諸藩の名士と交際をむすぶというところもなければ、時勢論をぶって若い志士たちをあつめるというふうでもない。幕末の名士の多くは、交遊によってその知名度を高めるのがふつうだったが、蔵六はいっこうにそういう面はなかった。

そのくせに、やたらにいそがしい。

かれは宇和島藩出仕の身であるとともに、幕府の蕃書調所の教授手伝でもあった。幕府からの手当は日々蔵出しの米で二十人扶持をもらい、しかも年に二十両を給される身である。宇和島藩からもらうぶんとあわせると、かれの経済生活は二百石どりの武家の収入に十分匹敵した。

さらにその多忙さは鳩居堂の先生であることである。かれが鳩居堂では早朝講義をしたのは、蕃書調所へ毎日出勤せねばならないからであった。

技術時代がきている。その苗木の育て役といっていい蔵六ら蘭学者というものはからだがいくつあってもたりないほどの毎日であった。蕃書調所から帰ってくると、宇和島藩入用の兵書翻訳をしなければならない。さらにそれだけでなく、加賀藩のよう

な蘭学の点で後進藩になってしまっている藩から宇和島藩留守居役へ、

——貴藩の村田先生に、ぜひこれからの兵書を翻訳してもらえまいか。

と交渉があったりした。わずか十万石の宇和島藩としては、百万石の加賀藩からこういうことをたのまれるのがうれしく、結局は蔵六におしつけた。

「藩の面目でござるゆえ、ぜひ」

と、宇和島藩の上司は、蔵六にそれをむりやりにひきうけさせた。さてその蘭書がとどいてみると、なかなかの量であった。蔵六はしかしことわらなかった。ことわるには言葉数が要る。やったほうがめんどうがなくていい、というたちの男であった。

そのうち幕府までが、

——講武所の教授になってもらいたい。

といってきた。講武所で洋式兵学を講義したり、兵書翻訳をしたりするしごとである。これは正教授であった。ただし蕃書調所のほうも兼任なのである。それに鳩居堂、宇和島藩のしごと、加賀藩の翻訳などをあわせるとこの多忙さはどうであろう。

蔵六自身が忙しがっているというよりも、時代が蔵六という独楽《こま》をきりきりとまわしはじめているようである。

そういうやさき、国もとから手紙がきて、父の孝益が病気であることを知った。

「私はどうしても帰国せねばなりません」

と、かれは蕃書調所のほうに願い書をさしだした。同時に講武所のほうにもさしだした。往復と逗留《とうりゅう》をかねて百日の休暇がほしいという旨《むね》希望した。

が、講武所のほうはできたばかりで、蔵六に百日も休講されてはどうにもならず、それはこまるというばかりでなかなか許可しなかった。蔵六は願いをくりかえした。

結局、八十日の休暇ということでゆるされた。実際のところ、講武所は幕府唯一《ゆいいつ》の兵学研究と教授機関であるとはいえ、兵書の翻訳にかけては蔵六の右に出る者がいないので、たちどころにこまるのである。

が、ともかくゆるされた。

蔵六は、多くのみやげものを買った。妻のお琴に対しては、かんざしやらちりめんやらを買った。父に対してはキセル、母に対しては扇箱などを買った。

これらを供の下僕にもたせた。蔵六も供の下僕をもつ身分になっており、その男は戻次《れいじ》といった。江戸者で、一時相撲の部屋にもいただけに体が大きかった。

弟子をひとりつれてゆくことにした。二宮逸二という若者であり、二宮敬作の息子で、敬作からあずかっていた。逸二は頭のいい若者だが、父に似て酒ずきで、さらに父に似ているのは、酒をのむと目つきが妙にすわるところがあることだった。周防まで片道ざっと一月たらずかかるであろう。その往復のあいだに、蔵六はこの若者にオランダ語の病理書を一冊たたきこんでしまおうとおもっていた。蔵六は、対人接触のへたな男であったが、ただ物を学ぶことと物を教えるということの一点の、この作業だけで人間と紐帯《ちゆうたい》をむすぼうとする欲求が強い。この一点にかけては、かれはたれよりも情熱的で、異常なほど親切であった。

かつてイネとのあいだもそうであった。イネとのあいだでこの異常な親切心が、それ以外の感情に一部変質しかけたことがあったが、かれ自身はその変質部分をわすれようとしていた。もし江戸にイネがたずねてきたとしても、かれは二宮逸二にあたえているのと同質の情熱でイネをむかえるつもりであった。

大坂では、緒方洪庵をたずねた。

あとは船旅である。

船で関門海峡から響灘《ひびきなだ》の沿岸ぞいに萩《はぎ》へ入った。

(一度、萩城下をみたい)

という、いわばこどものような希望が蔵六にあった。かれは長州藩の領民の出身でありながら、その藩都を知らないために、江戸で人と話しているとき、どうにも都合のわるいことがしばしばあった。

故郷へ錦《にしき》を着てかえるというが、郷里の鋳銭司村に帰った蔵六の評判は、非常なものであった。

「大公儀《おおこうぎ》のお旗本になられたそうな」

といううわさが、鋳銭司村だけでなく小郡《おごおり》から三田尻《みたじり》あたりまで駆けまわった。

厳密には旗本ではない。旗本格である。しかし蔵六が宇和島藩に籍があるためそれへ遠慮して幕府の直参《じきさん》にならないだけで、なろうとおもえば幕府はよろこんでかれを直参にしたにちがいない。

すでに官設の洋学機関（蕃書調所および講武所）の教授である。漢学でいえば湯島の昌平黌《しょうへいこう》の教授であることが学者として日本最高の権威であるように、洋学では右のふたつの機関の教授であることがたいそうな権威であった。しかも蔵六はそのふたつを兼ねていた。

さいわい父の孝益の病気はたいしたことがなく、蔵六が帰郷したころにはすっかりよくなっていて、十日に一度は秋穂村と鋳銭司村を往復したり、おちこちの患家にも往診したりしていた。

「あっははは、大したものぞのう」

と、父の孝益は日に何度もいうほどの機嫌であった。孝益にとってお伽《とぎ》ばなしのようにおもえるのは、蔵六が嘉永《かえい》六年の秋、寝巻をふろしきにつつんで鋳銭司村を出て行ったのに、宇和島で武士身分になり、江戸で幕府のおかかえ学者になってかえってきたのである。

「火ノ山の狐《きつね》につままれているようだ」

と、孝益はいった。火ノ山とは鋳銭司村の南のほうにある小さい山で、狐が多い。たしかにこのみじかい期間における蔵六の変転は、狐のしわざかもしれなかった。時代というものが験《げん》じてみせるまぼろしのようなものかもしれなかった。

「ところで、ご直参になるつもりかね」

と、ある日、秋穂村の藤村家に蔵六がいるとき、孝益が縁側からきいた。

蔵六は、じつは講武所頭取の土岐大隅守《おおすみのかみ》から、人を通じて、

——大公儀のおじきじきにならないか。

という話があった。諸藩の士やそれ以下の出身の者が学問をもって徳川家の直参にとりたてられた例は古来多く、今後、洋学系統のひとびとのあいだからそのようにぬきんでられてゆく事例が多くなりそうであった。幕府はすでに洋式の陸海軍を創設しようとする準備をしており、その面の人材を大量に在野から吸いあげようとしている。

げんに蔵六の適塾の後輩の大鳥圭介《けいすけ》は、播州《ばんしゅう》の医者の出ながらのちにそういうコースへ入る。

孝益にすれば、蔵六がそういう身分になることをひそかにのぞんでいた。徳川家直参は、大名とおなじように「殿さま」とよばれる階級で、息子がそういう殿さまになるのを、平凡な父親として悲しかろうはずがない。

——殿さまになるのか。

という意味のことを父の孝益がきいたとき、蔵六の表情がすこしうごいた。

（この息子は、なる気だぞ）

孝益はひそかに心をはずませた。

家代々この長州藩領にすみ、百姓身分の医者としてすごしてきたこの家から幕臣が出るというのはなんという栄光であろう。百姓身分から士分になるということさえ例がすくないのに、天下の直参になりうるのである。奇蹟《きせき》というべきであった。それも長州藩領の片田舎の草むらのなかから江戸へ出て殿さまになるとは、わが息子のことながら夢のようであった。

が、蔵六はだまっている。

かれは、そのことで悩んでいた。かれには自由選択権があった。かれ自身がその気になって講武所頭取までそう返事しさえすれば、天下の直参になれるのである。返事をするだけでいい。封建の世で、この蔵六のこの場合ほど、自分の身分について自由な選択権をもちえた例はなかったであろう。時代の必要というこの魔術的な力が、蔵六の一身を熱っぽくくるみこんでいるようであった。

が、蔵六は考えていた。

宇和島藩への義理ということは多少はあるが、これはたいした束縛ではない。宇和島藩における蔵六の処遇は士分待遇であったが、その身分は「御雇《おやとい》」であった。宇和島藩が蔵六に期待したしごとは軍艦の船体をつくることと、台場を設計すること、それに兵書を翻訳することであったが、その三つを蔵六はすべてやりとげた。ということであるために、かれ自身さえその気になれば、この藩の拘束から自由になりうるはずであった。

蔵六は、考えている。じつは蔵六はこのことがあって、国へ帰ったのである。父の病気の看病ということもあるが、父の病気がたいしたものではないことは、江戸にいるときすでにわかっていた。が、それを理由に、休暇をとらせたがらない講武所にむりやりにたのんでもどってきた。

蔵六には、本心がべつにある。

かれは、自分の故郷の長州藩につかえたいのである。出世ということの打算からいえば、この願望は奇妙であった。幕臣になりうる機会をすてて、たかが外様藩《とざまはん》の藩士程度になりたいという。もっともこの願望は、父にもいわない。なぜならば、長州藩が蔵六に声もかけてきていないのである。

声をかけないどころか、講武所教授村田蔵六が長州藩の領民の出であることを長州藩の藩庁はおそらく知ってすらいないであろう。

それにしてもなぜ蔵六は、長州藩士でありたいとねがっているのか。

適塾の出身者で、幕臣になった者は多い。さきに大鳥圭介のことにふれた。

「大鳥圭介に按摩《あんま》頼む」

と、緒方洪庵の日記にあるあの大鳥圭介は蔵六が適塾を出てから入塾してきた青年である。蔵六より八つ齢下《としした》であった。適塾のころの圭介は役者の声色をつかって塾生を笑わせたりする陽気で茶目な若者で、洪庵も可愛《かわい》がっていたらしい。

蔵六が江戸で鳩居堂をひらいたころ、圭介も江戸へやってきた。

洪庵の紹介状をもって蔵六のもとにやってきたから、蔵六もできるだけの便宜をはかってやった。圭介は、江川太郎左衛門の塾に入って砲術をまなんだりした。その大鳥圭介がのち幕臣になり、戊辰《ぼしん》の内乱時代に旧幕軍をひきいて関東や東北に転戦し、のち榎本武揚とともに五稜郭にこもり、その箱館政府の陸軍奉行になったりした。おなじく適塾の出身でのち幕府の奥医師になった高松凌雲《りょううん》（久留米《くるめ》出身）も、瓦解《がかい》した幕府に殉じて箱館政府に参加し、箱館病院頭取になって、わずか八カ月のあいだに千三百余人という傷病兵の治療にあたった。

蔵六がもしこのとき、幕臣になることをきめていれば、右の大鳥や高松に似たコースをあゆんだかもしれない。

が、蔵六はそれをえらばなかった。蔵六は一見、時代の流れのなかに身を浮かせて流れているだけの人物であるようだが、しかし一面、異常なほどにそうではなかった。そのまま流されてしまえばかれは幕臣になっていたであろう。

かれはこの時期、その強烈とさえいえる意志力をもって、自分の運命をきめるカードを自分でえらぼうとした。

「幕臣にはならぬつもりです」

と、蔵六は父親にいった。

しかし理由はあかさなかった。孝益は蔵六の語気のつよさにおどろいてだまってしまったが、内心ふしぎにおもった。このころ、安政六年正月という時点にあっては幕府の勢威はなおさかんである。蔵六がひそかにおもっている、

「長州藩」などは、のちに革命団体化してしまったその印象とはまるでちがい、ただの大名にすぎず、幕府の鼻息をうかがうという点で幕藩体制の伝統的なねむりのなかにある。蔵六は先物を買おうとしたのではなかった。神でないかぎり、この時期の長州藩をもってその後の姿を想像することはとてもできない。

蔵六が幕臣になることをことわろうと心に決めている理由の唯一のものは、かれは長州藩士になりたいからであった。

なぜなりたいといえば、かれの性格的なナショナリズムにもとめるしかないであろう。

「故郷が好き」

というそのこと以外にない。故郷がなぜ好きなのかといえば、鶏《にわとり》と卵のあとさきの話とおなじように「性格がそうだから」としかいいようがない。

蔵六というのは、やはり変っている。

その服装である。かれはつねに綿服を着ていたが、その点、質素というこの時代の美徳に適《あ》っている。それはいい。問題は、かれのハカマであった。

ふつうどの藩でも上士というのは、馬乗り袴《ばかま》というものをはいている。この袴は馬にまたがる必要からうまれたもので、そのためマチが高い。こんにち、和服の礼式用になっている袴のもとのかたちである。上士というのは戦場で騎士たる身分であるため、平時もこの種の袴をはいた。いわば上士の象徴であった。

ひくい身分の徒士《かち》や足軽階級は、ふつう馬乗り袴をはかず、半袴《はんばかま》というものを着用する。半袴とは長さがややみじかい仕立で、マチが低く、わきから下の着物がみえる。蔵六は宇和島藩の上士待遇であり、しかも幕府の二つの洋学機関の教授として直参待遇をうけていながら、賤士《せんし》なみの半袴をはいていた。

「先生は堂々たる上士であられるのに、なぜそのような半袴をはいておられるのか」

と、よくひとにきかれた。

蔵六の答えは、ふるっていた。

「馬に乗れないからである」

この返答は、身分社会への痛烈な皮肉をふくんでいるともとれないことはない。馬乗り袴は本来乗馬用の袴であるのに、やがては乗馬身分の士の象徴になった。蔵六は自分は馬にのれないからあの袴ははかないという。袴が身分を象徴するということを、このことばはことさらに無視しているのである。

ともかく、それほどの身分になってももとの平民同様の服装でいるところに、この男の尋常でない精神がうかがえる。

「村田さんは、てこでもうごかぬものをもっていた」

とは、大鳥圭介の評であった。その動かぬものがなんであるかは、この物語の進むにつれて考えてゆくしかしかたがない。

当時、洋学者というものは、洋品を所持したり、西洋知識を誇示したり、日本の古来の習俗をあざけったりして、かならずしも世間から好意をうけている存在ではなかった。当時のことばでいえば、この種の傾向を、

「蘭癖《らんぺき》」

という。そういう傾向者を蘭癖家という。ところが村田蔵六にかぎっては蘭癖が毛ほどもなく、それどころか風体《ふうてい》は村夫子《そんぷうし》のようであり、むしろ一見、固陋《ころう》な攘夷《じょうい》家のような印象をうける。かれ自身、オランダ趣味が大きらいであった。

かれは、かれほど日本にヨーロッパ技術をもちこむことに功のあった者もまれであるのに、かれほど「日本癖」のつよかった者もまれで、生涯自分自身は洋服や靴のたぐいを身につけたことがなかった。このあたり、蔵六は天性のナショナリストであるらしい。

――蔵六はなぜ長州藩士になりたいのか。

というかれ自身が目下悩みつつある課題について、筆者の話柄《わへい》がべつなほうに外《そ》れつつあるようにみえる。が、べつに外れているのではなく、かれのその志願の理由は、うまれつきのナショナリズムに根ざしているということをいいたかったのである。

ナショナリズムというのは、民族主義とか国民、国家主義といったふうに、社会科学の用語として使われるばあい、あまりに輪郭が鮮明すぎてミもフタもなくなるが、本来ナショナリズムとはごく心情的なもので、どういう人間の感情にも濃淡の差こそあれ、それはある。

自分の属している村が、隣村の者からそしられたときに猛然とおこる感情がそれで、それ以上に複雑なものではないにしても、しかし人間の集団が他の集団に対抗するときにおこす大きなエネルギーの源にはこの感情がある。

この心情の濃淡は知性とは無関係で、多分に気質的なものであろう。

蔵六は、それが濃厚な男であるといえた。とくに年少のころからかれは他国を転々とした。豊後《ぶんご》日田の広瀬淡窓《たんそう》塾、大坂の緒方洪庵塾、そして宇和島といったぐあいに他国人とまじわるうち、いやがおうでも自分の国という意識が濃くならざるをえない。

この時代、ひとびとは初対面のあいさつに郷国をきいた。

「貴殿は、いずれの国でござる」

と問われると、蔵六は周防でござる、と答える。周防国は、長州藩領である。

「ああ、長州か」

と、ひとはいう。蔵六は、他国を転々としたために長州人としての意識を、その藩国に住むひとびと以上につよく持った。この徳川の世というのは、三百ちかい藩国があつまって「天下」を形成している一種の国際社会である。他国へ出れば自国への思いがつよくなるのが自然であるように、蔵六は長州への思いが深くなった。ところがかれは自国の長州では百姓身分で、藩という行政体に参加していない。その点、さびしさがあった。

「幕臣よりも長州藩士になりたい」

という、立身出世の損得勘定からゆけばおよそ計算にあわない蔵六の志望は、そういう素朴な情念から出ていた。それが素朴な情念であるために、蔵六の場合、ぬきさしならぬほどにつよい。

――では、どうすれば長州藩士になれるか。

というこっけいな問題があった。長州藩は蔵六に対してきわめて鈍感であった。蔵六自身から接近するしかないであろう。

蔵六はそれをぬけめなくやった。

——村田はどうも、自分自身の始末については無頓着《むとんちゃく》だ。と、師の洪庵がいったことがあるが、たしかに蔵六は自分を宣伝したり売りこんだりするようなことは、生涯しなかった。

ただひとつの例外は、この時期である。この時期にやっている。

「父の病気看病のため」

と、幕府にとどけ出てかれは西へかえったが、大坂から船にのり長州藩領に入ってからのかれの旅行コースが奇妙であった。かれの郷里の鋳銭司村は瀬戸内海岸である。そこへかえるのなら、三田尻（防府《ほうふ》市）で船をおりればよい。ところがかれは通りすぎ、下関までゆき、そこから北前船（日本海航路の船）にのりかえて日本海へまわり、藩都の萩へ入ったのである。とほうもない遠まわりをした最大の理由は、

——長州藩の要人に接触しておきたい。

という志望があったためであった。蔵六のような無愛想な男だけに、いじらしいような努力であった。

ところで蔵六が考えている要人とは、御一門や世襲家老のようなものではなかった。その種の藩貴族は、どの藩でもそうだが、実務能力をうしなって飾りびなのようになっている。蔵六が接触しようとしているのは、高は百石そこそこ、年は二十五、六の

若者だった。桂小五郎である。

桂は、江戸で諸藩の憂国家と交際してすでにこの安政五、六年の時期には長州では桂、といわれるほどに一種の名士になり、藩でも桂の発言はいちもくおかれるようになっている。蔵六が、数ある長州藩士のなかからこの桂をえらんで接触しようとしたのは、かれが元来ものごとの本質を見ぬく目をもっていることとつながりがあるらしい。

桂が帰国していることも、すでに江戸を出発するとき、桂が一時入門していた江川太郎左衛門からきいて知っていた。

桂のこのときの帰国は、結婚のためであった。帰国後、同藩の宍戸《しど》平五郎のむすめお富と結婚した。ついでながらこの妻は早世する。

さらに帰国後の桂の日常は、かれの師匠にあたる吉田松陰との接触が多かった。松陰はこのころ藩の獄にいた。この時期、松陰の学塾である松下村塾《しょうかそんじゅく》の塾生たちは一様に政治活動をはじめ、過激化し、藩内における政治思想団体として成長しつつあった。

蔵六は萩に上陸すると、城下江戸屋横丁にある桂の屋敷を訪《と》うた。

むろん、あらかじめ下僕の戻次に手紙をもたせて訪問の可否を問うてある。桂はむろん待った。

桂家のひとびとは、幕府の講武所教授という、とほうもない顕官をこの家にむかえることで、さわいでいた。しかもその顕官が、

――御領内鋳銭司村の百姓の出らしい。

ということで、さらにおどろいてしまっていた。

この桂は、実父の和田昌景《まさかげ》の家にすんでいる。昌景は医者であったが、嘉永四年に死んだ。医家であったためやや特別な構造になっていて、玄関が左右ふたつある。患者のための玄関と、他の客のためのそれとであった。蔵六はその正客用の玄関を入りながら、

(ああ、ここも医者であったか)

と、きもちが楽になった。

桂は、式台まで出て蔵六をむかえた。ひどくいんぎんな物腰で、蔵六を客室に案内した。

蔵六が、上座である。双方あいさつをした。桂は齢若《としわか》ながら、すでに老成の物腰がある。蔵六が意外におもったのはちかごろはやりの志士というものの類型とはちがった人物で、肩をあげて激越なことばを吐くというところがなく、うまれながらの長者というふうがあった。そのくせ大きさを感じさせるというところまで至らないのは、

その秀麗な容貌《ようぼう》のどこかにかげをつくっている憂愁のにおいがそうさせるのかもしれない。

ついでながら、桂は長州藩における最初の憂国家グループに属している。松陰の弟子というより友人というふうな存在で、早くから私費で剣術修業のために江戸へ出た。たちまち斎藤弥九郎道場の塾頭になったから、剣客としては一流の才質があったのであろう。が、桂を剣術以上にとらえたのは、海防問題であった。かれは斎藤道場にかよいながら、一方江川太郎左衛門の塾に入って西洋兵術をまなんだりしたあとで、幕吏中島三郎助について艦船製造の術をまなんだのもそれであった。

かといって、かれは江川の学問も中島の技術も身につけるほどにはいたらなかった。本来技術者ではなく、政治家たるべき人物であったにちがいない。藩もまた、桂に対し、そういう面を期待した。桂は他藩士とさかんに交際し江戸においてはあたかも長州藩の下級外交官であるような存在であった。

桂は、幕府の立場からいえばいわゆる過激派であったろうが、しかしよほど精神の肉質のあつい男で、物事に過熱するところがなく、調整能力に富み、長州藩の名物ともいうべき藩内過激分子をよくおさえ、かといって親分といった位置にはつかない。さらにいえば桂は松陰のような思想家でもなく、松陰門下の若いひとびとに共通するイデオロギーの殉教徒風でもなく、また高杉晋作のような天才の栄光を負った戦略家でもない。親切で世話ずきで実務的で、物事をひろい幅で考えうる天成の政治家というのがこの人物であろう。蔵六が、この人物と接触しようとしたことは、きわめて当を得ている。

桂は、蔵六に対し、自分よりも身分の上の人物として処遇した。これだけでも、萩の他の武士ならできにくいことであったろう。おなじ長州藩という立場では、蔵六の生家は百姓身分にすぎないからである。

蔵六が、この長州藩の青年政治家にもちこんだ話題というのは、日本海にうかぶ無人島のことであった。

その小さな島は隠岐島《おきのしま》から西北百五十八キロの海上にある。

「竹島」

と、漁民たちからよばれていた。

この島は、朝鮮でいう鬱陵島《うつりようとう》とよくまちがわれるが、そうではない。この島は島のかたちをなす東島と西島を本体とし、その付近の岩礁《がんしよう》をふくめて「竹島」と称される。風浪がつよく、このためわずかに島の上に草がおおっているにすぎない。この島の存在は豊臣期に発見され、山陰地方の漁民が漁場としてひらいた。島には水がなく、人の居住をゆるさないが、漁場としての価値が大きい。が、いったいこの無人島が日本のものであるのか韓国のものであるのか帰属がはっきりせず、江戸初期、日韓外交の一課題としてしばしば揉《も》め、明治三十八年やっと日本領になり、島根県隠岐郡に属したが、第二次大戦後、ふたたびややこしくなり、韓国が主権を主張し、いまなお両国のあいだで未解決の課題になっている。

幕末、海防が時勢の大きな課題になるや、この島の領有を明確にすることがやかましい問題になり、土佐藩士岩崎弥太郎がここへ探険に出かけたこともある。

この蔵六の時期は、岩崎の探険よりずっと前のことである。ただし蔵六が先覚的にいいだしたのではなく、蔵六と同時代人で長府藩（長州藩の支藩）の侍医であった興膳《こうぜん》昌蔵《しょうぞう》が先唱者だったといっていい。興膳は京都の人だが、シーボルトについて蘭方医学をおさめ、長府藩の侍医になった。かれの家はかつては長崎で代々貿易商をいとなんでいたため、東シナ海や日本海の事情にあかるく、竹島のことも家系伝説としてふるくからつたわっていた。

「竹島を堂々たる日本領にせねばならぬ」

というのは興膳の持説で、吉田松陰もこの説をきいて大いに賛同したことがある。後年松陰の門人の高杉晋作が、

——奇兵隊をもって占領しよう。

といっていたが、藩内の動乱のためにそれどころでなくなり、さらに興膳昌蔵自身も、あるつまらぬ事件にまきこまれて暗殺されてしまった。蔵六は興膳とはべつに江戸において竹島という日本海の孤島の存在を知った。

——これは長州藩領にしたほうがよいのではないか。

とおもい、桂にそれをすすめたのである。

さいわい、桂も松陰からその問題をきいていた。蔵六は講武所でうつした日本地図をひろげ、竹島の所在を示し、その島についてかれがしらべたところをすべて話した。

話は、それだけであった。

桂の新妻のお富が茶菓をはこんできたときは、蔵六はもう立とうとしていた。雑談のできぬ男で、話がすめば容赦なく立ちあがってしまう。対面は、それだけであった。が、この両人がたがいに知ったということは、大げさにいえばその後の日本歴史にかかわる事件であった。

あっけないといえばこれほどあっけない対面はないであろう。蔵六はわざわざ日本海まわりの北前船にのって萩まできた。めざすのは桂小五郎であった。ところが「竹島」の話をしてしまうと、さっさと辞去してしまった。

（変った人物だ）

と、小五郎はよほど強烈な印象をうけたらしい。

——あのぶあいそうさはどうだ。

と、桂はおかしかった。しかし長州藩領の領民が、幕府の官学教授になっているというれしさは、桂にとって躍りあがりたいほどのものであった。この時代のひとびとの郷土愛もしくは愛藩の情というものは、明治後藩が解体して内国的にインターナショナルの世界になったのちの日本人からは、想像を絶した深さがあった。なにしろその情のためには命をすてるという時代である。

「長州にも、えらい人物がおる」

という旨《むね》を、桂は藩内の同志や有力者に手紙をかいた。元来長州人は文章をかくことがすきであり、同志や友人とのあいだの手紙の往復がじつにひんぱんで、このため領内の街道にはそういう書簡の束をかかえた飛脚問屋の人夫がとびまわっている。藩内での情報交換や江戸や京都からの情報吸収の能力の高さは長州藩がどの藩よりぬきんでていたが、これはもともとこの長州人たちの共通の性癖というものであった。が、この共通の性癖が、のちにこの藩を機敏にし、時勢への反応をするどくしてゆく大きな理由になってゆく。

桂は、蔵六のことを藩政務役（閣僚）の長井雅楽《うた》にも手紙でおくり、年下の同志である久坂玄瑞にも書き送った。来嶋《きじま》又兵衛という男にも書いた。

といって、桂はまだ村田蔵六の人物のすべてがわかったわけではない。

——わが長州から、幕府の蕃書調所と講武所に出仕している人物がいる。

ということが桂のおどろきであり、その驚きをつたえたにすぎず、竹島の一件なども桂にとって事あたらしい意見ではなかった。蔵六のほうでも、桂に会うための話題としてそれをもって行ったにすぎない。

ところで長州藩のこの時代での特徴は、藩内からうずもれた人材を発掘することに躍起になっていることであった。伊藤博文などは父は百姓あがりで、かれは少年のころ中間のような仕事をした。そのような卑賤の身から、藩士になった。

「村田は長州の出だ。ぜひ会いにゆけ」

と、桂が江戸の友人にまで知らせているのは桂のおもしろさというより、この藩の気分というものであった。

蔵六が鋳銭司村に帰省中、妻のお琴について意外な面を知った。

「村田のゴォさま」

ことばだろうか。奥さまという意味である。ゴォさまとは、御寮人《ごりょん》さまからなまったことばだろうか。奥さまという意味である。

蔵六から送金があると、必要な経費ぶんをのこし、あとは困窮者を援助したり、村びとたちにふるまったりすることにつかった。

(お琴はどうも意外な面がある)

と、蔵六はそのことがおもしろく、お琴に新鮮さを感じた。

そのくせ蔵六は、藩などの大きな経理にもあかるく（その能力をついにかれは生涯発揮しなかったが）、また自分一個の収支もじつに堅実で、つねに金銭出納簿をつけ、一文の銭もむだにつかわなかった。かれの経理能力がいかにすぐれているかといえば、のちに戊辰戦争をかれが指導してゆくとき、つねに戦争経済を考え、たとえば上野の彰義隊攻めにいくらかかるかということまではじき出し、いくらほどで敵の戦闘力をうばってしまうかということまで概算した。

そのような、いわば越後屋の番頭のような能力のこの人物が、たれがみても無意味とおもわれるお琴の浪費について、それを叱《しか》らぬばかりか、ひそかにそのことに妻のあたらしい魅力を発見した気になったというのは、測りがたい矛盾である。矛盾こそ人間のおもしろさかもしれない。

くりかえしていうようだが、蔵六は、金銭出納簿をつけるのがすきである。かれのこんどの長途の旅行にしても、江戸から国もとまでのあいだの旅日記は、ぜんぶ、金銭の日記であった。旅の感想もなにも書かれておらず、毎日の入費をこくめいに書いただけの、つまり数字だけの日記であった。

その蔵六が家郷にかえって妻の経済生活のしかたをみたとき、

(それでいい)

と、むしろ大悟するようなあざやかさで思った。かれと妻のあいだには子がなかったから、子孫のことは考える必要はない。

(小さな墓石を一基、それを買えるだけの金をのこして、一生を終えればいい)

と、蔵六はそうおもった。お琴は身辺をかざることに金をつかわなかった。ひとにふるまったり、人を救援したりすることで金を散らしている。蔵六は、

「お琴、おまえはえらいところがある」

と、ある夜、ぽつりといった。例によってそれだけいっただけだったから、お琴にはなんのことやらわからず、自分のえらさはどこにあるのだろうと、その後しばらく考えた。

蔵六は、このとし安政六年二月のはじめ、ながい休暇をおえて鋳銭司村を発《た》った。

蔵六はやはり宇和島が恋しかったにちがいない。幕府の官吏としてここは多少いかがわしいが、「まだ病気中」ということにして、江戸へまっすぐ帰らなかった。蔵六にもそういうところがある。

宇和島へむかった。周防から四国へわたるとき、船の胴ノ間で隣りあった博多の商人が、

「宇和島とは、島でございますか」

と非常識なことをきいてきたので、蔵六はひどく気をわるくした。蔵六にとってすでに宇和島は第二の故郷のような存在になっており、かれの想念のなかでのあのきらびやかな十万石の城下は、自然と人情がうつくしいばかりでなく、江戸などよりもずっと人材に富んだ町であるようにおもっていた。藩主の伊達宗城、家老の松根図書《ずしょ》それに二宮敬作や大野昌三郎などかれが接したひとびとはいずれも当代一流の人物であった。提灯《ちょうちん》張りかえの職人の身で蒸気機関をつくった嘉蔵《かぞう》などはもしヨーロッパにうまれれば一流の科学者になっていたにちがいない。ただ一様にいえることは、どのひとびともひと前に張り出して自分を誇示することをせず、それがために天下に知られずにおわっているひとが多い。二宮敬作などはどうみても日本一の外科医であった。

それであるのに敬作は宇和島城下にすら住まず、卯之町という小さな町で漁民や百姓の腫物《はれもの》を切って暮している。

（ああいう土地は日本にいくつかあるかもしれない。津軽の弘前《ひろさき》もそうかもしれず、盛岡、西では石見《いわみ》の津和野、九州では佐賀などがそうだときいているが、宇和島はそれらよりも町の規模は小さく、外界から山をもって遮断《しゃだん》されているためその地名すら人に知られることがすくない。さらには世間へのさばってゆくという気風にとぼしいため、いよいよ知られない）

それだけに蔵六にとっては宇和島がいっそうに愛《いとお》しいのである。

「それでは、ぶしつけながらあなたさまは宇和島さまのご家中であられまするか」

と、博多商人はきいた。

「そうだ」

蔵六はいったが、この点かれの身分はやや不安定である。「とどめおかる」というごく暫定《ざんてい》的な嘱託であり、同時にかれは幕府の官学の教授でもある。しかしかれに士分の社会的地位をあたえてくれたのは宇和島藩であり、この藩の恩はわすれられない。

宇和島へ入る手前が、卯之町である。ここで二宮敬作の診療所に寄った。

敬作は狂ったようによろこび、早く患者の治療を片づけたいとおもった。そのため蔵六に手伝わせた。蔵六は九歳の男の子の鎖骨の骨折の手当と、婦人の腰の腫物《はれもの》の処置をしてやった。

あとは、酒である。

イネが、長崎へ帰ったという。

「あの母親が、うるさいのだ」

と、敬作はいった。しかしイネは江戸へゆきたいといっていたという。江戸の鳩居堂で蔵六の講義の手伝いをしたいというのである。

「鳩居堂は、大坂の適塾をしのぐほどのにぎわいだそうだな」

「しのぎは致しませんが、なにしろ江戸は諸藩からくる学芸修業の書生が充満しているところで、入門の志願者だけは多いようです。しかしいずれも初心者のみで、塾頭（助教授）とか塾監（助手）といった者がすくなく、とても適塾の堂々たる学風にはその足もとにもおよびません」

「あたりまえのことだ」

敬作は、ずけりといった。第一、洪庵と蔵六では師匠としての重味がまるでちがう、とむきだしにいった。蔵六もむろんそうおもっているし言われても気分はわるくない。が、蔵六は洪庵と自分とをくらべて鳩居堂のことをいっているのではなく、学塾というものは新規開店の塾ではとてもだめだということをいっているのである。最低十年はかかる。その歳月のなかで英才をそだて、それらのなかから塾頭を選抜し、塾頭以下の諸役を充実させてはじめて入門者が満足できる塾になりうる。

「洪庵先生の適塾にはなかったことですが、初心者の大半が逃げだすのです」

初心者の世話をしてオランダ語の初歩を手ほどきしてやる中堅級の塾生の数がほんのすこししかいないためであった。

「長州の久坂玄機をごぞんじですか」

「知っている」

と、敬作はいった。若くしてきこえた人物だったが、早世した。その弟の久坂玄瑞という者が長州藩の下級藩医である家を継ぎ、蘭方を勉強すべく江戸へ出てきて鳩居堂に入った。しかし初級をおしえてやる先輩がいなかったせいもあってすぐ退塾してしまった。蔵六がそのことをいうと、

「長州のやつは政治がすきだからな、それに浮かれたのだろう」

と、敬作はにべもなく言い、言ってから蔵六が長州藩領の出身だと気づき、

「尊公はべつだ」

といった。理由は百姓だから、という。いわれてもべつに腹がたたないのは敬作の

人柄が人柄である上に、敬作も土くさい庶民の出だからでもある。

「しかしいまとなってみれば長州藩は尊公に目をつけなかったことをくやしがっているだろう」

と敬作はいったが蔵六はおもわくがあるためにあえて乗らず、話題をイネのことに転じた。

「鳩居堂で手伝ってもらうことは右のような事情でありがたいのですが、しかしイネどのはもはや独立できます。長崎で開業なさるということでいかがでしょうか」

と、ふといってみた。が、こんどは敬作が乗らず、長崎はだめよ、これからは横浜だ、とそのあたらしい開港場の地名をあげた。たしかに横浜はいま爆発的といっていいほどの発展をとげつつある。それに江戸にちかい。江戸に近ければ尊公の監督がきくからいい、と敬作はいった。

運　命

蔵六は結局三カ月あまりも宇和島にいた。なにしろ「病気」と称しての休暇中だから、宇和島ではなんの用もない。

「日月《じつげつ》閑々としてゆく」

と、蔵六は毎日、楽しげにそう言い、旧知と学問のはなしをしては酒をのんだ。このころ、安政ノ大獄(志士への大弾圧)が進行しようとしていたが、そういう時勢は蔵六には無縁であった。

「宛然《あたかも》仙境にあるがごとし」

とは、大げさすぎる述懐かもしれないが、蔵六にとっては実感であった。宇和島は蔵六にとって日月をわすれさせる仙境であった。それに、蔵六は十代のころから懸命に習学をつづけてきて、どれほどの余暇ももたなかった。ようやく三十を越えてひとにぬきんでることができ、その得た技術がかれをさらに多忙にし、とくに江戸においては身が三つあっても足りないほどの毎日をすごしてきた。ということであったから、この宇和島における三カ月は、かれの生涯のなかで唯一《ゆいいつ》の閑日月といってよかったし、またかれのようなはたらき者にとっては、はじめて発見したといえるほどのよろこびであった。

親友のひとりである大野昌三郎は、藩命による英国留学の用意をしていた。洋学者大野にとって不安があったのは、「夷狄《いてき》のこと」であった。

この場合の攘夷とはロンドンの街路においてその英人を斬ってすて自分もその場で腹を切ることだ、と蔵六はいった。その個々の気概だけが、ひよわい日本国をして世界に立たしめる道である、と蔵六はいうのである。

蔵六が江戸に帰ったのは、六月十六日であった。この蔵六の旅の時期、長州藩の政治犯吉田松陰をのせた檻車《かんしゃ》が幕命により萩《はぎ》の獄舎から江戸の獄舎へ移らされるべく東海道をすすみつつあるときであった。しかし長州藩士ではない蔵六はこの事実も知らない。

「赤鬼」

と、ひとびとがひそかによんでいた幕府の独裁的な権力者井伊大老の弾圧は、公家《くげ》や親王、大名から諸藩の憂国的行動家それに浪人学者にまでおよぼうとしていたが、蔵六は志士といわれるグループとはつきあったこともない。

東海道は晴天つづきで、途中、名所旧蹟《きゅうせき》を見物しつつ、たっぷり日数をかけて江戸についたのである。

鳩居堂《きゅうきょどう》では、門人たちが待っていた。かれらは井伊弾圧政治についてひそひそと語りあっていたが、蔵六はなにもいわない。

井伊直弼《なおすけ》という人は、勅許をへずに外国と通商条約をむすんで日本の開国への道をひらいたということで、尊王攘夷という時代精神から攻撃をうけたひとであったが、だからといってこのひとのおかしさは開明家でもないことであった。それどころか、西洋ぎらいであった。

たとえば蔵六がつとめている幕府講武所には、洋式兵術部門と、日本式の剣道や槍《そう》術《じゅつ》の部門とがある。井伊はやがて、

「日本は古来の刀と槍《やり》の技術をまなんでいるだけでよい」

として、洋式部門を縮小しようとする人物なのである。それからみればいかなる攘夷家よりも保守的な攘夷家であり、また幕府の外国方（外務省）に対しても冷淡で、外国方につとめている洋学者からはほとんど憎悪《ぞうお》をもってみられていた。井伊は要するに日本国の将来の命運についての遠大な見とおしがあって安政ノ大獄をやってのけたのではなく、幕府権力の威を家康のむかしにもどしたいという、ただそれだけの構想と情熱によってこの大獄をやった。幕臣のなかにはこの井伊の政策をよろこぶ者があり、

「京の天子といえども幕政にはくちばしをいれることは許されないというのが権現《ごんげん》さま（家康）以来の天下の法である。まして公家や外様《とざま》大名、それに浮浪の徒が、幕政

についてあれこれと横議することのまちがいをこれで骨身にこたえてわかったろう」

と、蔵六がいる講武所でも言う者があった。

（そろそろ講武所から身をひこうか）

と、蔵六がおもいはじめたのは、井伊のやりかたやら、安政ノ大獄で同窓の橋本左内が刑殺されたことやらが入りまじっていやけがさしてきたといってよく、気分のことだから明快な理由があってのことではない。だからすぐには辞めていない。

――長州藩につかえたい。

という蔵六の気持は、この暗鬱《あんうつ》な井伊直弼の大弾圧時代に江戸にもどっただけに、いよいよつよくなった。

かれの生涯でもっとも可憐《かれん》な手紙が、この時期に書かれている。江戸へかえって一週間ばかりたってからのことで、まだ長州萩にいる桂《かつら》小五郎にあてたものであった。

直訳すると、

「おいおい酷暑の季節が近づきますが、いよいよご機嫌よくお勤め遊ばされ、珍重に存じ奉ります。さて萩へ出ましたときはひとかたならずお世話に相成り、いろいろ御配慮をうけましたこと、かたじけなく存じ奉《たてまつ》ります。さっそく書信をさしあげるべきところ、旅行中とりまぎれ失敬つかまつりました。宇和島滞在がだんだん延び、ようやく今月十六日帰府いたしました」

というもので、内容はあいさつ程度のものであり、儀礼にすぎないようでもあるが、蔵六としては自分の郷国の藩のわかい要人とのつながりを大事にしておきたいという気持があってのことであったにちがいない。

一方、桂のほうは萩にとどまっていたのは数カ月にすぎなかったが、この期間、多くの遠来の客があった。江戸の剣術の名門で桂がかつてそこで塾頭であった斎藤弥九《やく》郎《ろう》道場から、弥九郎の次男の歓之助が門人十数人をつれて萩へやって来、桂に面会したり、作州津山藩の剣客井《い》汲唯一《くみただいち》も門人をつれて来訪、桂を通じて長州藩士との公開試合をのぞんだりした。桂は当時二十六歳であったが、すでに長州藩の外交官といったかたちで、藩も世間もかれを重んじ、このため来客の応接にいとまがない。そのうえこの妻帯早々のころ桂はずっと微熱がつづき、気分がさわやかでない。萩の医師にみてもらうと、これは大事をとったほうがいいというので、付近の温泉場へ出かけ、湯治したりした。その湯治場まで客がおしかけてきた。あれやこれやのいそがしさで桂の頭のなかから蔵六についての印象がうすれはじめており、蔵六が江戸から発した礼状をみたとき、

(ああ、あの洋学者か)

と、あらためておもいだしたような恰好《かっこう》であった。

（あの人物を、藩に近づけておけばどうだろう）

と、ふと桂もおもった。

長州藩は、水戸藩とともに危機意識のもっともつよい藩のひとつで、外国が侵略してきたときを想定し、攘夷のための軍備の整頓《せいとん》をいそいでいた。軍隊を洋式化しなければならないという気分もあり、多少手もつけていたが、なにぶん藩内にすぐれた洋学者がすくない。シーボルトの門人の青木周弼《しゅうひつ》がいる。この人はもう老齢で藩の医学館の教授をしていた。弟の研蔵も、シーボルトにまなび俊才ではあったが、その専門は医学にかぎられていた。ほかに身分はややひくいが東条英庵《えいあん》もいる。東条は蔵六とは適塾の同窓で、目下江戸にいた。が、東条もまた専門は医学のみにかぎられていた。

運命ということばは、ときにとって神秘でもなんでもない。蔵六はやがて長州藩に属する。つまりかれがそのきわめてアクチブ（活動的）な藩に所属したことによってかれ自身の運命と日本史に重大な変化がおこるのだが、それを近代日本にとっても蔵六自身にとっても「運命」といえばいえるであろう。ステファン・ツヴァイクは、運命ということばを愛し、その一瞬の火花にかぎりない文学的な、そして歴史的な感動をおぼえ、その一点にツヴァイクの真実への把握《はあく》力を集中し、それのみを主題にしたいくつかの作品を書いた。少年のころのこの稿の筆者はそのツヴァイクの作品に感動し、できれば自分も運命の観察者のひとりになりたいとおもった。

が、運命というこの神秘的なあるいは電磁性をもちすぎているこのことばに手ばなしに感動してしまえば、ものごとをみる目がすべてかすむであろう。この稿の筆者は、この稿をかくについても、そのことを抑制し、できるだけ「運命の一瞬」というこの魅力のある、神秘的なものに対して冷淡さをもちつづけようとしている。

蔵六は、じつはあきらかな意識をもって、しかもひそやかな政略をもって長州藩に近づきつつあった。しかもそこは蔵六らしいことに、きわめてその息づかいはさりげない。

長州藩の若い実力者である桂小五郎は、結婚のための休暇と病気療養のために国もとにいる。桂は、江戸の桜田藩邸に同志が多くいる。

「長州のうまれで村田蔵六という人物が、幕府の教官をしている。諸氏はそれをご存じであるか。もし知らずしてあれだけの人物を捨て見にしてすごしているのは藩の恥であり、これほど惜しいことはない」

という旨《むね》の手紙を書いた。蔵六が江戸から出した礼状によって桂の記憶が刺激されたのである。

時勢が、洋学者をもとめている。幕府も先進藩も、あらそってそれをもとめていた。しかしその数はきわめてすくない。長州藩などは、まだ吉田松陰が活動していたころ、洋式兵学者である佐久間象山に師事し、象山の大経綸《けいりん》に心酔しきった。ついには象山を長州藩にまねこうとしたが、象山にはその意思がなかった。ついで土佐藩も象山をまねこうとした。象山は一笑に付した。象山はそういう諸藩の師になるより、天下の師になりたかった。

その象山は中年から独学でオランダ語を学んだのだが、語学力については蔵六のような正統に学んだ専門家とくらべればその足もとにもおよばない。象山の例でもわかるように、時勢の必要性というものを磁力とすれば、蔵六という存在はすでに強力な磁力を帯びていた。幕府が蔵六を大切にしているのも、運命ではなく、時勢である。桂の手紙も、その時勢の磁場のなかで江戸へ発せられたものであった。

ところで、長州藩には古くから洋学好みの伝統があった。ただ佐久間象山のようなすぐれた洋学者はいなかったが、それでも、この藩は家中の秀才のなかからそれを養成すべく努力している。

去年の三月からそれをやっていた。江戸の桜田藩邸にもうけられている学校「有備館」においてであった。

「蘭書会読会」

というものであった。

ついでながら蘭学の英才というものは、多くは小藩の士か庶民出身から出てきた。そのことはすでに触れた。これは一見奇現象といえる。が、そうでもない。大藩というものはそれそのものが官僚機構なのである。藩の秀才はみなよき位置の官僚たろうとつとめた。そのための学問は、伝統的な朱子学であった。朱子学とはきわだった論理家である朱子の手により、一個の世界観もしくは哲学として体系づけられた孔子の教えである。幕府はその初期からそれを官学とし、他の思想（たとえば陽明学）を異学とした。まして蘭学などは時代によって禁止されたこともあり、すじの通った家柄の武士ならほぼやらない。

「あれはデキモノ医者のやるものだ」

といわれていた時代がつづいた。デキモノとは腫物《はれもの》のことである。医学はほんの近年になるまでこの腫物というものを難物とした。ひとびとは腫物のためによく死んだ。腫物をあつかうのは、外科医であった。シーボルトの外科といえども、そのメスのおよぶ範囲はこんにちの外科のような広大なものではない。おもに腫物を切って処置するのが、その実務であった。腫物を切ることとその処置法は西洋のほうがすぐれていた。このため日本における蘭方医というのは外科医のことであり、外科医といえば腫物医のことであった。それやこれやで、蘭学をまなぶ者がすくなかったのは、むりもない。

幕府などは、いわゆる旗本八万騎（といっても実数は五万ほどだが）というほどの家臣をもっていながら、蔵六が蘭学を志した時期においてはほとんどがそれを学んでいない。幕末の幕府は、洋学が必要になってからにわかにそれを諸藩や民間からかきあつめ、幕臣にしたのである。

長州藩は、幕府とはくらべものにならぬにせよ、なんといっても三十六万九千石という大藩である。藩医も多くいた。もっとも本道といわれる内科医が多く「腫物医」はわずかしかいない。東条英庵、坪井信友、竹田庸伯《ようはく》などがめだっている程度であった。それらは純粋に医者であった。その三人が、江戸の桜田藩邸で「蘭書会読会」の講義をするのである。

それも、わずかに月三回であった。

「月三回で、なにがわかるか」

という声もあった。たしかにその程度のものは講習ともいえない。しかも講義に出る連中はあまり熱心ではなかった。この当時の長州藩の若い藩士の気風としてこつこつと学問をやるという気分がなく、政治熱にうかされていた。秀才ほどそうであった。この藩が出した不世出というべき思想家の吉田松陰でさえ、洋学の必要を感じ、それを学ばねばならぬとみずからを責めつつも、ついに学ばなかった。それがこの藩の気風であった。

「周弼先生」

といえば、長州藩では名医でとおっている人物である。青木周弼。その弟で同姓研蔵の名も、医家のあいだでは高い。

「青木周弼がいたために長州は恥をかかずにすんだ」

と、よくいわれた人物で、蘭学の必要が世間でやかましくいわれはじめたとき、長州藩は大藩ながら立ちおくれた。しかし周弼が老骨ながら存在していて、他藩の蘭学者がきたとき、応接した。長州藩は蘭学で立ちおくれたが、しかし時流に活潑《かっぱつ》な藩で、しかも物事を組織的にやることのすきな藩であるために、

――いっそ、藩で藩立医学校をおこそう。

ということになり、天保十一年（一八四〇）医学所（のち済生堂または好生堂）を設けた。周弼の献言によるものであった。しかしかんじんの館長の周弼は藩主の侍医として御殿のしごとにいそがしいし、ほかにいい教授がいなかったために、あまり成果はあがらなかった。

周弼は、蔵六とおなじく村医の出で、士分の出ではない。周防《すおう》大島の磯くさい里の出であった。はじめ萩に出てきて漢方をまなんだが、シーボルトが日本にきたというわさをきき、奔《はし》って長崎へゆき、その門人になった。蔵六のこの時期の蘭学界では「シーボルト門人」といえばもはや長老株といった年齢になっている。

周弼は研究心のつよい人物で、江戸へゆき、二人ばかりの師につき、そのあと長崎で町医を開業した。その後、長州藩がその名声をきき、藩に召し出したのである。藩は周弼を優遇した。はじめ二十石であったが、のちに百石とした。百石といえば長州藩ではたいそうな高等官である。

この周弼が、

「江戸の桜田藩邸で、蘭書会読会をはじめよう」

といいだしたのである。去年、それができるとすぐ周弼は藩主の帰国にしたがって江戸を去った。

ことしの六月、江戸へもどってきた。そのとき藩の蘭医の竹田庸伯や東条英庵が、

「村田蔵六という人物が、わが長州の出で」

というようなはなしをしたのである。周弼は大いによろこび、そういう人にぜひ講師になってもらわねば、といって、藩邸の重役連中に説くとむろん一議もなく、ぜひということになった。ところが、村田蔵六は幕府の教授でしかも宇和島藩の御用を兼ね、さらに加賀藩からも兵書翻訳をたのまれているうえに、自分の塾の鳩居堂をひらいている。

「きてくれるだろうか」

と、みなが不安をもったというから、世の中はそういうものであった。長州藩が不安がるほどに蔵六の存在は重くなっていたのである。このことは、藩における以後の蔵六の立場と関係がある。蔵六は新参でありながら、この藩で重視されたのは、接触の最初がそのようであったからである。

なにしろ、交渉の使者には、天下の大医である青木周弼が立った。

「月に一度ぐらいならば」

と、蔵六は出講することを約束した。それ以上の時間は、蔵六にはとてもとれない。

——汝《なんじ》ニ休息ナシ。

ということばが、西洋にあるという。歴史もしくは時勢の要求がその一身に集中している人物には生涯休息がないということを言ったものらしいが、蔵六は小さな、あるいは無名の存在ながら、その生活はそうであった。そういう多忙のなかから月一回長州藩邸にきてくれという。他の藩ならむろんことわったにちがいない。が、蔵六はひそかに胸をときめかせつつうけた。

しかも、

(長州藩は、将来とほうもない活動をする藩ではあるまいか)

とふとおもったのは、青木周弼という蔵六の専門分野での老大家が、みずから足をはこんで、蔵六のような若輩のもとに使いにきてくれたことである。人材をそのような態度でもとめている。蔵六は愛想をいわない男だが、このことだけは感動し、

「私のような、学問の後輩にわざわざ」

と、いうと、青木周弼は、いいえあなたは大公儀の教授であられるから、とさらりといった。周弼は長州藩でこそ身分の高い医官だが、幕藩体制の身分関係でいうと、旗本の礼遇をうけている蔵六のほうが階級が上なのかもしれない。かもしれないといったのは、このあたりの上下の差の解釈は、この時代でもはっきりしなかった。蔵六はいわば幕末に出現する新階級のひとであった。本来は無階級人(たとえば浪人医者)

でありながら、待遇は宇和島藩士兼幕臣なのである。蔵六のほんとうの姿というのは、自分の技術（翻訳技術）により大地にみずからの足で立っている自由な技術者であるといえた。蔵六の性格も、それにふさわしかった。

蔵六は、承知した。

これによって長州藩から、講師としての手当として、

「三人扶持《ぶち》」

が、出ることになった。

この扶持が出ることになったことについての長州藩の公文書には、

「蔵六」

と、よびすてになっている。村田という姓がついていなかった。姓は侍のものであり、百姓身分の者には特例のほかゆるされない。蔵六は故郷の藩では依然として内々、百姓身分であつかわれたことになる。むろん、そういう文書は蔵六の目にふれていない。

「蘭書会読会」

という会の場所が、蔵六がひきうけたころには、桜田藩邸から六本木にある麻布《あざぶ》藩邸にうつっていた。同邸の「得一亭」という建物がつかわれた。七月じゅう、蔵六は

一回だけ出講した。相変らずむっつりしていたから、麻布藩邸のひとびとも、

（実力があるらしいが、どうも妙な人だ）

という程度の淡い印象しかうけなかったらしい。蔵六をこの長州藩に濃厚にむすびつけたのは、他の事件である。


ある暑い日、蔵六が飯田町の蕃書調所《ばんしょしらべしょ》に出て、兵書の翻訳をしていた。翻訳といっても、かれ自身が和文に筆写するというものではなく、かれがあたらしい兵書を逐語訳しつつ、その日本語を二十人ばかりの講習生たちに筆記させるのである。講習生は、原則として、

「幕臣またはその子弟であるべきこと」

ということになっている。幕府が、家康いらい旧制のままにある自分の軍隊（旗本・御家人）をがらりと変えてヨーロッパ風の官僚体制もしくは軍隊にしようという歴史的な——とまでいえる——意図をもっていたことはこれでもわかる。これが、安政二年六月設立案が幕閣によって採用されたとき以来の方針で、これからみても、徳川幕府というのは決して頑迷固陋《ころう》ではなかった。薩長《さっちょう》など諸藩が洋式化にめざめて、徳川幕府のみが旧式軍隊と旧式官僚をもち、家康の創業いらいの体質のままでねむり

つづけていたということはあたらない。

むしろ幕府の指導者は、薩長の指導者よりも早くから開明的であった。蕃書調所の設立案が出たのは、安政二年である。その立案者は、大目付や勘定奉行級（本省の局長級）の秀才官僚たちであった。川路聖謨《かわじとしあきら》、筒井政憲《まさのり》、水野忠徳《ただのり》、岩瀬忠震《ただなり》など第一流の開明官僚たちで、ただかれらの不幸は、明治維新で幕府が敗者のがわに立ったためその業績なり苦心が歴史のなかに埋没しただけのことである。

余談がつづくが、かれら開明的な高級官僚が、幕臣の能力を変えてゆこうとしたその苦心のわりには、五万人もしくはその子弟をふくめると七、八万人になるかもしれない徳川家臣団じたいがいっこうに開明化しなかったことも事実であった。

「蘭学は、田舎者にかぎる」

ということが、当時いわれたということはかつて触れた。語学勉強というこの尋常ならぬ努力を必要とするものは、江戸っ子にはむりだという意味であった。幕臣の子弟である勝海舟が年少のころ、蘭学の先生のもとへゆくと、

「おまえさんは江戸っ子だろう。先例からみて江戸っ子でつづいたためしがない。やめておいたほうがいい」

といわれたことがあるという。結局は幕末、幕府はその軍隊を洋式化するにあたっ

て士官の多くは各藩から輸入し、歩卒は火消し人足などから募集し、かんじんの幕臣は幕府瓦解《がかい》のときにあたってもなんの役にも立たなかったというのは、ひとつには都会人という問題にもつながるものかもしれない。

ともあれ、蔵六はこれら幕臣の子弟を教えながら、失望するところが大きかった。しかし毎回謹直につとめた。

そういうある日、おなじ教授方の東条英庵がやってきた。

東条英庵は、蔵六にとって適塾の先輩であった。緒方洪庵《こうあん》が大坂で塾をひらいてすぐの入塾生で、英庵はかねがねこれを自慢し、

「私はなにしろ洪庵先生のお若かったころのお息吹《いぶ》きをうけている」

といっていた。若いということはときに価値であろう。洪庵は当時、学問としては未熟であったかもしれないが、英気はつらつとしていた。そのわかわかしい英気を、

「わしは全身に浴びながら育った」

と、英庵はいうのである。

東条英庵は、長州人である。しかも藩都萩の出身であった。蔵六のような田舎の村医あがりではない。東条家は、士分というほどの医家ではなかった。身分は「陪臣《ばいしん》」といわれている階級で、長州藩の譜代家老である右田毛利家といわれている家の侍医

である。それでも蔵六の出身よりいい。

英庵は、幕府が蕃書調所をひらくと、すぐまねかれ、長州藩に籍をおきつつもそこへ出仕している。要するに蕃書調所でも蔵六の先輩であった。

ついでながら、東条英庵はおだやかな人柄で幕府の御用をつとめて重宝がられているうち、のちにひらかれる海軍操練所教授にもなり、そのままずるずると準幕臣のようになり、長州藩と縁が薄くなり、幕府と長州とがいわゆる「幕長戦争」をやったときは苦慮しつつ江戸で幕府の禄《ろく》を食《は》み、幕府瓦解とともに英庵自身の社会的地位もなくなった。いわば「官軍」の敵として明治をむかえた。蔵六とおなじ洋学流行の波にのりながら、蔵六とはまるでべつな運命をたどった。

「たのみがあるのだが」

と、東条英庵は、萩によくある細面《ほそおもて》のおだやかな顔でいうのである。

「なんでしょう」

と、蔵六は、英庵が先輩であるため、ひざをただしていった。

「貰《もら》い子を殺した女がいる」

英庵は、いった。名はいわない。要するに乳呑《ちの》み子をもらい、その子の着衣を剝《は》ぎ、ときに養育費をとってはその子を殺してすてていた女がいるというのである。千住《せんじゅ》のあたりにすんでいた女無宿者で、年のころは三十七、八。

「それが、死刑に処せられた」

在獄期間がみじかかったため、あまり体がおとろえていない。骨格たくましく頑健な体をもち、婦人の体としては標準以上である。幕府としては、

——解剖《ふわけ》をゆるしてもよい。

という。なにぶん女の刑死者がすくないため、幕府の医官もよろこび、蕃書調所にいる教授たちも解剖屍体《したい》が手に入るなどめったにない機会だといって昂奮《こうふん》しているが、さて執刀の自信のある者がない。

「尊公はその点、適塾では内耳《ないじ》の解剖でひびいたご仁だ。ぜひたのみたい」

当日は、町医にいたるまでこの道の者があつまるという。やってくれるか、と蔵六にいった。

余談をゆるされたい。

医学のために人体を解剖するという人類が人類に対しておこなうもっとも高貴で、もっとも戦慄《せんりつ》的な実験精神についてである。この余談を読んでもらわねば、村田蔵六のちの大村益次郎《ますじろう》という人物への理解が、ややゆるむようにおもうのである。

日本ではじめて解剖をおこなっていわゆる「蘭学事始」をなしたのは、蘭方医の杉

田玄白らであるというふうに錯覚されがちだが、その栄光はややそれより先輩の漢方医山脇東洋《やまわきとうよう》（一七〇五—一七六二）にゆずらねばならない。日本人が、その合理精神と実験精神という点で、漢民族よりもむしろヨーロッパ民族に似ているということを考えるうえでは、蘭方医の杉田玄白を考えるより、漢方医の山脇東洋を考えるほうがいい。

「山脇東洋」

というのは京の人で、宮中の侍医をしていた人物だが、おそらく蔵六でさえ、かつてそういう大医がいたということを知らないであろう。

そのまえに、漢方医学をつくりあげた漢民族のほうはどうかと考えたい。

解剖の例が、宋《そう》の時代にある。ある医者が罪人を二日がかりで解剖した。その医者の表現では、

「五十六腹を剖《さ》いた」

という。五十六腹という数字は五臓六腑《ごぞうろっぷ》というふうに語呂《ごろ》あわせであり、科学的な数字ではない。この医者はこの解剖の結果、

「欧希範五蔵図」

という人体の内臓図を描きあげた。欧希範というりっぱな名前がついているため、

著者の名だとおもわれるむきがあったが、これは解剖された罪人の名であった。

この解剖医は、せっかく解剖していながらかれの医学観はすこしも変化していない。漢方医学というのは本来陰陽五行説という中国の古代哲学から出ているもので、それが原理となり、その原理で人体の摂理や諸病をすべて説明しつくすものであった。この大原理と、あとは歴史的経験による対症療法があるだけで、要するに大原理と大経験とが大あぐらをかいている。この宋の解剖医は、

「どうも大原理と実際の人体内部のすがたとはちがうようだ」

とおもったにちがいないが、しかしかれは大原理のほうへの忠誠心のほうがつよく、自分の目でみたものを信じなかった。かれは自分の見たものを、大原理である陰陽五行説にあてはめ、例によって五臓六腑十二経絡《けいらく》の関係で説明した。このあたり、あたかもマルクス史観のひとびとがすべての歴史と現実をその大原理でみようとする、従順で愛すべき精神に似ている。

が、おなじ漢方のながれを汲《く》む山脇東洋はまったくちがっていた。かれは漢方医でありながら、原理そのものに疑問をもった。

このあたりに江戸日本人の合理主義というものの明確な所在を、漢方医山脇東洋においで読者に察してもらわねばならない。

東洋は若いころ、

「カワウソの内臓が人体に似ている」

ということを聞き、何度もカワウソを解剖してみた。ところが独り怪しむ（どうもおかしい）とくびをひねらざるをえなかったのは、カワウソには大腸と小腸の区別がみつからなかったことであった。

こういう東洋に人体解剖の合法的機会（むろん日本史上最初）があたえられたのは、宝暦四年（一七五四）である。

このころ東洋はすでに宮中の医官として最高位にちかい法眼《ほうげん》の位にあり、京のひとびとから、

「養寿院法眼さん」

とよばれて、いわば日本の医家としては最高峰にあり、齢《とし》も五十であった。余生に安住してもよいのになお青年のような実験精神に燃えていたことは、驚嘆すべきことであった。

幕府はかれに解剖をゆるした。京の西郊で死罪に処せられた嘉兵衛《かへえ》という三十八歳の男の屍体で、東洋はこの人物に「屈嘉《くつか》」という号をつけ、あとあとまで聖なる人として祀《まつ》りをたやさなかった。

東洋はこの解剖による所見をすべて、

『蔵志』

という著書に書いた。従来漢方でおしえられていた人体の構造にずいぶんあやまりがあることを知った。

「気道が前にあって食道は背後にかくれている」

ということすら、このときわかった。こころみに竹の管をもって気道に空気を吹き入れると、両肺が伸張しセミの翼のようなかたちになるということも、わかった。

東洋のころには、すでに西洋の人体解剖図や医書がわずかながら日本に入ってきており、東洋は若いころそれをみて、

(どうも漢方で教わったものとちがう。すると東洋人と西洋人とは人体として異なるものがあるのか)

とおもったりして多少気がかりになっていたがこの解剖によってすこしもちがわないということがわかった。

「尭《ぎょう》(古代中国の聖王)の内臓も桀《けつ》(古代中国の悪王)の内臓もおなじである。日本人も蛮人(西洋人)もみなおなじである」

と、書き、さらにかれは、おどろくべき哲理に触れた。

「原理というものを優先して実在を軽視すればよき智恵《ちえ》も曇る。原理にあわぬからといって実在を攻撃することはいけない」

東洋の生年は村田蔵六のそれより先だつことほぼ百二十年である。

蔵六は、東条英庵に、

「他に人がありませんか」

と、念のためにきいた。幕府官許による解剖だから、当然、執刀者の人選には事欠かない。江戸の蘭方の権威をことごとくあたったにちがいない。東条英庵はそこのところをくわしくいうと他人をそしることになるから、ただ、

「諸権威はみなあなたを推薦するのです」

とだけいった。たれも自信がなかったにちがいない。江戸では人体解剖などここ数十年絶えてなく、江戸の諸権威にもその経験がない。

ただ大坂の適塾だけは、町奉行所の黙許で囚人解剖をし、日常の課目としてはさかんに動物解剖をやった。そのことは天下によく知られていたし、蔵六が、小さくて複雑な内耳の解剖に長じているということも、一部では知られていた。

「処刑は三日後でござったな」

「左様」

と、東条英庵がうなずくと蔵六はわるい癖で、じっと英庵の顔をみつめた。英庵に関心があるのではなく、婦人の解剖のことを考えている。蔵六は自分の執刀で婦人の解剖をしたことがなく、とくに今回は婦人だけがもっている諸器官の解剖で、このため幕府の官医、諸藩の藩医、町医にいたるまで江戸中の産科医がそれを見学するという。

やがて蔵六はうなずき、

「やってみましょう」

といったときのこの男の大胆さは、かれがその生涯で何度かこの調子で乗りきったその決断のなかでももっとも大きなものだったにちがいない。

蔵六は、幸い蕃書調所に出仕している。そこには幕府の費用で買ったおびただしい数の蘭書があり、そのなかの解剖学に関する書物を、書庫からひきぬいてきた。

それを読み、自分の意見も入れてノートをつくった。そのノートはそのまま書物として初心者の手引になりうるもので、蔵六は、

「解剖手引草」

という題をつけた。解剖にのぞむときこの書物をもってゆき、これによって講義を

すすめるつもりであったが、しかしこのノートを作った目的は、講義よりもむしろ自分のあたまを整理するためであった。蔵六は動物の子宮や卵巣のことはよく知っている。かれの思考法はそれを基礎とし、解剖書やその図譜によって人体のそれと比較し、比較によって想像を鮮明にし、さらにその想像を的確にすることであった。

そのあと必要なのは、ごく少量の勇気だけであった。かれの大胆さは、つねにその作業と、天稟《てんぴん》の想像力でうらづけられているらしい。

「場所は、千住小塚原《こづかっぱら》です」

と、東条英庵はいった。そこは、刑場である。

この日、蔵六の姿は、

——あれは、どこの小大名の足軽か。

というかっこうで、小塚原へ行った。むろん、いつもの姿である。

まげは、小指ほどのものを頭上にのせている。この当時、若侍のあいだに講武所風という大たぶさの髪形が流行で、なかなか豪儀なものであったが、蔵六は流行に無関心らしい。またいわゆる志士のあいだで、

「諸大夫《しょだいぶ》まげ」

というものが流行した。武士は本来月代《さかやき》を剃《そ》らねばならぬものだが、しかしそれをせず総髪にし、がっしりしたまげをむすぶと、知的に見え、威もある。佐久間象山や桂小五郎、それに西郷隆盛などはこれである。

蔵六は、それもしない。月代をちゃんと剃って、貧相なまげをのせている。服装は、もめんである。

黒の綿入れの紋つきに羽織はかま。むろん、幕府機関の教授とはとてもみえない。この当時桂小五郎などはおしゃれで、日ごろ絹服を着ていたが、西郷のようなひとでさえ、これよりすこしあと、冬は黒ちりめんの羽織を用いていた。蔵六の質素は、おそらく蔵六が自分の技術について強烈な自信をもっているからであろう。

「変な男がきた」

と、解剖所で待っていた医者たちは、みなおもったらしい。解剖所は寺の境内を借りての野天でまわりに白の幕が張られており、人体は台の上に置かれ、白布がかぶせられている。

「私が村田蔵六です」

と蔵六がいわないものだから、東条英庵がかわってみなに紹介した。みなおどろき、蔵六に目をもって一同会釈《えしやく》した。

蔵六は、風呂敷《ふろしき》包みから解剖刀とかれが自編した「解剖手引草」をとりだした。それらを、解剖台の横の台の上においた。書物をひらき、絵図をひろげた。蔵六自身がオランダ書から筆写して着色したものであった。

刑吏が、白布をとりのぞいた。蔵六は、それにむかって一礼した。一同、蔵六のとおりにした。じゅずを持っている者が多かった。

「このひとは存生中《ぞんじよう》なにをしたひとかは存じませぬが、いま人間を救うべき医学のために貢献しようとなされておる。そのおこないは、すでに聖人である」

と、蔵六は、おおかたの誤解のないよう、他の医者にむかって小声でいった。蔵六の声がきこえず、うしろでのびあがる者もいた。

そのあと、蔵六が演じた所作は、大胆というほかない。

骨盤腔《くう》内に存在する女性生殖器を、みごとな手順でえぐりとった。上にあるのが、膀胱《ぼうこう》である。淡黄紅色を示し、風船のしぼんだようなしわがあり、尿がいくぶんのこっている。蔵六は自分の絵図と照合しつつ、膀胱でござる、と明晰《めいせき》に発音した。ほとんどの者にとって膀胱をみるのがはじめてであったのであろう、台のまわりにひしめいた。

蔵六は無表情で手をうごかし、適切に説明してゆく。膀胱のうしろ側にあらわれた

のが、しわひだのたくさんある箇所で、蔵六はしずかに、

「膣《ちつ》でござる」

と、説明した。

蔵六の解剖刀はさらにうごき、つぎにあらわれたのが外子宮口であった。それをさらにひらくと、小さいニギリコブシ大の肉厚の器官があらわれた。

「子宮でござる」

産科の医者たちにとってもっとも重要な器官であるため、背後の者は前列の者と入れかわり、全員が十分に見た。

子宮体部の両側にさらに刀《とう》を入れてひらくと、卵管があらわれた。

「卵管」

蔵六は、いった。卵管のそばに黄色い脂肪組織があって、淡赤色の卵巣がある。親指大の大きさであった。

「卵巣」

蔵六がいった。

この蔵六の解剖が小塚原の刑場でおこなわれたのは、安政六年の十月二十九日である。

偶然ながらこの日は重大な日であった。

この日よりも二日前の二十七日、その後の長州藩思想の大宗になった吉田松陰が、一連の安政ノ大獄による弾圧裁判により、伝馬町の獄舎において斬首《ざんしゅ》されたのである。死罪にするほどの罪状でなく、裁判にあたった諸役人もそのつもりであったらしいが、大老井伊直弼自身の政治裁断により死罪になった。

この松陰の死は、長州藩主以下をふかくいたませた。藩内の松陰の友人や門人は、せめて松陰の遺骸《いがい》を請いうけようとした。ふつう死罪人の死骸は小塚原に捨て埋めにされるのである。ひとびとはそれに堪えられなかった。

その遺骸もらいうけ工作のために、松陰の兵学の門下生である長州藩医飯田正伯《いいだしょうはく》は、獄卒のあいだをかけまわってずいぶん金をつかったらしい。やっと、

「二十九日早朝、小塚原回向院《えこういん》まで遺骸を入れた四斗樽《しとだる》をこっそり運んでくるから、うけとるように」

という内約が獄卒とのあいだにできた。飯田正伯は桜田藩邸へとんで帰った。たまたまこのころ出府していた桂小五郎に相談し、人夫をつれ、ともどもに小塚原へ行った。桂のほかに伊藤利輔《りすけ》もついてきた。利輔のちの俊輔《しゅんすけ》、さらにのちの博文である。

かれらはうまくうけとることができた。遺骸を清め、あたらしい大がめにおさめ、

回向院の墓地に幕府には内々で葬《ほうむ》った。

この帰路、桂小五郎は、おなじ小塚原で死囚の解剖をしている村田蔵六を見るのである。人間が人間に出あうことはこの世でもっともふしぎなことであろう。なぜならば、桂は蔵六をわすれていた。あのひとはどなたです、と人にきくと、

「蕃書調所の村田蔵六先生です」

といわれて、あっと思いだしたのである。蔵六の生涯のふしぎさの一つは、この松陰の埋葬日に桂に見出されたことにある。

桂小五郎、のちの木戸孝允《たかよし》の生涯というのは波瀾《はらん》に満ちている。しかしこのやや憂《ゆう》鬱《うつ》症的な体質をもった革命家の青春のなかで、この安政六年十月二十九日の一日の記憶ほど痛烈なものはない。

（あの日に、蔵六を知った）

と、桂の記憶では終生そうなっている。それ以前に蔵六が萩の桂家をたずね、その後礼状も出しているのに、桂の蔵六に対する記憶の出発は、この松陰埋葬の日からだった。

桂は吉田松陰とは三歳しかへだたりがなく、自然、松下村塾《しょうかそんじゅく》の門人ではない。少年のころ、松陰から吉田家の家学である兵学の講義をきいたことがあるが、弟子という

にはあたらない。松陰に対しては、

「兄事《けいじ》」

という関係であった。

桂は松陰のように観念を純化してゆくたちの人物ではなく、現実を多分に計算に入れた政略家的体質のもちぬしであり、元来松陰とは同質ではない。それだけにかえって松陰を半神的に敬慕するところがあり、そのくせ松陰よりもおとなびていて、松陰が観念を純化させて行ってついに、

「成功不成功は問わない。暴発あるのみ」

と、老中襲撃の計画をたてたとき、桂はそれを懸命にいさめている。

松陰はよく人をほめるひとで、友人や門人の長所を的確にひきだしてはそれをほめ、

「なかでも久坂玄瑞《くさかげんずい》と高杉晋作《しんさく》がもっともすぐれている」

などという意味のことをいっていたが、後世、松陰関係のなかでは最大の人物といわれるようになった桂についてはひとことも批評がましいことをいっていないのは、ひとつには桂がおとなすぎて、松陰にはこの種の男を論ずるのはにが手だったのかもしれない。

その桂が、いかなる他の門人よりも松陰に縁がふかく、その遺骸の始末までしたと

いうのは繰りかえすようだが縁というほかない。

獄吏が回向院まで四斗樽に詰めてはこんできた松陰の遺骸というのは、むごいものであった。刑吏が剝《は》いだらしく衣服は下着すらない素裸で、このため桂は自分のじゅばんをぬいで着せた。帯は、伊藤が自分のを解いてそれを遺骸に用いさせた。飯田正伯は自分の黒羽《くろは》二重《ぶたえ》の羽織をぬいで、松陰に着せさせた。首は、頭髪みだれ、顔面に血をかぶっている。桂は飯田とともに水をもって清め、飯田が頭髪をつかねた。そのようにして埋葬した。

「切歯慟哭《どうこく》、空をつかんで罵詈《ばり》す」

というのは松陰の弟子の佐世八十郎（前原一誠《いっせい》）が病床で松陰の刑死をきいたときの想《おも》いだが、桂もこの点かわらない。

こういう日に、おなじ小塚原刑場で、村田蔵六の解剖の風景を目撃したのである。まったく桂にとって尋常な日ではない。

桂が蔵六に驚嘆したのは、その風景であった。蔵六が、解剖刀をふるっている。いかにも知力が充溢《じゅういっ》し、しかも自分の思考した範囲内でゆとりをもってふるまっているというところから、自然な胆力がうまれ出ていて、それらが、蔵六とそのまわりの空気の密度まで高くし、その風景を一幅の名画のように美しくしていた。

（偉い男がいるものだ）

と、桂は、桜田藩邸にもどってからもその光景が、かれの心を律動させてやまない。

「あれは、松陰先生がうまれかわったのではないか」

と、この冷静で、三日に一度は憂鬱症におそわれる男にしてはめずらしく浮わついたことを言い、松陰門下の尾寺新之丞《しんのじょう》にも話した。

尾寺は、地味な若者である。まじめであるということ以外、とりえのない人物だったが、松陰はそういう尾寺からさえ長所をひきだして鼓舞している。松陰の教育法はそれであった。

「尾寺は毅然《きぜん》たる武士にして、またよく書を読む。しかしながら書物を諳記したりして学を誇ろうとするような方向はとらない。性格は朴訥《ぼくとつ》で、一見のろまのようにみえるが、つねに物事や時勢の遠い将来を考え、自分の気を振わせている」

と、松陰は評した。

尾寺は桂のことばをきき、じっと考えてから、ひどく不満そうな貌《かお》をした。尾寺にとって松陰は万世に一人の師であり（尾寺が松下村塾にかよったのは一年にすぎないが）村田蔵六なる医者が松陰のうまれかわりであるべきはずがない。

桂は、尾寺の表情からかれの感情を察し、急にことばを変えた。

「きょう、私は松陰先生の遺骸に接した。このため心気がたかぶっている。言うことがおかしいかもしれないが、しかしあの村田蔵六という人物には一種神韻《しんいん》があって、尋常の男には思えなかった」

「神韻」

尾寺はそのことばがひどく気に入ったらしい。

「松陰先生には、えもいえぬ神韻がござった」

と、いった。神韻とは、かれらが使っているこの場合、精神のリズムというか、接していておのずと感ぜられる人格的魅力ということなのであろう。尾寺は、神韻というような言葉は松陰のためにこそあると思っていたから、桂が村田某にはそれがあるといったとき、愉快でなかった。

桂も、わかっている。

蔵六と松陰とは、同じ人類とは言いがたいほどにちがった人間であることは、である。

が、桂はきょう松陰の遺骸を埋葬した。その現場で偶然女刑死人の生殖器を凜《りん》とした態度で解剖している男をみた。この二つの人間風景は、どこかで共通してかさなりあっているようにおもえてならないのである。

吉田松陰と村田蔵六という、死者と生者が小塚原刑場というおなじ場所で遭遇した。「遭遇」というこの単なる物理的現象を運命的なきずなとしてむすびつけたのは、桂小五郎のすぐれた人間眼であったというほかないが、桂はこのあと使いを蔵六のもとにやり、松陰の遺著の二、三を貸してやった。

ついでながら松陰が、明治の俳句復興者の正岡子規と似ている点は、まずその文体である。異常なほどにあかるいその楽天的な文体、平易な言いまわし、無用の文飾のすくなさ、そして双方とも大いなる観念のもちぬしでありながら、実際に見たものについて語るときがもっともいきいきして多弁になるという点などが共通していた。さらに子規が漱石《そうせき》にからかわれたように、ひまさえあれば文章を書いているというふうな点でも松陰と子規はそっくりであったし、また文体が、漱石のように簡潔でつよい調子ではなく、なだらかでやや女性的な点でも双方共通している。

もうひとつ余談をいわせてもらえるなら、松陰・子規ともに、この相似た文体のもちぬしが、その性情とどういう関係があるのか、双方とも近世日本が生んだもっともすぐれた教育者であることである。この点は、これ以上その理由をせんさくすればこじつけになるかもしれない。似ているということは単に他人のそら似であるかもしれず、あるいは将来、文章性格学といった学問が出現すれば、ひょっとすると解明されるかもしれない。

村田蔵六は、詩歌をつくるという才能はなかった。しかしわずかに文章は書けた。その文章から文章的好みを察すると、強い調子の漢文臭よりも優美な和文調を愛しているかのようであり、その点、松陰の文章がもっている嫋《たお》やかさが気に入った。が、なにが書いてあるのか、さっぱりわからない。

「留魂録」

という、松陰が門人たちにあてて書いた遺書も、借りたなかに入っている。ついでながら、松陰は、文章を不特定大衆にむかって書く、つまり刊行するという目的で書いたことはほとんどなく、ふつう特定の人、たとえば父母や兄妹、師や先輩、門人などにあてたものばかりで、その関係者でなければわからないものが多い。

「留魂録」は、伝馬町の獄中で死のせまるのを知った松陰がほぼ同文のものを二通り書き、同獄の囚人にことづけ、その囚人によって長州藩医飯田正伯に手わたされた。いまひとつはやはりこの囚人によって明治初年、松陰の門人で当時神奈川県令だった野村靖に手渡された。蔵六が読んだのは前者を筆写したものであった。むろんこの時代、政治犯人の遺書など他見をはばかるものであるのに桂がとくにそれを読ませてくれた。蔵六は松陰を十分に知りえなかったが、桂のきわどいほどの好意に感動した。

「ぜひ、村田蔵六を長州藩に召し出さねば」

ということをしきりにいったのは、桂小五郎である。桂については、多少のべた。その性格にメランコリア（憂鬱症）の苦味があることもふれた。その若い晩年、その傾向がいよいよひどくなったが、かれが憂国家としてその青春を出発させたのは、やはりこの性格と多少の関係がある。

桂はほどほどな秀才ではあったが、とりたてて学問というものはなく、江戸に出てきたはじめは剣客になろうとした。斎藤弥九郎道場に学んだが、のち土佐の殿さまの山内容堂がかれの剣技をみて、

「まるでこまねずみのようだ」

と、目をみはったように、天稟《てんぴん》の敏捷《びんしょう》さがあり、ほどなく塾頭になり、その剣名は他藩にまでひびいたが、しかし剣客でありつづけることをしなかったのは、この危機時代がかれの性格をはげしくゆさぶったからであろう。

しかし革命家というにはあまりにも調和のとれすぎた心をもっていた。ひとと激論したり、諍《いさか》ったりすることはなく、親切者で世話ずきで、仲間のもめごとをよく調整し、また頼まれたことはかならず仕遂げた。ただし本質は常識家であったため無理と

いうことをせず、無理なことは頼まれようとしない。また無理を押し通そうとする仲間に対しては、その鋭気を心から尊敬しつつも、常識的な立場でやわらかく反対した。長州藩のいわゆる「激徒」たちのよき兄貴であったといえるであろう。

藩でも、桂のそういう性格や能力をよくみとめ、江戸藩邸の書生世話役（有備館掛り）をさせる一方、他藩交渉にかれをつかった。いわば桂は最初から藩外交の下級外交官といってよかった。

その桂が、

「ぜひ、村田蔵六を長州へ」

という藩内運動をした。うかうかすると、幕府にとられてしまう。幕府がほしいといってきたばあい、幕府とあらそってまで蔵六を長州にとるという勇気は、この安政六年の段階ではまだ長州藩はもっていない。

桂はたれにもまして政治感覚のゆたかな男であったから、この人事工作をするのにたれとたれを動かせばいいかを知っていた。まず、長州藩の蘭学の総帥《そうすい》ともいうべき青木周弼である。ついで、長州藩の新官僚で、その手腕を他藩にまで知られている周《す》布《ふ》政之助であった。

桂は、このふたりをうごかした。周布はすこしあやぶんで、

「かんじんの村田がきてくれるのか」

と、桂に念を押した。長州藩としては恥をかきたくない。桂もこの点、十分な自信はなかった。

「それとなく当人の意中をたたいてみましょう」

と、周布にいった。

妙な事情があった。

蔵六を長州藩に召し出すということについてである。

「どうも百姓の出だからいきなり御譜代にすることはできない」

と、きわめて進歩的な、はねっかえり官僚といわれてもいいような周布政之助ですら、そんなことをいうのである。のち歴史のなかで八方やぶれの姿をみせる長州藩ですら、なお封建身分制度のなかにある。周布個人は、能力のある者をどんどん登用してゆきたいのだが、しかし現実の体制や、藩ぜんたいの身分意識を逆《さか》なでになであげるようなことをすると、石垣にあたらしい石を無理やりに詰めこむようなもので、石垣ぜんたいがくずれてしまうおそれがある。

「御譜代にできないということが問題だ」

と、周布はいう。御譜代というのは、モトの意味は先祖代々仕えてきた士分以上の身分のもの、という意味で、転化して正規の上士という意味にもつかわれる。

「だから準藩士とでもいうべき御雇《おやとい》でどうだろうか。格は上士なみとして」

と、周布はいう。「御雇」というのは蔵六の宇和島藩のばあいの処遇と同様、一代かぎりの雇い武士で、いわば嘱託である。

「これはむずかしいかもしれませんよ」

桂はいった。なにしろ蔵六はすでに宇和島藩の上士待遇の準藩士であるうえに、幕府の教授を兼ねている。社会的印象からいえば、天下の直参と同様であった。蔵六が、身をおとしてまで長州藩にくるかということである。

桂は、様子を見ることにした。

そのうち、安政六年は暮れ、としがあらたまった。井伊直弼の専制政治はつづいており、暗い時代であった。ただ横浜の開港場だけが外国貿易によって異常な好況を示している。貿易は徳川家だけが専有するという変則制度で、あとは鎖国がなお生きつづけており、諸大名は貿易できない。

しかも貿易によって日本の経済体質に変化がおこり、ちょうどメスによって外科的進襲をうけた生体に発熱がおこるように、物価騰貴《とうき》の大現象がおこった。庶民は大いにくるしみ、諸大名の経済もくるしくなった。井伊方式の「開国」でいい目をしたのは徳川家ばかりで、他はその被害ばかりをうけるという立場に追いこまれた。この庶民の大悲鳴が、志士の奮起を刺激することになるのだが、この安政六年から万延元年のはじめにかけては井伊の弾圧政治がいきとどいているため、世間の表面はあまり波立たない。

その井伊が、万延元年（安政七）三月三日の大雪の白昼、薩摩人ひとりをまじえた水戸浪士団に登城の途中おそわれ、落命するというさわぎがおこった。井伊の急死が、政変をよび、志士たちの対幕意識を変え、侮幕気分が一時に世間にみなぎった。

さらに幕府内部でも変化がおこり、西洋ぎらいの井伊が死んだため、幕府内の洋学派が大いに活況を呈し、在野の洋学者をどんどん幕臣にひきたてようという気運が出てきたのである。

この年、花が遅かった。

井伊直弼の横死のあった翌々日、蔵六は例の蘭書のことで麻布の長州藩邸にくると、いつも桜田藩邸にいる桂が、めずらしくこの麻布にいた。

「お待ちしていたのです」

と、桂はいった。ご意向をうかがいたいことがあるから会読ののち門番にひとこえおかけください、という。

「ああそうですか」

蔵六は、いつもの癖でそれ以上たずねようとしない。

やがて会読が済んだ。門長屋の前に老いた中間が待っていたからそれに声をかけると、藩邸の裏の小さな料亭に案内してくれた。途中、蔵六は門番に、

「御屋敷（麻布藩邸）の桜はいつ咲きましたか」

と、ぽつりとたずねた。

「はい」

門番は蔵六の背後で腰をかがめながら、

「二月の二十五日に咲きそめて、あの上巳《じょうし》の大雪の日には満開でございました」

と、いった。上巳というのは三月三日の桃ノ節句のことをいう。井伊直弼が殺された大雪の日のことである。

「ああそうですか」

蔵六は、そううなずいただけで、あとはなにもいわない。変な人だ、と門番はおもったが、蔵六には他意はない。かれはこの日本列島の桜が西から東へ咲いてゆく、そ

の開花の順にかねて関心をもっていただけで、それだけのことであった。江戸麻布藩邸のひとえ桜はこの万延元年には二月下旬に咲いたというそれだけをおぼえておきたかったのである。

桂が、二階で待っていた。

「ちょっと話がぶしつけにわたるかもしれません」

と桂がことわって、長州藩にきてもらいたいことを語り、しかしながら薄禄《はくろく》である、といった。いま宇和島藩で頂戴《ちょうだい》している半分くらいかもしれませぬ、あつかいはむろん馬廻役格（上士の最下級）でござる、さらにわるいことに、慣例がござって最初から譜代席というわけに参らず、御雇ということに相成ります、と、桂はいった。

「ああそうですか」

蔵六はいったきり、杯を空けている。桂はつぎつぎに酌をし、それを満たした。蔵六が返事をしないため桂はうながして、それにてお考えくださるか、というと、蔵六は意外というふうに顔をあげて、

「すでに決めておることで、青木周弼先生にも申しあげてあるはずです。拙者は長州様に参る。参るときめた以上、処遇などはご都合しだいでよろしい」

と、にべもなくいった。

イネは、横浜にいる。

本町の材木商備前屋のそばで、彼女が産科医の医院をひらいたのは半年ほど前のことである。

開業についてのあれこれの世話はいっさい蔵六がした。蔵六は多忙ななかで数度横浜へゆき、借家をかりる手続きまでしてやった。イネは、日本最初の女医であろう。

あいかわらず、

「シーボルト先生」

と、イネはここでもよばれていた。

ときどき横浜へ来る宇和島藩士が立ち寄ってくれたが、あるとき、

「村田先生は、宇和島藩の士籍を去られるらしい」

という容易ならぬことをイネに伝える者があった。むろんイネにとって寝耳に水である。

(冗談ではない)

と、狼狽《ろうばい》したのはなぜだかわからない。

イネは外見おっとりした婦人にみえたが、ひどくあわて者であった。蔵六が自分の

いる世界から去ってゆくようにおもえて、この日、患者をことわって駕籠《かご》をよび、江戸へいそいだ。駕籠のなかで、すこし落ちついた。

べつにイネは宇和島人ではない。

彼女の保護者の二宮敬作が、卯之町《うのまち》で診療しつつ宇和島藩に士籍をもったことと、それに彼女のむすめのたかが、まだ少女ながら宇和島侯伊達宗城《だてむねなり》の夫人に愛され、いま御殿にあがっていることと、それに伊達宗城がイネの学殖を惜しみ、

——もう一度宇和島へもどる気はないか。

と、何度か藩士を通じて言ってきていることなどで、もはや半ば宇和島人といってよかった。それに村田蔵六が宇和島藩士であることが、この日本国に氏《うじ》をもたない彼女にとって、宇和島という土地をただならぬ土地としておもうようになっている。

横浜でも、

——お国は？

ときかれると、

「宇和島です」

と答えるようにしていた。長崎とはいわなかった。日本における慣例のように父の故郷を自分の本貫《ほんがん》（父祖代々の居住地）としなければならないなら、彼女は、オランダ

ですといわねばならなかった。

(そのわたくしにだまって)

という意外さと、はぐらかされたような気持が、彼女を狼狽させたらしい。蔵六が宇和島藩の士籍を去るなら、もはやそれかぎりで蔵六とのつながりが切れるようにおもえたのである。

鳩居堂を訪ねると、蔵六がいた。彼女はもう冷静にもどっていて、そのことはすぐには質問せず、妙に自分がおかしくなってころころ笑った。

「たいそう、ご陽気ですな」

蔵六も、あきれたようにイネをみている。

イネは、不意に別なことをいった。

「長崎にポンペ先生がいらっしゃったことをご存じでございましょう?」

蔵六はむろんその名前は知っている。オランダ海軍の軍医で、ポンペ・ヴァン・メールデルフォールト。日本ではとくにその名前のほうをよんで、蔵六と同時代の蘭学者たちから、シーボルトの再来というふうにみられている。

ついでながら、この時代まで長崎にきたオランダ医師は、シーボルトをふくめて自発的に日本人書生に蘭語や蘭方医術をおしえていただけであったが、ポンペにいたって事情がまったくかわった。幕府ははじめてオランダから正式に西洋文明の技術者（とくに海軍と医学）をまねこうとし、それが実現した。ポンペらが長崎にきたのは、この物語のこの時期から三年前のことである。

安政条約によって幕府は横浜その他の幕府直轄《ちよつかつ》領の港を開港したが、開国したわけではなく、依然として鎖国はつづいている。このためポンペに自由な医学教授をゆるしたのではなく、幕府の奥医師松本良順（のち順。戊辰《ぼしん》戦争には佐幕軍に参加、明治後軍医総監・男爵《だんしやく》）だけに受講をゆるした。松本がポンペから講義をうけると、そのあと松本が自分の門人にその講義内容をおしえるという窮屈な接触法をとらせた。もっともそれは表むきのことで、書生たちは内々ではポンペにじかに接した。ポンペは親切な人物で、かれに接した門人のなかには自分の屋敷にポンペ神社という屋敷神をつくってポンペ帰国後もその恩をわすれないようにしたというエピソードもある。

大坂の緒方洪庵が、

「自分たちが手さぐりで蘭方医学をやっていた時代はもはやすぎた。志のある者は、自分につくよりも長崎へ行ってポンペにつくほうがいい」

と、蔵六の後輩になる長与《ながよ》専斎にさとしたのも、この時期である。日本の蘭方医学にポンペ時代がすでに来ていた。

イネは、そのポンペについてさらに数年、産科学を深めたいという。

「ほう」

と、蔵六はなかばあきれた。横浜での開業をやめてまた学生にもどるという。

「それほど学問がすきですか」

二宮敬作がイネに期待していたのは、適度の医術を身につけて開業し、独立の経済人格をつくるということだけであった。ところがイネは生活のことなどよりも、学問のほうにより深い興味があるらしい。

「好きなどといえば、わたくしなど、おこがましゅうございます。好きというよりも、学問をさえしていれば父に近くなるような思いがいたすようで」

と、ふしぎなことを言いだした。

父とはむろんシーボルトのことだが、どうやらイネの情念には、父への思慕と学問への情熱とが、一つのものになっているらしい。

この話題は、蔵六の気持を奇妙に緊張させた。

——女人《によにん》というものは、むずかしいものだ。

と、蔵六は釈迦《しやか》でさえそこから逃げることでしか解答を見出さなかったこの主題を、ひそかに感じた。男よりも情念の根がはるかに深いらしく、しかも学問への関心というこのきわめて知的なものでさえ、イネの心の奥へ入りこむと、父への思慕という情念のなかに溶けてしまって一つのものになっているらしい。

イネの父は、はるばる地球のどこかからやってきて、日本の科学史に大衝撃をあたえ、そしてイネひとりを形見に遺《のこ》して去った。イネは物心がつくにつれ、父の偉大さを、その門人を通して教えられた。たとえば二宮敬作などは、

「先生」

といえば、シーボルトのことであった。敬作は他の者を先生とはいわず、シーボルトのことを話すときには、どんなに酔っていても、ひざをただす姿勢をとった。敬作にとってシーボルトは神のようであり、このことは敬作だけでなく、他の門人にも共通している。

蔵六にはわずかしかわからない。なぜならかれは洋学者でありながら異人というものを知らず、シーボルトにも接したこともなく、本来、異人という抽象的存在(かれにとっては)に対し、どう抑制しても土俗的な攘夷《じょうい》的気分をとおさずにそれを考えることはできない。

が、西洋文明の偉大さは、書物を通して蔵六はたれよりもよく知っていた。そういう知りかたであった。

が、蔵六らの一代前の先輩たちは、西洋文明の偉大さを、一個の肉体を通して知ったのである。その肉体が、シーボルト先生であった。まだ青年であったころの二宮敬作が驚嘆した西洋文明は、そのまま教授者であるシーボルトへの驚嘆と思慕になり、そういう戦慄《せんりつ》的な崇敬心のことごとくをイネに伝えたらしい。イネの少女期の感情生活のほとんどは、写真以外に記憶のない父に対する門人たちの思慕と崇敬のことばで満たされており、さらにイネにとってはそれが自分に血をあたえた父であるだけに、いっそうのものになった。門人にとっては神であるかもしれないが、イネにとっては神というにはそらぞらしいほどに、たとえば暮夜、父の名をおもうときに全身がふるえて涙がとめどなく流れてくるほどになまなましい存在であった。

その父に近づくためには、学問をするしかない。父の学問は外科と産科であった。外科学と産科学に自分を没入させているかぎり、父とともにいるという気持がある。

「この気持は、おわかりいただけないかもしれませぬ。ポンペ先生のもとに行ってお仕えしたいのは、そういう気持でございます」

ポンペも、父とおなじオランダ国籍であった。かつてこの極東の島に舞いおりて去った父と同種族の人なのである。

イネは、多弁になっていた。

蔵六の前でしゃべってみることで、自分の心の中を、自分自身でたしかめてみるというふうであった。

「それは、志というものですな」

蔵六はつい、つるりとした単語でイネの気持を総括してしまったが、イネの学問への情念というものは、もっとざらざらしたえたいの知れないものであり、志というような一語で片づくものではない。

「志ともちがいますけれど」

と、イネはあいまいな表現でつぶやいた。本来、男性の社会にはそういう単純な言葉が多い。そういう単純な概念のことばを一語用いるだけで、男子たる者の心の志向や、その生涯の方向を言いあらわしてしまう。すくなくともイネをうごかしている情念というものはそういうものではない、とイネはおもっている。産科学と外科学をいま以上に修めたがっているというこのイネの気持は、志というような男性語ではなく、これをことさら言葉にしていうなら、愛を求めている、そういう衝動であるといったほうがいいのではあるまいか。イネは、そういう自分に気がついている。が、そのことを言葉に出していうのは、ちょうど恥部をひとにみせる以上にはずかしいことだという感覚も、イネにはある。

もしこのイネの心の奥のことを蔵六が言葉としてきいた場合、

「求愛のためにに学問をするのですか」

と、仰天するにちがいない。愛をもとめるといっても、たれの愛を求めるのか、イネにもそういう自分がよくわからない。少女のころむしょうに学問をしたかった衝動は、それはたしかに父のシーボルトにつながっていた。父というこの無形の存在に、彼女は大きくつつまれていたいということが、学問へつよく志向させていることになる。愛は、父というかたちをとっていた。その父の体温のこもった世界へ、二宮敬作が案内人としてイネを導いてくれた。

あとは、村田蔵六が案内人になった。イネはこの案内人に、思慕を感じた。

が、蔵六という男は、

「それは、志というものですな」

単純に言いきってしまえるような、男というだけの男なのである。イネはそういう蔵六が好きであったが、同時に自分の気持をわかってもらえる相手ではないともおもっている。

イネは、考えている。蔵六への思慕も、ほんものではなかったのではないかということをである。大いなるものへの案内人であるに蔵六はすぎなかった。

その大いなるものというのは、学問ではない。父という名のついた愛の世界かといえばそれだけでもない。要するに名もなにもつかない愛という雲の涯《はて》の世界にゆきたいのであり、そのことにことさら説明語をつけてシーボルトへの思慕としてしまえばまた違ってしまうようである。女がもつ情念というものは、女であるイネですらよくわからない。

イネは、話を変えた。

「宇和島様からお身をおひきになるそうでございますね」

それが、イネにとって本題であった。

蔵六はしばらくだまっていた。まずイネがどこでその一件をきいたのかと不審だったのである。人事のことだから、長州藩は秘密にしていて、江戸藩邸の執政関係者と、国もとの何人かが知っているにすぎない。

おそらくこうであろう。長州藩としては宇和島藩へ蔵六を貰《もら》いにゆかねばならない。宇和島藩がそれは不都合であるといえば、この話は流れるのである。

が、幸い、この年は宇和島の藩公である伊達宗城が江戸にいた。宇和島藩は長州藩のような官僚専断主義の藩でなく、殿さまに独裁権のある藩だったから、宗城の意思だけでよかった。宗城は、

「村田蔵六は、惜しい」

と、その長い顔を伏せたまま何度もつぶやき、奏請した家老に対しいっこうに返事しなかったという。が、やがて、

「他藩ならことわるところだ。しかし蔵六の本貫の藩である長州からそれをいってきた以上、これはことわることはできない。それに当家は小さく、長州は大藩である。蔵六の洋学による影響は大きく、これは時節がら、一天下のためによろこばしい」

と、伊達宗城はいった。家老松根図書《ずしょ》は物事を皮肉にみたがる癖《へき》のある男で、

「長州という藩は、もともとそれがしもそう思っていましたが、酷薄なものでございますな」

と、いった。図書は、他人に対する評語が、つねに極端へゆく。この場合の酷薄ということはご都合主義、功利的であると解釈したほうがわかりやすい。元来、村田蔵六に対して長州藩は無視してきた。農民身分の者としてしか見ず、なんの会釈《えしゃく》もしなかったくせに、蔵六が幕府の洋学研究機関の教授になると、にわかにあわてててそれは当藩の者であるから返してくれ、という。

宇和島藩が蔵六を土のなかから発掘した功績をたたえたり感謝したりする気持が長州藩にない。宇和島藩が蔵六を農民の身分から大飛躍させて士分待遇にした。蔵六が

士分待遇であったればこそ幕府も教授として招聘《しようへい》したのである。図書は、そういった。が、伊達宗城はそれに乗らず、かえって笑った。

「そういうことはどうでもよいことだ。ただ蔵六には兵書翻訳ということでもうすこしやってもらわねばならぬことがある。蔵六を長州藩に移籍させるが、宇和島藩の用もやらせたいため、当分蔵六に食禄をさしくだしたい。そのことを長州藩は了承するか」

こういうあたりが、宇和島藩のよさであろう。蔵六が長州藩士になっても食禄は送りたいという。図書はかしこまって、この件を長州藩に連絡した。ところが長州藩はこれに対しやや難色を示しているという段階が、いまなのである。

要するに蔵六は、

——自分は長州藩に仕える。

ということを、イネにいった。イネがこの間の事情をすこし知っていたのは、横浜へくる宇和島藩士からきいたのだということも、蔵六は知った。

イネはひざの上で、自分の爪《つめ》をなでている。右手の人さし指の腹で、左手の指の爪を一本一本たんねんに磨くようにしてなでている。なにか淋《さび》しそうであった。

「宇和島も長州も、日本のなかです」

と、蔵六はたまりかねていった。あたりまえのことである。イネもそうおもった。が、そうはいわずだまって爪をなでていたのは、彼女自身、蔵六が宇和島を去るということは自分の足もとの大地が急に大きな穴になったようで、理屈ではなく体がこの宙のどこに位置していいのかわからなくなっている。が、これは感情であって道理ではないから、男の蔵六にいったところで通じないとおもっていた。

「わたくしは、村田先生が宇和島にいらっしゃるから宇和島へきたのです」

と、やっといった。蔵六は、少年が驚いたような変な顔をした。ちがうではありませんか、二宮敬作先生がいらっしゃるからあなたは宇和島へゆかれたのです、というと、イネはおかしそうにやっとわらった。

「左様なんでございますけど」

といいながら、つくづくこの蔵六という人物は情のわからない人物だとおもった。が、蔵六は、イネの気持がややわかっている。が、それをわかってしまうことは、一個の男子として愧《は》ずべきことだという、この時代の男の倫理が、かれの脇腹《わきばら》に刃物を突きつけているようであった。自分は惚《ほ》れられているという、このいい気なうぬぼれほど男子にとって愧ずべきことはないという、のちの時代の倫理からいえば奇妙すぎる痩《やせ》我慢のような、あるいは羞恥《しゅうち》心の変形のようなものが、蔵六の心に足カセをはかせている。

一種の利己心といえるかもしれないが、あるいは逆であるかもしれない。イネを一個の独立した婦人として処遇したいというイネの尊厳を認めすぎるのあまり、蔵六はいま薄ボンヤリした貌《かお》ですわっているのかもしれない。

が、イネにしても、その気持は彼女自身でもわからない。蔵六に惚れている、といえばすこしちがう。父という巨大な愛の幻想のなかへ身を寄せてゆきたく、その大虚構だけがイネの真実であるのかもしれず、敬作や蔵六は、幻想の一片《ひとひら》がたまたま人間の形をとってあらわれているだけの存在であるのかもしれない。

「だから、ポンペ先生のもとにゆきます」

だからというのは、蔵六が宇和島を去るからという意味である。言語というものは、その程度にしか自分の気持を表現できない。

麻布屋敷

夏になった。

長州藩は蔵六の身分について事務処理をおわった。幕府も、

――蕃書調所《ばんしょしらべしょ》と講武所に出仕をつづけてくれるならば、それでよろしい。

ということになり、かんじんの宇和島藩のほうも、当藩の兵書を翻訳してくれるならば、という条件で承知した。ところが長州藩における蔵六の処遇はよくない。

「御雇《おやとい》」

といういわば嘱託あつかいである点、宇和島のばあいとかわらなかったが、

「すぐには馬廻り（士分）にはしない」

ということで、これは蔵六にとって意外なことであった。宇和島では蔵六は堂々たる士分の礼遇をうけていたのである。社会的身分が、格下げになった。

「ばかなことですが」

と、この決定を蔵六に言いにきた桂《かつら》小五郎は、こまりきったような顔をしていた。長州藩の前例として、新規召しかかえの者をすぐ士分にしたことがないという。

むろん、うそである。他藩で上士の待遇にあった者が浪人していた場合、すらりと上士にしてしまう。たとえ祖父か曾《そう》祖父でもどこかの藩で士分であった家の者なら、士分にする。これが、徳川封建制というものであった。蔵六は農民の出である。藩庁としては、

「宇和島藩がどう礼遇していたにせよ、かれは長州の領民の出である。長州に帰れば、農民の出として遇せざるをえない」

と、桂にいったのである。

むろん、

「半年、一年さきにはかならず馬廻りの士班に列せしめる」

ということは藩庁でも確言していた。こういう点、長州藩の役所仕事というのは物がたくて約束はかならずまもるという評判はあった。その点安心であるにしても、しかしかりにも幕府の教授をつとめる者に対し、一時にせよ、士分にしないというのはじつにばかばかしい。このことを桂は恥じていた。桂や青木周弼《しゅうひつ》がいかに蔵六の人物を高く評価しても、それが藩の官僚機構のなかで処理されるとこうなってしまうのである。

しかもこまったことに、蔵六に対する手当が、話にもなにもならぬほどにすくない。わずか、

「年米二十五俵」

であった。徒士《かち》か足軽のたぐいの扶持《ふち》である。蔵六は宇和島では百石の身分の処遇をうけていた。百石といえば宇和島では譜代家老に次ぐ階級である。実際には書籍購

入費という名目で月々六俵、年に七十二俵をうけていた。宇和島という藩が、長州藩にくらべていかに学問や学者を重要視してきたかが、これでもわかるであろう。

「それでもよろしい」

と、蔵六はいった。

蔵六はこういうあたり、たれがどうみても一種の仙骨があった。

長州藩の麻布《あざぶ》藩邸に檜《ひのき》づくりの一屋があって、家中では、

「檜屋敷」

とよばれている。

長州藩はそこに洋書類を集積し、洋学講義所にした。蔵六は、この夏からここで兵書翻訳に従事することになった。

講義もある。

その出講日は、隔日であった。時間は午前九時から同十一時までである。

「医学は講義しないように」

というのが、藩の要請であった。

このことは奇妙なことに、宇和島藩に仕えたときもおなじように念を入れられている。医学を講義したり医術をほどこしたりすると、他の藩医の領域をおかすからである。

った。ときには、

——村田先生のみたてがいい。

ということで、他の藩医の名誉を傷つけることにもなりかねない。こういう専門の領域に対するこまかい気の配りようが、日本人社会の特徴であり、その原型が、蔵六のすんでいる藩社会であった。

受講生のなかに、長府藩（支藩）の三吉玄妙という頭のまるい青年がいて、これは兵学よりも医学を志すために蘭語を学んでいた。ある日、玄妙は蔵六の講義がおわったあと、

「大坂の緒方先生の『医戒』を教えてくださいませぬか」

と、蔵六にたのんだ。緒方洪庵《こうあん》の『医戒』についてはすでに触れたが、洪庵がフーフェランドの著書を読み、洪庵自身の倫理的解釈をもとに要約したもので、洪庵がその文章につけた題名は『扶氏医戒之略』ということになっている。

医学のことを教えるなということではあったが、蔵六はこの『医戒』ならばいいだろうとおもい、玄妙を縁側にすわらせ、やがて自分もひざを折ってこのことを講じた。蔵六は、諳誦《あんしょう》していた。

「医師がこの世に存在している意義は、ひとすじに他人のためであり、自分自身のた

めではない。これが、この業の本旨である。ただおのれをすてて人を救わんことをのみ希《ねが》うべし」

「病者に対しては、ただ病者を視《み》よ。貴賤《きせん》貧富で視てはいけない」

「病者を弓矢にするな」

ということは、試験台にするなということである。病者ヲモッテ正鵠《せいこく》トスベシというのが洪庵の原文であった。正鵠とは弓のマトの中央の黒点のことである。

蔵六は洪庵の文章を諳《そら》んじつつ解釈してゆくうちに、洪庵がしのばれてきて何度も落涙した。

「医師というものはあまりに変人であってはいけない。世間に対し衆人の好意を得なければ、たとえ学術卓絶し言行厳格なる医師であっても病者の心を得ることができず、従ってその徳をほどこすことができない」

というくだりになったとき、蔵六はふと、

「この一項にかぎって、わたしは医たる者にむいておりません」

と、小さくつぶやいた。

この間《かん》、横浜にいるイネとのあいだに書簡の往復が二、三度あった。

「長崎のポンペ先生について産科学をふかめたい」

というイネの意志がきわめてつよいことがわかり、蔵六はそのことで駆けまわらねばならなかった。

（長与《ながよ》専斎がすでにポンペ先生についているはずだ）

ということはわかっている。さきに師の緒方洪庵が適塾の近況をしらせてきてくれたなかで、この年（万延元年）の一月、塾の長与専斎が洪庵のすすめで長崎へゆきポンペに従学したということが書かれていたのである。

長与専斎は大村藩（長崎県大村市）の藩士で適塾へ入り、大いに秀才のほまれを得たが、専斎が適塾に入ったのは安政元年で、蔵六が退塾してから四年後である。後輩とはいえ蔵六は顔も知らない。

（専斎に頼もう）

とおもったが、それには師の洪庵にいったん頼んで洪庵から長崎へ手紙を出してもらわねばならない。そういう書簡往復をしているうちに、半年ぐらいは経《た》つであろう。

蔵六はちょっとこまった。たまたま蕃書調所で教授東条英庵に会った。東条英庵は適塾の先輩であることは、すでに触れた。

「私は先年大坂へ行ったとき、長与に会ったことがある」

と、英庵がいったので、蔵六はよろこび、ぜひ英庵から口添えしてもらいたいとたのんだ。

ここで余談になるが、この物語のこの時点は一八六〇年のことであり、こんにちまでわずかな歳月しか経ていない。長与専斎というのちに明治の医学行政の面での大官になる人物の子息は作家の長与善郎《よしろう》であり、武者小路《むしゃのこうじ》実篤《さねあつ》らとともにいわゆる白樺《しらかば》派の主流をなしたひとで、昭和三十六年十月二十九日まで在世された。東条英庵の子孫にあたられるひとびとも、阪神間に幾人か居住しておられる。

「しかし婦人は無理ですよ」

と、東条英庵はいった。

すでに長崎にはポンペを教官とする官設学校として長崎伝習所ができており、専斎はそこへ入っているのである。婦人をその学校に入れることは当然ゆるされない。

「いや、伝習所に入らなくてもよいのです」

ポンペの私的な助手というぐあいの立場をイネのためにつくってもらえまいか、と蔵六はたのんだ。

東条英庵なら、中央や長崎の幕府役人とも交友関係があるし、できるはずであった。

「婦人ということで困難かもしれないが」

と、英庵はいいつつも、

「なにぶん常の人でないから」

といって、奔走してくれることになった。常の人でないというのは、イネが日本医学の恩人のシーボルトの娘であるという意味である。やってみます、と英庵はうけあってくれた。

長州藩出仕は、蔵六の日常を変えた。

まず、私塾鳩居堂《きゆうきよどう》を閉じざるをえなかった。ただし鳩居堂の門人は、長州麻布藩邸の蔵六の学舎にひきとられることになった。

塾生の数は、日に日にふえた。

「むしろ他藩の者を歓迎する」

という態度と気分が、長州藩にあった。そういうあたりが長州という藩のおもしろいところで、

「長州誇り」

という気分がなにごとにつけつよい。これは余談であるが、そういう長州気分というものが、無名白面の書生にすぎなかった吉田松陰をその死後歴史上の名士にしたし、

その他、類似のことが多い。長州藩は蔵六を安く雇ったくせに、一面村田蔵六のような学者を自分の藩がかかえているということが、この藩の藩人の自慢であった。その存在を他藩にひろめたいという気分が、麻布藩邸の学舎をさかんにした。

ともあれ、蔵六のこの藩立の塾舎にあつまった塾生の所属藩の数だけで五十藩を越えたというだけでもわかる。

オランダ語が必須《ひっす》科目であったが、数学や弾道学もまなんだ。むろん時代の要請もあって、兵学の講義がもっとも大きな人気をあつめた。塾生たちは、蔵六自身がおどろくほどに熱心であった。総じていえば、そういう諸学課を通じて西洋学という巨大な技術世界にすこしでも接近したいという熱気が、塾生を駆りたてていた。この時代の日本人の知識欲のつよさは、おそらく世界史的な驚異というべきものであったろう。

かれらがいかに西洋を知りたがったかということは、以下の例でもわかる。これよりすこし前、幕府から軍艦咸臨丸《かんりんまる》によってアメリカへ派遣された使節団とその随員が、アメリカで歓待された。アメリカ人たちはこの極東の神秘な「未開国」からきたひとびとを歓待するために、工場見学をさかんにさせた。工場では、

——なぜこの機械が動いているか。

という原理や、そのエネルギーである蒸気機関の原理や構造が、案内者によって説

明された。が、チョンマゲ姿で大小を腰に帯びた一行にとって、

「あれほど退屈なことはなかった」

ということが、その使節の従者というかたちで渡米した福沢諭吉によってのちに語られている。なぜなら、ワットの蒸気機関の原理ぐらいは、このチョンマゲの武士たちにとってすでに常識であったし、かれらのたれもが西洋の青年たちが学ぶ物理学の知識ぐらいは十分もっていたのである。


ところで、教授者である蔵六がそろそろ悩みはじめたのは、

「オランダ語だけでよいのか」

ということであった。あたらしい産業文明を背負っている言語が、オランダ語でなく英語であるということに蔵六自身、気づきはじめたのである。


すこし余談になるが、この極東の島にいる日本人のおもしろさは、オランダ文字といういわば針の頭ほどに小さな穴を通して、広大な西洋の技術世界をのぞいている。蔵六は生涯西洋にゆこうともせず、ついに行かなかったが、しかし、

「西洋とはこうであろう」

と、オランダ文の構文や単語をたどりつつ想像した。蔵六だけではなく、すべての蘭学者がそうであった。西洋人が、ヨーロッパの他の言語をまなぶ作業とは、大いに

ちがっている。言語をまなぶことは、未知の世界に対してそれぞれの学び手がもっている文明の像と質に対する想像力を最大限にはたらかせることであった。

そういう想像力の作業は、この地球上のいかなる民族よりも、日本人はふるい鍛練の伝統をもっていた。千数百年のあいだ、日本人は漢文という中国の古典語をまなび、それによって、その肉眼で見たこともない中国文明の世界を知ろうとした。知ろうとすることは、日本人にとって想像力をはたらかせることであった。

この国は、まわりを海にかこまれている。浜辺に立って沖をのぞむとき、いかにつまさきを立てて伸びあがろうとも、沖は水平線でしかなく、中国大陸も見えねば、ましてヨーロッパは見えない。結局は空想したり想像したりする以外になく、その空想や想像を刺激して像を結ぶにはその文明世界の文字を学んで読む以外にない。そういう精神作業を、気の遠くなるほどのながい期間、日本人は漢文によって自己訓練をした。

オランダ語は、すでに江戸の初期から学ぶ者が出てきている。が、徳川幕府は日本人が放恣《ほうし》な想像力を身につけることをおそれ、想像力の統制をした。漢学をまなぶことを正統とし、そのなかでも朱子学を官学とし、官設や藩立のいかなる学校でもオランダ語というものを学ばせなかった。自然、長崎通詞（幕府の通訳官）や物好きがそれを学び、ほそぼそとその伝統を維持して幕末にいたった。それが、ペリー来航前後から、大いに事情がかわった。蘭学の流行期に入った。

「洋学」

というのは、オランダ語をまなぶことであり、その目的は西洋技術をとり入れることであった。幕府は鎖国以来、ヨーロッパとの交渉をオランダ国にかぎったため、他のヨーロッパのことばを学ぶことは幕府への遠慮もあり、実情としても学ぶ手だてもなかった。ところがオランダ国は、ヨーロッパの小国にすぎない。ヨーロッパの主役的な存在ではなかった。そのことに、蘭学者たちがそろそろ気づきはじめたのは、横浜開港直後の安政六年から翌万延元年あたりにかけてである。蔵六のこの物語のこの時点あたりからであった。

「英語が、世界の主役的な言語らしい」

と、長州藩の麻布藩邸でオランダ語の講義をしている村田蔵六がときにそのことで首をかしげはじめたのも、このころからである。

余談つづく。

筆者があるとき中国人の友人と旅をしたとき、その車中ふと、

「日本人は江戸時代、漢文をまなんだが、しかし骨のずいまで儒教化したのではなく、

漢文はあくまでも中国という文明世界を見たり自分の文明をつくるための道具であった。この点、土をたがやすためのスキやクワとかわらない。ところが幕末になってオランダ語がそれにとってかわる勢いになり、維新後、漢学は官民総がかりで捨ててしまった。大化改新以来千数百年世話になった漢学というものを古ワラジのように捨ててしまって、しかも長年の大恩に感謝するわけでもない」

と言い、これをどうおもうか、きいてみた。

いや、この設問にはもうすこし説明が要る。たとえばアラブ圏やインドのひとびとを例にひきたい。かれらがあたらしい技術文明に参加するには国家や社会あるいはその固有の文明の体質まで変えてしまわねばならないが、そのためにはたとえば回教なりヒンズー教なりを捨て、聖典を焼き、宗教習慣や儀礼をやめ、僧侶《そうりよ》まで追放するいきおいでかからねばならない。そう仮定する。いや、仮定するというよりそうしなければとうてい新文明に参加できにくいであろう。が、かれらはそういう伝統の思想や習慣を決してすてないであろうということは、現在その地域のひとびとをみれば自明である。

ところが、日本人は明治維新で儒教をすてた。一時は廃仏毀釈《きしやく》で仏教まで捨てた。洋学に大転換した。これを文化大革命であるとすれば、毛沢東中国がやった文化大革命などよりも底の底からひっくりかえしたという点でははるかに大がかりで徹底している。しかもそれはきわめて気軽にごく自然におこなわれたという点、これを回教やヒンズー教の国々のひとびとがみれば、

——日本人というのは自分たちとおなじ人間であるか。

ということに驚嘆というより無気味がるにちがいない。思想でもって骨のずいまでつくりあげている民族からみれば、日本人とは人間以外のなにかべつな存在であるとさえおもうかもしれない。

「それは」

と、中国人の友人はあたりさわりのない何かいい表現がないかとさがしている風であったが、やがて、

「日本人は、騎馬民族の末裔《まつえい》だからな」

と、好意的な微笑とともにいった。世界史にあらわれる騎馬民族というのは、スキタイ人にせよモンゴル人にせよツングース人にせよ、みなそうであったように、文明というものは掠奪《りゃくだつ》するものであるとおもっていた。友人のいう言葉の真意はそういうことなのかどうかはわからない。いずれにせよ、村田蔵六をふくめた幕末の蘭学者は、そろそろ蘭学というスキ・クワに不自由を感じてきた。

余談、さらにつづく。

筆者は、村田蔵六をとおして日本人を考えようとしているのかもしれない。

要するに日本人は、

「儒教」

をさえ、自分の文明をつくるためのスキ・クワ同然の道具としてあつかってきたような気配があり、オランダ学もそうであった。これによって医学と兵学を中心とした西洋技術をとり入れる道具とした。

ついでながら技術は技術として孤立したものではなく、技術を成立させているその背景や土壌つまりヨーロッパ人の思想、思考法、社会と生活の習慣ぐるみのものとして存在しているはずなのに、日本のばあいは技術のみをむりやりにひきはがしてとり入れようとし、人間までがオランダ人にはならない。このふしぎなとり入れかたを自分で正当化しようとした言葉が、たとえば王朝時代に菅原道真がいった和魂漢才ということばであり、明治の開化期の和魂洋才ということであろう。

「才」

とは、日本にあってはあくまでも右の意味での道具であった。儒教を「才」とした千数百年のあいだも、べつに冠婚葬祭という生活思想や習慣までシナ式になったわけではなく、シナ人そのものになったわけではない。単に道具であったために、「漢才はもう古い」ということになったとき、古いスキでもすてるような愛着のなさで捨ててしまったのである。

「これからは蘭才の時代である」

というようになって、蔵六らは大いに時代の需要のなかでときめいたが、しかしそのときめきのなかで、

「そろそろ蘭才は古道具になってしまったのではないか、これからは英才ではないか」

ということが、蔵六ら蘭学者自身、みずからの持ち学問の時代における鋭利さにうたがいを感ずるところから、早くもささやかれはじめた。道具の新旧感覚であった。おどろくべきことに、蘭学が最盛期であったのは、ペリー来航前後、せいぜい十年ぐらいのあいだなのである。

むろん江戸初頭いらい二百年以上、日本人はオランダ語を通してわずかに西洋世界を知っていた。こういう伝統は、おなじ極東の中国や朝鮮にはなかった。この影響の間接的なひろがりのせいか、荻生徂徠《おぎゅうそらい》や山脇東洋《やまわき》、本居宣長《のりなが》という西洋風な合理的思

考法による人文科学が中国や朝鮮にはおこらずに日本でおこった。また江戸期の早い時期から蘭方外科がまがりなりにも定着した。そういういわばオランダの恩に対して、日本人はべつに感謝することもなく、

「これからは英学の時代ではあるまいか」

と、そろそろオランダ語という文明づくりの道具をすてようとするきざしがみえてきたのである。げんに幕末のぎりぎりの時代では、洋学といえばもはや蘭学ではなく、英学か仏学かになった。

このきりかえの時期というのはいつであったのであろう。

この蘭学から英学への折り目の時代に、蔵六は立っている。

蔵六の師匠の緒方洪庵は、その生涯を蘭学の研究と教授にささげたが、そういう洪庵という大家でさえ、

「これからの若い者にとって蘭学をやるのはどうかと思われる。今後は英学をやるべきではあるまいか」

と、門下の俊才に語るようになっている。洪庵ほどの大家なら、自分の権威を成立させている「蘭学」というものに固執すべきであった。が、洪庵という人物はいかにも無私な人柄で、つねに公共ということでしかものを考えない人物であった。かれは

自分をいわば否定することによって、

「蘭学より英学を」

と、門人にすすめはじめているのである。洪庵のこの考えの出発は、安政六年から万延元年にかけてであったらしい。しかしあらためて英語をまなぶには、洪庵はすでに老いていた。

偶然なのかどうか、蔵六も江戸にあって、

「英学」

というこの世界への気持がうずきはじめている。

が、この折り目の時期にあって、体じゅうでその折り目を体験した人物としては、蔵六よりも福沢諭吉のほうが、その苦悩と体験がよりするどい。

福沢諭吉は、安政五年大坂の適塾を出て、江戸へゆくことになった。その契機は、かれの藩である奥平家《おくだいらけ》の江戸藩邸から、

——江戸にきて蘭学を講じてくれ。

と、まねかれたからである。ときに福沢は二十代の半ばになろうとしていた。

「江戸へ乗りこんでゆく」

という気概と昂奮《こうふん》が、若い福沢の心を昂揚させた。この当時、緒方洪庵の適塾が大

坂にあるために、大坂が日本の蘭学の中心とされており、このため福沢は、

「大坂の書生は修業するために江戸にゆくのではない、行けばすなわち教えにゆくのだ」

と、公言していた。それほど江戸の蘭学の水準が低く、大坂が高かった。

福沢というひとは洪庵が愛した秀才ではあったが、べつに沈毅《ちんき》な性格ではない。若いころは才はじけすぎてオッチョコチョイなところが多分にあり、江戸へ出ると、

——江戸の蘭学はどの程度か。

ということを探察するために、ほうぼうの大家をたずね、蘭文のむずかしそうなくだりを示し、

「このくだりはどう解すべきでしょう」

と、教えを乞《こ》うてまわった。たいていの大家が、誤訳をした。福沢は大いに安堵《あんど》し、

「江戸の学者はおそるるに足らない」

と、江戸にいる同門の者にいったりした。

福沢は築地《つきぢ》鉄砲洲《てつぽうず》の中津藩（奥平家）の中屋敷の一角をかりて塾をひらくことにした。この時期が安政五年十月で、例の井伊大老によるいわゆる安政ノ大獄が狂風のように荒れくるっている時期であったが、福沢はそういう政情にまったくといっていい

ほどの関心をもたなかったのは、その点、同時期に江戸にいた蔵六とかわらない。

その蘭学自慢の福沢が、江戸にきてほどなく、深刻に自信をうしなったことがある。

「横浜の開港場を見物しよう」

とおもい、江戸を出た。

福沢が江戸に出てきたのは、安政五年十月である。翌年、井伊大老が国内の攘夷《じょうい》世論をおさえて締結した安政条約により、神奈川（横浜）が開港された。外国人がここに公館や商館をたて、日本における外国の観をなした。洋学者である福沢が、

「ぜひ、横文字の本物をみたい」

とおもったのは、当然なことであった。

江戸から横浜まで徒歩で十二時間かかる。福沢は深夜江戸を発《た》ち、昼ごろに横浜についた。当時、まだ開港されたばかりで、ほどなく日本最大の港市になるこの町も漁村に毛のはえたような程度であった。それでも居留地に入ると、仮小屋程度の商館があちこちにできていて、外国人がいる。商品も陳列されておれば、看板もあがっている。

ところが福沢に衝撃をあたえたことは、その文字が一字も読めなかったことであった。

(なんということだ)
と、居留地をくまなく見てまわったが、一字も読めない。
信じられないような話だが、これらの看板が英語もしくはフランス語であるという
ことを、福沢は知らなかったのである。
福沢は、江戸へきたばかりであった。
――大坂の蘭学書生が江戸へくだれば大先生だ。
という意気ごみで江戸へきて、げんに福沢が接触したかぎりの大家といわれる江戸
蘭学者は二十五歳の福沢の実力にとうていおよばなかった。福沢は、江戸にきて早々、
江戸の語学界を征服したつもりになっていた。
この自負心のつよい、江戸随一の洋学者をもってひそかに任じたばかりのこの青年
が、本場の横浜へきてどの看板も読めなかったという衝撃は察するにあまりあるであ
ろう。
「洋学」
というのは、蘭学のことであった。このことは当時の日本人があたまからきめこん
でいる概念であり、福沢でさえそうであった。オランダはえらい国だとおもっていた。
そのオランダの語学と医学、生理学または化学や数学を身につけた福沢は、地球のこ

とはなんでもわかっているような気になっていた。

ところが、実際に横浜へきてみると、オランダ語の看板などはどこにもなく、オランダ語をしゃべっている外国人もいなかった。それどころか、見たこともない外国語でこの外人村が一色にぬりつぶされているのである。

実情でいえば、横浜にはこの時期オランダ人はほとんど来ていなかった。たとえその商人がきていても、オランダの習慣により、貿易上の言語はかれらは英語を用いていた。たとえオランダ人の店があったとしても、その看板は英語であった。

そのことすら、福沢のような卓抜した洋学者でも知らなかった。

このことは、福沢にとって、よほどの衝撃だったらしく、半日歩きまわっただけで宿もとらず、その足で江戸へむかって帰っているのである。

前夜江戸を発ってから、不眠不休で歩いてきた。前夜江戸を発ったのは夜の十二時で、江戸の築地鉄砲洲の藩邸にもどったのはそのあくる夜の十二時である。

藩邸の長屋へ帰ると、ひとびとは、

「どうした」

と、そのやつれきった顔をみて声をかけてくれたが、この「江戸一の洋学者」は会《え》釈《しゃく》も返事もせず、だまって自分の長屋へ入りこむなり、ふとんをかぶって寝た。これ

ほど疲れていても容易にねむれず、

（あの看板の文字は何だったのだろう）

と、頭の片すみにそこだけが濡《ぬ》れ雑巾《ぞうきん》に火をつつんだようにしてくすぶっている。

（英語か、フランス語にちがいない）

と、かすかに想像した。正確には英語のことを当時、

「えげれす語」

といった。英というのは中国音のインという音の漢字で、中国人がそう漢字化していたから日本人ものち踏襲した。福沢は、

（これからはえげれす語だ）

とおもった。適塾であれほど勉強し、意気揚々と江戸にのりこんできたこの秀才が、横浜で出端《でばな》をくじかれたというのは、悲惨とも滑稽《こっけい》とも言いようがない。

が、ひるがえって福沢はおもった。

（江戸の蘭学の大家どもはなにをしているのだ）

ということであった。目と鼻のさきに欧米のヒナ形ともいうべき横浜が現出していて、しかもそこに蘭語が一字もなく英語ばかりがはんらんしているということをおそらく知っているのにちがいない。それでもなお驚かないというのは、なんということ

であろう。

(江戸者はほんらい、よほど鈍感なのにちがいない)

と、九州の中津の田舎者である福沢はおもった。田舎者のとりえは、外界に出てきたとき見るもののすべてが驚きであるということであった。精神の躍動というのは、おどろきからうまれるものであろう。

福沢という、この文明に対して稀代《きたい》の感受性をもった人物は、横浜で仰天することによって、横浜というほんの小さな一角から、世界を想像することができた。

——世界はすでに英語が主役なのだ。

と、おもった。

福沢は、せっかく苦心のすえに学びとって、しかも自負心の基盤になっている蘭学というものをすてねばならぬとおもった。

——蘭学か英学か。

という択一になやんだこの時期の福沢諭吉という青年は、おおげさにいえば日本の文明史の潮合《しおあい》に立っていたといっていい。

「蘭学の窓は小さい、英学の窓は大きい」

と、福沢はおもった。極東の島の閉鎖社会にいる日本人にとって、たとえばヨーロッパ諸国とちがう点は、自分の居住国は地理的にも政治的にも一種の牢屋《ろうや》であることだった。文明世界を見るには、窓を切りあけねばならなかった。窓はより大きい窓がのぞましい。福沢に象徴される日本人のおもしろさは、ためらいもなく大きな窓をえらんだことである。

ただ福沢にとってこまったことに、かれが武士として所属している中津藩は、かれにオランダ語教師であることのみを期待していることである。

それはいい。

さらに福沢がこまったのは、英語を知っている人物が、江戸に居そうにないことであった。ききまわっているうち、

「長崎通詞に森山多吉郎という者がいて、これは英語もできる」

ということを知った。さいわい、森山は条約締結やら横浜開港やらの通訳事務のために江戸に出てきていた。小石川金剛寺坂に住んでいるという。福沢はさっそくたずねてみた。鉄砲洲の藩邸から水道町まで二里あまりあった。

ところが森山の多忙さは、非常なもので、ああ教えてやろうといってくれたものの、森山が福沢を相手にしている時間というものが、ほとんどなさそうであった。この塾に、小生意気な小僧がいた。森山はこの小僧をひきあわせて、

「この男を塾頭にしてある。この男から初歩をお学びなさい」

と、いってくれた。

それが、福地源一郎（桜痴《おうち》）である。福地は長崎のうまれで少年のころからオランダ語をまなび、このころ江戸に出てきて同郷の森山について英語をまなんでいた。ついでながら福地はその後語学をもって幕臣にとりたてられたり、明治後は新聞を発行したり、吉原で遊蕩《ゆうとう》したり、大蔵省役人になったり、また新聞にもどったり、それもやめて作家、劇作家になったりして、才にまかせて食いちらしの一生を送ってしまったが、この福沢が森山邸をたずねたとき、福地源一郎は十八歳であった。

「福沢さんには、森山家ではじめて会った」

と、福地はのちのちまで語っていたが、しかし福沢はこの小僧から英語をまなぶ気がしなかったらしく、森山そのひとに直接学ぼうとした。何度も通ったが、森山はつねに不在で時間がなさそうであった。

福沢はついに、独習を決意した。さいわい人にたのんでホルトロップという人の蘭英辞典を横浜で買ってもらい、この辞典一冊をもとにして英語に入ろうとしたが、しかしこういうものには仲間が必要であった。福沢はここではじめて村田蔵六をおもいだすのである。

福沢諭吉が蔵六をたずねたのは、この年の晩秋で、朝から雪まじりの雨がふる日だった。

この年といったのは、安政六年のことで、蔵六が長州藩に出仕する前年である。鳩居堂の塾へ蔵六をたずねて行った。

福沢は、御徒士《おかち》がよく用いる油合羽に笠《かさ》といった雨装束で、その合羽を鳩居堂の軒下で身から剝《は》ぎ、

「ばさっ」

と、ふってしずくを切った。

たまたま蔵六が外出すべく格子戸《こうしど》をあけて出てきて、顔をあわせた。

「あんただったのか」

と、蔵六は正体不明の表情で福沢をみた。福沢はこの蔵六のこういう顔つきがいつも気に入らない。

——人を懐《なつ》かしがらぬ男だ。

と、福沢はおもっている。福沢というのは武家育ちのくせに喜怒哀楽をはっきり表情にあらわす男がすきで、暗闇《くらやみ》から牛をひきだしたような男が気にくわない。

「たいそう、ご勉強だそうだね」

と、福沢も福沢で、適塾のこの先輩に対し敬語もつかわず、あいさつらしい態度も示さずいきなりこういった。こういうざっかけなさはこの時代の洋学書生によくあるタイプで、二十五歳の福沢はその典型のようなところがある。

蔵六も、どうもこの塾の後輩が気にくわず、

(なにやら馬鹿囃子《ばかばやし》のような男だ)

と、平素からおもっている。双方の性格にとって、たがいに理解できにくい取りあわせであるらしい。

「一別以来、たいそうご繁盛《はんじょう》で」

と、福沢は、蔵六を小馬鹿にしたようなことをいった。福沢は蔵六とは在塾期間でいうと重なりのない後輩で、ただ蔵六が大坂へくるたびに塾へ寄るのだが、そのときに何度か対面している。それに師の緒方洪庵は数多い門人のなかで村田蔵六と福沢諭吉をとくに愛した。福沢に対してはわが子のように可愛《かわい》がった。その福沢に、

「良庵(蔵六)は、もっと勉強したよ」

などと、蔵六のことをよく話す。洪庵は蔵六の人柄を語り、

「一人で酒盛りをしている男だ」

と、意味不明のことをいったりした。げんに適塾時代から蔵六は、一仕事おわった

あとなど、物干へあがり豆腐をサカナにひとり酒をのんでいた。

「あなたは、奥平様の鉄砲洲のお屋敷にいるそうだな」

と、蔵六はいった。

福沢はそれには返事をせず、じつは英語を学ぼうとおもっている、辞書だけはやっと手に入れた、ところが一人じゃ学べぬからあたしと一緒にやる気はないか、といった。

「えげれす語」

蔵六はつぶやき、雨を見た、ややぼう然とした表情である。

福沢は、入手した辞書について語った。蘭英辞典で発音もついている、こいつは五両した、と福沢はいった。

「なにしろ五両は大金だ」

江戸に出てきたばかりの福沢には、とても工面しがたい金である。だから藩から出してもらった、と福沢はいった。

「すると、中津藩の辞書でやるのかね」

蔵六は、気分がうごかない。

気分がうごかないため、なにがしかの理由を見出《みいだ》して福沢の誘いから逃げようとした。その理由づけとして、中津藩の辞書でやるのはあんたは中津藩士だからよろしいが私のほうはこまる、というひどくケチなことをいってしまった。こういうあたりに、蔵六の気質的なナショナリズムというものが、ついうごいてしまうらしい。

福沢は、大声をあげた。

「なんと料簡《りようけん》のせまいことをいうのだ。学問をするのに中津も宇和島も長州もあるものか」

(それもそうだ)

と、蔵六は心中降参するおもいだったが、面つきだけはむっつりしている。

「ともあれ」

と、蔵六はいった。

「私は、なにもそのようにしてまで英書を読む必要はあるまいとおもう。大事なことはたいてい蘭人が翻訳している。蘭書でもって十分ヨーロッパを知りうるはずだ」

福沢もちょっとそういうことは考えていたので、それも一説だ、といった。

「しかし横浜へ行って、おどろいたのだ。英語一色で塗りつぶされている」

その実感が、福沢をゆりうごかしたのである。この点、蔵六は横浜を見ていないため、福沢に対抗するのは理屈でしかない。

その理屈も福沢の「目撃者」としての熱気に押されてきて、かぼそくなってきた。あとは蔵六としては威張るしかない。蔵六は福沢の先輩であり、蘭語の解読力は福沢よりすぐれている。それだけを頼りに、

「なににせよ、私には英語は不要だ。私は必要次第、蘭書に翻訳されたものを読むからよろしい」

と、福沢の自伝にいわせると、ひどくいばった。

「そうかえ」

福沢はもう蔵六には用がない。合羽を着、笠をかぶり、笠の緒をむすぶと、雨のなかを駆けだして行った。

福沢はこのあと、緒方塾で一緒だった原田敬策という人物を訪ねている。原田は岡山藩の出身で、このころ幕府にやとわれ翻訳のしごとをしていた。維新後一道とあらため、陸軍少将、退役後貴族院議員などをつとめた。

この原田敬策は大いに賛成し、福沢とともに英語解読の勉強をすることになった。余談ながら、はじめて英語が読み書きできてほぼ会話が通じるようになった最初の人物は、やはり桜痴・福地源一郎かもしれない。

福地は、なにが専門かわからないほどの稀代の才物であったが、かれが世の中へ出

た最初は、語学少年としてであった。すでにオランダ語の下地があり、英語を、長崎通詞のあがりで通商条約締結についての外交事務のために江戸にいる森山多吉郎にまなんだことはすでにのべた。

本来、森山をもって英語学びの最初の人物とすべきかもしれないが、森山の専門はオランダ語であり、英語は余技として独学した。日本人が漢文を学ぶように、森山は書物から英語をまなんだ。そのためしゃべるということができなかった。

「おまえは、だから中浜万次郎についてしゃべることを学べ」

と、森山は福地にすすめ、中浜のもとに通わせた。福沢が英語学習を志した安政六年のことである。

森山のいう中浜ほど、この時代の日本人でロマンに満ちた前歴をもった者はいない。かれはこのとし三十二歳、堂々たる幕臣で外国方に出仕していたが、その出身は土佐の片田舎の漁夫で、姓さえもっていなかった。天保十二年、十四歳のとき沖合いで嵐にあって大洋を漂流し、その後アメリカの捕鯨船にひろわれ、その船長から初等教育をうけた。転々して嘉永《かえい》四年二十四歳、琉球《りゅうきゅう》まで送りかえされたときは日本語をほとんどわすれていた。

その後中浜の身にはさまざまなことがあったが、時勢は日本でただ一人英語のしゃべれるこの聡明《そうめい》な人物をすてておかず、幕府に召し出されたのである。

福地は、この中浜からしゃべる術をまなんだ。福沢諭吉が小石川金剛寺坂の森山家をたずねたころ、福地は森山の家に住みこみつつ中浜家へかよっている時期であった。福地は江戸へ出てすぐ吉原の妓楼《ぎろう》へゆき、一日で遊女言葉をおぼえたほどの男であったから、すぐ英語がしゃべれるようになった。

これにひきかえ、独習を覚悟した福沢諭吉のほうは、活字から英語に入った。ところが蘭英辞典一冊をたよりに独習してみると、その文法はオランダ語とほぼおなじであることがわかり、

「はじめは多年学んだオランダ語を捨てるという悲痛な覚悟でかかってみたのだが、文法がほぼおなじだということがわかり、大いにうれしかった」

と、福沢と一緒にそれをやった原田敬策がのちに語っている。

さて、蔵六のほうである。

蔵六は福沢の申し出をいったん蹴《け》ってみたものの、そのあと考えこんでしまった。

年があらたまって、蔵六が長州藩の麻布藩邸で住むようになってから、適塾の同窓の原田敬策がたずねてきた。備前なまりまるだしの闊達《かったつ》な男である。

「村田さん、英語をやらんかな」

と、それをすすめにきたのである。

「福沢と一緒にやりはじめたが、あれはごく簡単なものだ。オランダ語の素地があれば、あとは言葉と発音をおぼえればよい」

「うむ」

蔵六はじつはその気になっている。じつは去年、福沢の提案をにべもなく蹴ったが、そのあとイネのことで横浜へゆく用事があり、出かけてみるとなるほど英語がはんらんしている。

「村田さんも、それを見ましたか」

原田は、身をのりだしてきた。

「うむ？」

蔵六は、だまった。蔵六は元来福沢とちがい保守的な性格であるため、あたらしいものに対して新鮮な思いよりもむしろ嫌悪《けんお》感がさきだつ。かれは自分がどうしようもなく日本人であることにむしろ美を感じている男であり、さらに自分の脳中にあるオランダ語世界というものにそれに次ぐ愛情を感じていた。

「私は福沢のようには動揺しない」

と、蔵六はいった。英語世界のことはオランダ語翻訳で読めば事が足りる、いまさら世話になったオランダ語をすてて英語に鞍替《くらが》えするのは男子として節の無いことだ、とそういう妙な場所で力《りき》む性格の男なのである。

が、福沢が、「これからは英語だ」といって、未踏の世界に対するいきいきした好奇心を示した顔つきが、年を越してもわすれられない。いまもそれを考えつづけている。

「高野長英はえらい」

と、蔵六は急にいった。その理由は、英国のおそるべき勢力を、すでにアヘン戦争の前に長英は予見し、ひとびとに説いたことである。これは先覚者である、と蔵六はいった。

「福沢も」

と、蔵六はいった。

「ひとの顔を逆さになでるような精神があるが、あの男は先覚者の心をもっている」

――わしは残念ながらそうではない。

と、蔵六はにがい表情でいうのである。この表情のにがさは、蔵六が自分とは何者であるかという評価を、自分なりにつらくくだしていることから来ているのであろう。

「が、英語はやってみよう」

と、蔵六はいった。原田はおかしがった。

「福沢さんに負けましたな」

「負けたどころか、こういうことではあの男とはとても勝負にならない。しかし、師匠がいますか」

「いや、それでやってきたんです。ヘボンという人がアメリカからやってきて、横浜で施療をやっています。きけば、変人だそうですが」

と、原田は勢いこんでいった。

——オランダ語から英語へ。

というこの安政六年（一八五九）と翌年の万延元年にかけて、日本史そのものが近代への入口に立ったせいか、なにもかも灰神楽《はいかぐら》が舞いたつようにどたばたしている。横浜が開港されたかとおもうと、もうその翌万延元年正月十九日には、遣米使節をのせて軍艦咸臨丸《かんりんまる》が江戸湾を出航してしまっているというぐあいであった。

「これからは英語だ」

と、数カ月前にあれだけさわいだ福沢諭吉がその直後うまく運動して、この咸臨丸にもぐりこんでしまっているのである。英語の本場の一つであるアメリカへじかに行ってしまえば学ぶ機会が多い。このあたりが、福沢という人の蔵六とちがう点であった。福沢には、先覚者らしく時代に対する運動神経の機敏さというものがあった。蔵六は先覚者といっても、郷土意識（ナショナリズム）がつよすぎるのである。

福沢にはそういうものがとぼしく、

「私は幕府の禄《ろく》を食《は》んでいるが、忠誠心の必要はない。語学という技術でやとわれているだけだからね」

と大胆にも放言したことのある福沢は、自分の母藩の中津藩に対しても感傷の心はもっていない。とにかくこの時期の福沢にとって必要なことは、世界の中心にとびこんでその仕組を知ることだった。それはつまり英語へ転換することである。時代に敏感な、といっても、便乗家ではない。

「そろそろ西国《さいごく》のほうがおもしろそうですよ」

と、後年、恩師の緒方洪庵未亡人が江戸で福沢にすすめたことがある。西国というのは薩長土《さっちょうど》を中心とする反幕勢力のことで、洪庵の門人は幕府と反幕との両方にわかれてたがいに近代化のためにつくしていた。洪庵未亡人がこういったこの時期、「西国」のほうにはたとえば蔵六やらのちに赤十字をはじめた佐野常民《つねたみ》らがいる。幕府のほうには福沢や箕作秋坪《みつくりしゅうへい》、大鳥圭介《けいすけ》らがいる。

が、福沢は即座に、

「私は首をもがれても西国勢の攘夷《じょうい》のお供はできません」

と、いった。そのころ薩長土は本心はどうであれ、攘夷を政治スローガンにして幕府をゆさぶっていたのである。

ともあれ、福沢は咸臨丸でさっさとアメリカへ行ってしまった。一緒に英語をやろうと福沢からさそわれてともにやっていた原田敬策は置きすてられた。原田はあっけにとられたらしいが、ともかく勉強の相棒が要るので、蔵六のところへやってきたのである。

なににせよ、時代も人もいそがしくなっている。蔵六も、以前の気持とはかわった。

「では、横浜へゆきますか」

行って、原田のいうアメリカの偏屈おやじであるヘボンにつこうというのである。

蔵六は幕府の外国方へ行って、

「横浜に、ヘボンというアメリカ人はきていますか」

と、きいてみた。この時期、外国方は、条約事務やら関税事務やらでじつにいそがしい。が、幕府の講武所教授の村田先生がそうきいてきたので、横浜のアメリカ領事館に問いあわせてくれることになった。

ほどなくわかったことは、

「James Curtis Hepburn」

という人物である。

（英語では、これでヘボンとよむのか）

と、オランダ発音だけでヨーロッパ語を知っている蔵六はふしぎにおもった。

しかしそれにしてもヘボンは妙であろう。横浜でヘボンの施療をうけている庶民が、いつのまにか、

「ヘボン先生」

というようになって、それが通り名になってしまったらしい。ヘバーンもしくはヘップバーンというべきであろう。ヘボン博士の曾祖父《そう》サムエル・ヘップバーンは、アイルランドからアメリカに移住した。ヘップバーンという、のちに高名な映画女優をも出すこの姓は、元来アイルランドの姓であるらしい。もっともヘボン博士は自分を日本風に、

「私はヘボンです」

と、名乗っていた。平文と書いたりした。のちにヘボン式ローマ字などといったかたちで日本ではこの通称が正式なものになった。

ヘボンというのは、ペンシルヴァニア大学医学部を出た医師である。伝道を志してシナへ行ったこともあるが、妻が病気になったため帰米し、やがてニューヨークで開業した。最初は小さな病院であったが、そのころアメリカでコレラが二度にわたって大流行したことがあり、ヘボンはその治療に熟達していたためたちまち繁盛し、かれが日本に渡ろうとしていた時期はニューヨーク第一の大病院になり、院長であるヘボン自身はニューヨーク市内に三つの邸荘をもつまでになり、百万長者の生活をしていた。

そのヘボンが、それらの盛行中の病院と財産をすべて整理し、

「日本に渡ることが、私たち夫婦にとって最大の善である」

として、開港早々の横浜にやって来、貧寒たる古寺を借りて貧民施療をはじめたのは、どういうことであろう。

元来、キリスト教は仏教とはちがい、単純勁烈《けいれつ》な善への志向とその行動力をもっているが、この当時のアメリカ人の理想主義にはとくにそのにおいが濃い。ヘボンとその妻クララがその日常の豊かさから大飛躍して、伝道医になり、開国当時の極東の未開国（とかれらは思っていた）へゆこうとしたのは、仏教徒にとってやや理解しがたい、善というものへの強すぎる欲求というほかない。

蔵六は幕府に対し、

――英語を学びたい。

という申請書を書いた。

かれは長州藩士の身分のまま幕府の洋学機関の教授を兼ねているため、こういうことはすべて幕府の許可が要った。まして夷人《いじん》に接触するについては、である。安政通商条約がむすばれたとはいえ、国内法としての鎖国社会は厳として存在している。勝手に夷人に接触することはゆるされなかったのである。

「それは結構なことだ」

と、おどろくべきことに、幕府のたれもがこれに反対しなかった。とくに洋学教授たちが積極的に賛成した。かれらはみなオランダ語だけを専門としているが、自分の語学ではもはや世界の文明が把握《はあく》できないということをたれよりも敏感に知っていた。

それに幕府としては実務面でこまりぬいている。横浜に外国公館や商館ができた。これらとの接触に、日本側はオランダ語をつかったが、それには二重通訳が要った。さしあたって横浜の運上所（税関）の事務にさしつかえがあった。

「それはなんとかしよう」

と、この当時外国方の重役であった水野筑後守忠徳《ちくごのかみただのり》が、老中に説くことになった。

外国奉行といえば、外務省の次官か局長に相当する。老中とは大臣にあたる。たかが蔵六が英語をまなぶということに幕府組織の頂点にちかいあたりまでうごかねばならぬところに、この時代の奇妙さがあった。

——攘夷浪士が襲撃すまいか。

ということである。

幕府としてはこのさい数人の秀才をえらんで英語を学ばせたい。となる以上、幕府の正式の委託学生になるわけだが、そうなればこれは国内問題を誘発するかもしれない。

「幕府が、夷人のところへ武士たちを通わせている」

ということで、攘夷浪士がそれをききつけて血祭りにあげようとするであろう。国々が相接しているヨーロッパ人からみればじつに滑稽《こっけい》な現象であろうが、

「攘夷」

というものは、極東の孤島にいる日本人にとって永遠の正義なのである。幕府の高官も洋学の必要をみとめその方向に旧習をすこしずつあらためてゆこうとしつつも、しかし本性は攘夷主義者であった。洋学出身の開明的な幕臣でさえその内心には大半攘夷気分をひそめており、堂々と、

「開国が正義で、攘夷は正義ではない」

と公言できた幕府政治家は幕末までついにひとりも出なかった。みな、世論をおそれた。世論は攘夷であった。もし幕府が堂々日本開明化を表明すれば、全国の攘夷志士はむらがり起って、国内は収拾のつかぬことになるにちがいない。攘夷は、暴力をともなう。その暴力に対し、蔵六ら英語学習生をどう保護するかということに、幕府の高官たちは腐心したのである。この開明という現実主義と攘夷という壮烈な非現実主義の戦いは、日本にあってはこの時代だけでなく、ほとんど体質的な持病といっていい。


ヘボン博士とその妻が住んでいたのは、成仏寺という荒れ寺だった。

かれが横浜に上陸したのは安政六年十月十八日の真昼であったが、上陸するとすぐ米国領事のドールを訪ね、来日の目的を話した。

「あなたは変った人だ」

と、ドールがいったという。変っている、というのは、かれがニューヨークでもっとも繁盛《はんじょう》していた病院を閉じて日本にやってきたということだけでなく、ドールのいうには日本は安政条約により外国と通商をおこなうことになったがしかしキリスト教を伝道することについての可否はその条約に書いていない、書いていないということは、すなわち日本の徳川皇帝代々の国是であるキリシタン禁制の法が解けていないということである、その日本で伝道することはじつに危険であるが、その危険をすすんでおかすとあなたはいうのだから自分としてはなんともいえない、ただできるだけの保護だけはする、といった。

そのとき、ドールは宿舎の世話をしてくれた。それが成仏寺だった。境内に墓地と鐘つき堂があり、本堂はわらぶきのいかにもきたならしい寺で、ヘボンはこの本堂にガラス障子を入れたりして、住んだ。

その身辺は、最初から刺客《しかく》とスパイがつきまとっていた。下僕の一人はどうやら幕府のスパイらしく、また横浜の運上所から「保護のため」と称してやってくる幕府の下役人もどうやらスパイらしい。

のち、ヘボンの妻クララが外出から帰る途中ちょうど成仏寺の門前にさしかかったとき、暴漢がおどりかかって棍棒《こんぼう》をふりあげて彼女の肩をしたたかに打った。彼女は昏倒《こんとう》し、かけつけた下僕によって運ばれ、夫の治療をうけたが、この事実はヘボンによっていっさい秘密にされた。日本人との仲がわるくなることをこの神の命による善行家はおそれたのである。

へボンの治療は、無料であった。

「ことごとくみな施し療治なり」

と、のち岸田吟香《ぎんこう》が書いている。

蔵六がへボンのもとにゆくようになった万延元年七月、神奈川村の名主が神奈川奉行所の命で提出した「異人聞書」によると、来日一年後のヘボンの様子がややわかる。

「アメリカ国の医者ヘボンと申す者、日本の言葉すこしくおぼえたるおもむきにて、日本人に会えば片ことまじり、いろいろ手まねしてははなはだおかしく見受けます」

と、巧みな文章でかかれている。ヘボンは日本語習得にやっきになっていた。

このころ、漁師の仁介という者がいた。眼病をわずらって洲干島弁天にお百度参りしていたが、たまたま道でヘボンに出会った。ヘボンは仁介を成仏寺につれてかえり、わずか一点の目薬をさしてやるとたちまち痛みがとまった、とその「異人聞書」にある。

「仁介、泣いてヘボンの恩を謝し候《そうろう》。じつにめずらしき異人に候」

この評判で、ヘボンの医術とその人柄の評判が横浜一帯につたわったらしい。

蘭語の日本から英語の日本へという、この国の歴史の上での重大な折り目に、蔵六はひょっこり立っている。

「おれは歴史の先覚者だ」

とは、この男はとてもおもわなかったであろう。そういう思いあがりは、蔵六にはまったくなかった。かれは自分を天才とも思っておらず、ただの技術者だとおもっている。英語についても、

――自分の技術（蘭語）が、古くなった。

というだけで、あたらしい技術（英語）を学ぼうとしていた。この男がなぜ、天才大村益次郎《ますじろう》になるのか、奇妙なほどであった。

かれは江戸・横浜間を毎日通った。すべて日帰りであった。これを二年つづけた。麻布屋敷を暗いうちに出るのである。歩いてゆけば、福沢がそれをやったように往復だけで一日の時間がなくなってしまう。蔵六は原田の提案で、思いきって馬でゆくことにした。

「私は馬には乗れません」

と、蔵六は最初はこの提案に閉口した。武士の子なら、十代のときかならず馬術というものを学ばされている。原田敬策は岡山藩士の家にうまれたから、馬に乗れた。そのうえ蔵六はとびきり無器用で、二、三度乗ればなんとか尻《しり》のほうが馬に馴《な》れる

長州藩邸から借りた。馬は、

「なあに、馬丁をやとえばいいんです」

と、原田はその支度をぜんぶしてくれた。馬は、長州藩邸から借りた。


という男ではなかった。

「なあに、馬丁をやとえばいいんです」

と、原田はその支度をぜんぶしてくれた。馬は、長州藩邸から借りた。

「変なかっこうだ」

と、藩邸の中間《ちゆうげん》が笑いをこらえるのにこまったというほど、蔵六の馬上姿は滑稽だった。上体がつい馬の首にしなだれかかってしまうし、馬の足なみに蔵六の尻があわず、馬が歩くたびに蔵六の尻は一高一低した。蔵六の馬は、犬のような歩き方で歩いた。

原田敬策は、口取りをつけていない。堂々と乗りこなしている。沿道のひとびとが蔵六を見て笑っているのが原田にはたまらなくはずかしかった。

（こまった人だ）

と、この先輩をおもった。もっともこまっているのは蔵六のほうだった。かれは二年間、馬をのりつづけてついにものにならず、のちに大村益次郎として討幕の総司令官になったときも、他の士官は馬に乗ったが、かれだけはトボトボと歩いて行軍した。

「私は英語を学ぶために馬にのるのです。馬術を学ぶために乗るのではありません」

と、原田にいったことがある。

明治後、原田は述懐して、

「あの村田さんが、不世出の名将であったというのはまぎれもないことだが、あの江戸・横浜往復の姿からどうにも理解できない。人間の才能というのはどこにあるのか、じつにわからない」

といったという。

ヘボンは、蔵六たちを、

「幕府の高官の子弟」

として理解していた。蔵六はすでに三十を越えているのだが、若くみえたらしい。のち蔵六たちの人数がふえて、九人になった。みな江戸から馬に乗ってやってきた。

ヘボンは、はじめは数学から教えてゆこうとした。数字のよみ方から教えた。

「にぶいこわばった日本人の口に、正確な発音をおしえることはどんなにむずかしいことであったか」

と、ヘボンはのちに米国聖公会雑誌に書いている。数字の計算は日本式のソロバンをつかってはならない、とヘボンは教えた。

ところが、ヘボンにとって意外なことは、かれらは英語ができないくせに、数学がよくできるのである。

「かれらはみな、二次方程式をふくむ代数や平面三角法、球面三角法などといったものによく通じていた」

とヘボンが述懐しているように、どの人物もそういうものをスラスラと解くのである。

——極東の野蛮国へゆく。

といって意気ごんでニューヨークを出たヘボンにとって、これは驚嘆すべきことのひとつであった。文明か文明でないかは、西洋人にとってはキリスト教文明をもっているかどうかが基準であったが、いま一つの基準は数学や物理学が普及しているかどうかということであった。それが奇妙な国日本では、神の教えが存在しないのに、球面三角法までこの青年たちはできるのである。

ヘボンはあきれ、つぎのように米国聖公会雑誌に書き送っている。

「実際のところ、アメリカの大学卒業生でもこれら若い日本人を負かすことはできないであろう」

「まったくおどろくべき国民である」

ヘボンは、日本とおなじ条件下におかれたどの国のどの民族でもこういう奇蹟《きせき》はありえない、と書き、そのなぞについて考えこんでしまったらしい。結局は、オランダ語であるとみた。日本には、糸のように細い伝統ながら、ながくオランダ学研究というものがつづけられてきている。そのたまものであるにちがいない、とヘボンは書く。

「蘭学は日本人にとって非常に有用であった」

と、結論をくだしている。その蘭学を日本人はいま捨てようとしており、その尖兵《せんぺい》が自分の前にいる若い日本人たちであるという歴史的な画期性にまでは、ヘボンは気づいていない。ちょうど蔵六が自分の歴史的位置に気づかなかったように、師匠のヘボンもおなじであった。

ヘボンは数学教授をやめ、教授科目は英語にかぎることにした。

「その英語は、長足の進歩であった」

この間、蔵六たちを、攘夷浪士のテロリズムからまもるために多数の幕府役人がついてきていた。その蔵六が、のちに攘夷の総本山の長州藩の軍事面の総大将になるというのは、これまたヘボン流にいえば日本人というものを一筋縄でとらえられないところであった。

っていない。
この間《かん》、天下の風雲は蔵六の頭上や背後でうごいているのだが、蔵六の生き方は変
「長州」
といえば、憂国の藩として知られている。いわゆる雄藩である。万延元年前後まで
は、幕府に対する野党的勢力の中心は水戸藩であった。次いで薩摩《さつま》藩であった。その
水戸藩が藩内の思想的対立から政治的内紛をおこし、分派から分派がうまれ、派閥が
たがいに他を殺しあうような泥沼におちいったため、時勢をうごかす力をうしなった。
その水戸藩のあとを相続したのが蔵六の、
「長州」
である。長州藩にはたしかに水戸志士たちの相続者としての意識と事実があった。
万延元年の夏ごろ、桂《かつら》小五郎などはしきりに水戸藩の連中と接触し、そのイデオロギ
ーを継承しようとした。

「水戸の御隠居」

といえば、この当時の憂国家たちにとって半神的存在であった。水戸藩主徳川斉昭《なりあき》のことである。斉昭は当時の流行思想であった尊王攘夷《そんのうじょうい》の先唱者で、その謀臣としてはこの当時天下の最大の思想家とされた藤田東湖がついていた。その東湖も安政大地震（一八五五）で圧死し、斉昭も井伊直弼《なおすけ》の安政ノ大獄で謹慎せしめられ、ほどなく死んだ。このあと藩内に大内紛がおこってついに維新成立まで藩としてのエネルギーをうしなうのだが、そのあと、それまで平凡な列藩にすぎなかった長州藩がにわかに時勢の電磁力を帯びたようになって登場する。

蔵六の長州出仕のころであり、さらに蔵六の英語習得のころでもある。

万延元年の暮になると、

「いよいよ幕府は村田蔵六を幕臣の列に加えるかもしれない」

という風聞があった。蔵六は長州藩に士籍をもちつつ、幕府機関の教授であった。

「蔵六をとられてはこまる」

という意見が、江戸藩邸に高まり、桂小五郎をして蔵六に説かしめた。幕府教授であることをやめてくれ、ということである。虫のよすぎる話であった。蔵六を発見したのは宇和島藩であり、次いで幕府である。長州藩は蔵六に対する世間の評価を知ってから騒ぎ、蔵六を宇和島藩からひきぬいた。いままた幕府からひきぬこうとするのである。

「わが長州のためです」

と、桂は、蔵六の心情に訴えた。これが、豊前《ぶぜん》中津藩士である福沢諭吉なら頭からことわるであろう。が、蔵六は桂のいう、

「わが長州」

ということばに情感を大いにゆすぶられた。このあたりが福沢とのちがいであった。蔵六は福沢以上に冷徹な頭脳をもちながら、自分の故郷や故郷の藩というものにだけはどう仕様もない情念をもっていた。

「どうぞ、よろしきように」

と言い、この年の暮、長州へ帰るという名目で幕府機関から身をひいた。翌万延二年正月、幕府から蔵六に対し銀十枚の骨折り料（退職金）がくだったが、このとき蔵六は身をひくための長州ゆき旅行の途上にあった。

要するに長州藩は、村田蔵六が惜しくなった。

——かれを藩地に匿《かく》してしまえ。

というのが、蔵六に対する帰国命令の裏の理由であった。

いまひとつの理由は、長州藩における科学教育制度を、蔵六をしてつくらしめることにあった。同時代、おなじ極東にある中国や朝鮮ではなお儒教という形骸化《けいがいか》された思想と、道教という民間習俗のなかで、いわゆるアジア的停頓《ていとん》をつづけていたが、日本のみは産業革命がまきおこした世界史的な変動の波に乗ろうとしていた。福沢諭吉が後年いった「脱亜論」はすでに万延元年前後の日本の現実であった。

幕末日本のおもしろさは、

「攘夷」

はあくまでも公論としてかかげられており、それも単にたてまえだけでなく、民間在野のエネルギーに火をつけ、民族的自覚をたかめようとする役割をも果せていることであった。こういう「攘夷論」の裏表の効用は、たとえば毛沢東といった一人の指導者が考えたわけでなく、ごく自然にできあがり、ごく自然の効用を果した。しかもこのように、

「攘夷」

が看板である裏側では、攘夷熱心な藩ほど自分の藩を産業革命化しようとしたことであった。もっとも例外は攘夷先唱の栄誉をになった水戸藩で、これは攘夷だけでおわり、藩の洋式化は遂げられなかった。

薩摩藩と佐賀鍋島《なべしま》藩はもっとも先進的で、薩摩藩のごときはこのときすでに小規模のダムをつくり、電気をおこし、銃砲をつくるための旋盤その他の工作機械ももっていた。佐賀鍋島藩では銃砲工場だけでなく造船所をもち、小さな蒸気船の製造はおろか、たいていの艦船の修理もできた。

この点、長州藩はやや遅れた。まず、教育からはじめようとした。蔵六が長州に帰国させられたのは、そのためであった。

蔵六は、数カ月滞在した。そのあいだに萩城下に一大藩立学校をおこした。

「博習堂」

と名づけられた。博習堂には語学習得コースというものが別科としてあったが、本科生に対してはいっさいを翻訳書で教えるという点で他藩よりも画期的であった。教授内容はおもに西洋兵学であった。その教科書のほとんどは蔵六が翻訳したものであった。

物理、化学、数学、天文学といった基礎科目から、小部隊戦術から大軍の戦術、野戦築城術や、砲兵科では弾薬製造術、射撃術から弾道学までおしえるようになっていた。蔵六の仕事はその教授にあるのではなく、学校と教科制度をつくるにあった。

いずれにしても、洋式の学問や技術が、原書によらずに日本語の教科書でおこなわれるようになったのは、おそらく蔵六がつくったこの長州博習堂が最初であったようにおもわれる。

ここで、大坂に住む緒方洪庵《こうあん》の運命に変動がおこる。

「江戸へ出て、奥医師になれ」

という幕命がくだったのである。

洪庵にはその気はまったくなく、

——病弱でございますので。

と、再三ことわった。

奥医師とは将軍家の侍医のことで、医道にある者にとっては最高の出世であり、その身分の高さは雲の上の人といってもいい。

「法眼《ほうげん》」

という位がつく。ふるくは僧の高位の者にあたえられた位だが、後世、天子や将軍の侍医にもあたえられた(宮廷や将軍家の絵師などにもあたえられる)。この法眼の身分は高級の旗本や小さな大名に匹敵するほどのものであった。

世間ではこの奥医師のことを普通、

「お匙《さじ》」

と尊称する。お匙は頭をまるめ、その外出には十人ばかりのお供がつく。侍が二人、それに槍《やり》持ちが一人というのは高級な旗本とおなじだが、薬箱持ちが一人つく。ほかに挟箱《はさみばこ》持ち、かごかきが四人。

洪庵は、その出身藩である足守《あしもり》藩からわずかな扶持《ふち》がとどけられていたから士分の身分にあったが、しかしかれの実質的な生活は大坂の町ずまいで、町人医であった。髪も長くしてうしろに掻《か》きあげている。奥医師になるにはまずそれを剃《そ》らなければならない。洪庵は風邪をひきやすい体質であった。頭をまるくするというだけでも、洪庵は奥医師がいやであった。

それに、奥医師になれば生活を二千石ほどの旗本の体裁にしなければならない。右のように侍二人以下を召しかかえねばならないから、非常な出費であった。第一、法眼の位につかねばならない。なるほど法眼は尊貴な位だが、江戸時代、大名や旗本が位官をもらうというのは、お礼の金が要る。形式は幕府が朝廷に奏請して大和守《やまとのかみ》とか越前守とか法眼とかをもらうのだが、無料ではなく幕府へ金を出すのである。幕府はその金を朝廷へもってゆく。江戸時代の朝廷は、そういうものが雑収入のおもなものであった。朝廷はそれでいいが、洪庵としてはそれだけでも最低百両の金は要るのである。

非常な出費であった。

その上、人間の一生はなにげなくすごすこともできるが、鮮明な主題のもとに生きてゆく人もいる。洪庵はそれであった。

洪庵は大坂で医業をひらきつつ、多数の（通計三千人になるであろう）門人をとりたてて、蘭学をおしえ、西洋医学を普及することをもって天職と心得ていた。かれの天職という観念は、中年をすぎてからいよいよ透徹し、それ以外に余念がなくなった。それが、急に幕府権力の要請で、別な人生を歩まねばならなくなるのである。

洪庵は大坂で二十五年、自由な暮しをし、もう五十二歳になった。いまさら他の強制によって自分の人生を変えたくない。

このため、洪庵は気鬱《きうつ》になった。それも健康にさわるほどに重症だったらしい。

一個の人間の血統というのは儚《はかな》いもので、史上の天才や奇矯《ききょう》の士というものは多くは一代でほろびている。四代や五代もつづくということはまれな例に属するであろう。

そういうまれな例の一つとして緒方洪庵の血流はいまも栄えている。そのなかで洪庵の伝記につよい関心をもちつづけておられるのは曾孫《そうそん》緒方富雄氏で、東京大学医学部教授を昭和三十八年に停年退官されてから本格的にその伝記執筆に手をつけられた。

『緒方洪庵伝』（岩波書店）がそれだが、この伝記のなかに、洪庵が大坂を去って江戸へくだらざるをえないくだりがある。著者に洪庵自身の憂鬱が移入したかのような行文で、書かれている。

そこに、この当時長崎で医学修業中の二人の子供にあてた手紙が引用されている。私はこの手紙を見たことがないため、著者に無断ながら、その要旨を孫引きさせていただく。ただし、勝手ながら口語風に直訳する。

「……病弱の体質の上、私は老いてもいる。苦労の至りである。ことにひさしく住みなれた土地を離れるということは、経済においてもはなはだ不勝手である。実に世にいう有難迷惑なるものであるが、しかしながら道（医道）のため、子孫のため、討死の覚悟に罷《まか》り在り候《そうろう》」

洪庵という人は天性名利《みょうり》の心に薄い人柄だけに、奥医師になるという大栄達については、あまり心が湧《わ》きたたなかったらしい。大坂を離れることと、物入りが多くなるということが、老来、健康のすぐれない洪庵にとってむしろそのほうが心にこたえる感じであった。具体的には、長崎や越前大野に留学させてある子供たちの学資仕送りということについても、ちょっと方途がつかぬ思いになっていたのであろう。

奥医師は位官を持った幕臣だけに、家来をおおぜい召しかかえたり、槍、駕籠《かご》、馬、あるいは衣装のととのえが大変であった。奥医師は将軍の脈を見るため平素でも幕臣のなかではもっとも上質の絹服を着るというしきたりになっていた。この点も、大坂で気楽な町住いをしていた洪庵としては、家計上の激変になる。

「それを一時にととのえねばならない」

と、洪庵はこぼしている。もともと呼吸器が弱かった洪庵は健康に自信がなく、

「討死の覚悟」

という、大げさな表現をつかっているが、かれは医師だけにそれは不幸なほどに正確な予感であった。かれは江戸へ行った翌年に病死しているのである。

洪庵は、歌人としても調べの美しい歌をよんだことについてはすでに触れた。大坂を去るにあたっての歌は、かれ一代の作品のなかでも第一等のものであろう。

よるべ（寄辺）ぞと思ひしものを
なにはがた（難波潟）
あし（葦）のかりね（仮寝）と
なりにけるかな

洪庵が江戸へくだるべく大坂を発《た》ったのは、文久二年八月五日である。

「良庵（蔵六）とは、江戸で会えない」

と、洪庵はそれが淋《さび》しかった。せめて福沢と会えるだろうか。福沢が渡欧していることは、かれの手紙やらまわりの者からのうわさでくわしく知っていたが、洪庵が出府するまでに帰国するのではあるまいか。

——諭吉の英語はものになっているだろう。

と、洪庵はそのことをひどく愉快に感じるというそういうたちの人物であった。洪庵もその一人だが幕末の有識者というものは、その感情生活ですら私情よりも天下のなりゆきごとを先行させて喜憂するというところが濃厚であり、この有識者一般の通癖が、明治維新という文化大革命としても世界史上にない大転換を遂げしめたのであろう。洪庵の私的立場でいえば、かれは蘭学屋であった。愛弟子《まなでし》の諭吉に蘭学を教えて一人前にそだてあげたのだが、その諭吉が巣立つと同時に蘭学をすて、英学にきりかえたことを、洪庵はわがことのようによろこんでいる。日本史上、どの時代にも、この時代ほど公というものが、人の心を支配していた時代はない。

（諭吉はむこうでウエブスターの辞書を一冊買ってきたそうな）

ということも、洪庵は福沢からの手紙で知っている。福沢諭吉は、さきに渡米したとき、サンフランシスコでの二、三カ月間、懸命に英語を学んだ。そして辞書を買った。福沢はこの辞書をウエブストルと発音していた。中浜万次郎も買った。これを持って日本に帰ったのだが、福沢自身の言葉を借りると、

「そのよろこびは、天地間、無上の宝を得たるがごとし。すなわち日本にウエブストル輸入のはじめならん」（明治十年三月三田演説会における演説）

洪庵が江戸についたのは八月十九日の昼さがりで、この日江戸の空は深みどりでいかにも爽秋《そうしゅう》といったような感じであった。

このころ洪庵の門人で江戸で活躍している者は、五十人とくだらない。そのうち十人ほどが、品川で洪庵をむかえた。洪庵は麻布《あざぶ》南部坂にあるかれの藩の足守藩邸に一時おちついたが、この藩邸の門前に数十人の門人が待っていて、洪庵の道中が無事であったことを賀した。

（福沢は、まだ帰っていないのか）

と、そのことだけはやや淋しかった。福沢は幕府の遣欧使節に随行していたため、江戸にはいない。福沢が帰国したのはこの年の暮であった。かれは帰国するとすぐ洪庵をたずねた。夕刻であった。せまいお長屋の玄関で大声であいさつし、上へあがるや、大きな書物をとりだした。ウエブスターの辞典である。

「今後、日本の学問は英学によって旋回するだろう」

と、洪庵は相好《そうごう》をくずしてよろこんだ。

洪庵は江戸についた翌々日、水野和泉守《いずみのかみ》という老中の屋敷に出頭を命ぜられ、奥医師の辞令をもらった。そのあとほどなく西洋医学所頭取をも兼務させられ、下谷《したや》御徒《おかち》町《まち》に屋敷をもらった。

村田蔵六が長州での西洋学教授機関をつくりおえて江戸帰任を命ぜられ、江戸にやってきたのはこの年の十二月の寒い日である。

蔵六が洪庵を、下谷御徒町のその屋敷にたずねたときは、粉雪が舞う日であった。

——殿さまは、お昼寝中です。

と、取次ぎの貧相な男がいった。洪庵が江戸にきて傭《やと》った侍らしい。この種の傭い侍（旗本の家来）をこの当時、口のわるい江戸っ子はサンピンといった。年に三両の給金と一人扶持の手当だということからそういう悪口がうまれたのだが、この時代にはすでに年俸五両ぐらいになっており、渡り者が多い。

「殿さま」

と、その取次ぎがいったのは、旗本のことをそう敬称する。蔵六は異様な気がした。

（洪庵先生が、殿さまか）

あの市井《しせい》の君子人といった人柄から、殿様というような権威的な敬称がぴったりしないのである。

蔵六は、洪庵が昼寝から醒《さ》めるまで、玄関の式台で待つことにした。昼寝は洪庵のくせというより、虚弱な洪庵が自分の健康をまもるための自衛の方法であることを蔵六は知っていた。

やがて洪庵が起きてきた。頭を剃《そ》っておりそのため寒いらしく頭巾《ずきん》のようなものをかぶっていた。寝起きのせいか血色があまりよくない。

「いや、体はわりあいいいんだよ」

と、洪庵はいった。ただ心労が多い、江戸はしきたりのお化けのような所だ、と洪庵はにがい顔でいった。

「うまれついての御直参なら馴《な》れているだろうが、私は大坂の町暮しで気もからだもそのように出来あがっているから、御殿づとめの習慣やら交際やら行儀やらはどうにも適《あ》いにくい」

——長州のほうはどうだ。

と、洪庵はきいてくれた。幸い、長州藩はたかが大名で、将軍家のような堅苦しいことはなく、それに蔵六は御典医ではなく西洋兵学のほうで仕官したから、御殿とは無関係である。

「長州では、まるで京都の宮廷を占領したような勢いだというが、どうかね」

そのとおりであった。この文久二年のはじめごろから長州藩は天下の尊王攘夷の家元のようになり、宮廷に工作して、外国に対して軟弱な幕府に対し、熱狂的な攘夷主義の大旗印をかかげてしまっている。このため、江戸幕府がはじまっていらい死んだも同然だった朝廷が大いに息をふきかえし、幕府の対外政策を頭から否定してかかっていた。その大黒幕が長州藩であり、また京の長州藩邸出入りの浪士たちが、佐幕派の札つきの連中をつぎつぎに暗殺して、京はまるで無警察状態になっている。

「幕府は早晩、たおれるだろう」

洪庵は、政治むきのことを口にしたことがないが、徳川幕府の秩序があまりにも老化しきっていることを江戸にきてはじめて知り、ついそういうことをいった。

この翌文久三年六月、洪庵は死ぬ。

妙な言い方かもしれないが、緒方洪庵が巨人であったということは、かれは自分の歴史的役割が終了したときに死んだ、ということでも、そういえるかもしれない。

かれは奥医師として江戸へきたが、すぐ兼務として西洋医学所頭取を命ぜられた。

この西洋医学所はさまざまな変遷をへてのちの東京大学医学部になる。かりにこの西洋医学所をここだけで徳川医科大学と仮称しよう。洪庵がやった医科大学作りというのはこんにちの目からみれば不完全なものであった。かれのやったことは、大坂の適塾がそうであったように、語学（オランダ語）習得中心の教授法で、のちの医科大学とはややちがっている。適塾の場合と同様、医学教育としては病理学を中心におき、実験で解剖学を教えた。

洪庵の死後、長崎でポンペから、西洋の医科大学における全コースの教授をうけた松本良順が頭取職をひきつぎ、洪庵式のシステムを一変させてポンペ様式をとり、現在の医学教育の源流をつくった。

これによって洪庵のやったことはたとえば福沢諭吉が英語世界へ転向したように一見むだになったようだが、無駄というより史的役割を終えたといったほうがいいであろう。

江戸初期以来、日本人はオランダ語を独習しつづけてきて、その独習系譜の最後にひらいた大輪の花が洪庵であるといえる。洪庵は一度も海外へゆくこともなく、蘭人に接することもなく、日本式に蘭学を学び、開発し、その語学力をもってオランダ医学書や物理・化学あるいは数学書などを読み、読むだけでそれを知るという天才的な理解力をもって洪庵科学をうちたてた。しかもかれは自分の独自の解釈が入ることをおそれ、ひたすらに輸入書物を正統とする態度をとった。これがために適塾の何代目かの塾頭の福沢諭吉が咸臨丸《かんりんまる》でアメリカへ行ったときも、「すでに物理学や蒸気機関の原理をぜんぶ知っていたから工場見学が退屈でたまらなかった」という感想をもつにいたらせ、また村田蔵六が横浜へ行ってヘボンについて英語を学んだときも、ヘボンをして、

「数学についていえば、アメリカの大学卒業生でさえかれらに及ばない」

と感嘆せしめるにいたっている。すべて、洪庵を最後の人とする「江戸式独習科学」の大きな成果であった。

が、その「最後の人」である洪庵が江戸にきたときは、英語時代がはじまろうとしており長崎ではポンペによってヨーロッパ医学教育の移植が成熟しつつあった。洪庵が死んだのは文久三年六月十日であり、江戸滞留はわずか一年足らずにすぎなかった。「討死の覚悟」とかれがいったとおりの結果になった。

洪庵の死は、突如やってきた。

この文久三年六月十日、洪庵は朝から、

「歯が痛む」

と、夫人の八重にもらしていた。八重は洪庵よりも遅れてこの三月に出府していたのである。歯は、よほど激しく痛んだらしい。

「昼をすぎてから出勤しよう」

と、そのつもりでいた。歯痛のほかは一見、尋常の健康状態で、食事もつねのように摂《と》った。日本一の蘭医をもって遇されていた洪庵も、数時間後に自分に死がやってくることを予見できなかった。それは洪庵の能力の問題でなく、医学の進歩の段階がその程度であったことによる。洪庵は結核であった。

昼食をとってから、習慣どおりすこし昼寝をして、午後一時ごろ起きた。

かれは若いころ江戸の蘭学者坪井信道《しんどう》にまなんだが、その遺族からたまたま手紙がきていた。それを、読んだ。

読みつづけているときに、にわかに咳《せ》きこみはじめ、大喀血《だいかっけつ》がおこり、さらに体が波立つように咳き、ものもいえず机に突っ伏せるうち口からも鼻からも多量の血が噴き出し、このため窒息し、ついにその生体に死が訪れた。五十三歳である。

八重は仰天したが、しかし取りみだすことができなかった。この当時、そういう時代であった。死というものについての覚悟が生きる倫理の中心におかれていた時代で、このため八重は家来や女中の手前、鎮《しず》まった行動をせねばならなかった。

「ご門人衆にすぐ報《しら》せますように」

と、すぐ使いを数人の門人のもとに駆けさせた。その数人の門人が、また使者を他の門人のもとに走らせる。江戸には五十数人の適塾出身者がいるのである。その数人の門人のなかに、村田蔵六と福沢諭吉が入っていた。

死とは言わない。

「急病」

ということで八重は報せた。このあたりが、江戸時代の武家のしきたりであった。洪庵の場合は実子が多いため問題はないが、相続者がない場合家がとりつぶされるか、減知になる。いずれにせよ、死とはいわない。

「私は実に肝をつぶした」

と、福沢は『福翁《ふくおう》自伝』にのべている。

「下谷にいた緒方先生が病《やまい》でたいそう吐血したという急使いに私は実に肝をつぶした。その二、三日前に先生の所へ行って、チャンと様子を知っているのに急病とは何事であろうと……」

即刻、福沢は家を駆けだした。そのころ福沢は芝《しば》の新銭座《しんせんざ》に小さな借家をかりて住居兼塾舎にしていた。建物は小さくはあったが、江戸における唯一《ゆいいつ》の英学塾であった。

福沢は芝から下谷まで駆けに駆けた。緒方家にとびこんだときは、近所に住む門人たちはもう来ていて、あとから続々ときた。

蔵六も、麻布から駆け、途中袴《はかま》をたくしあげ、刀のコジリをあげ、仇討《あだうち》のような恰《かっ》好《こう》で駆けた。暑い日であった。

蔵六が到着したときは、福沢諭吉がすでにきていた。箕作秋坪《みつくりしゆうへい》もいた。

「ああ」

と、福沢は蔵六に会釈《えしやく》した。蔵六は無言で福沢の顔をみつめていたが、やがて、

「おなくなりになったか」

と、おそろしいことでもきくようにきいた。

福沢は、うなずいた。

蔵六は座敷へ入り、洪庵の遺骸《いがい》のそばににじり寄った。拝礼したがしばらく頭があがらない。

(先生のご恩に酬《むく》いるところが薄かった)

と、そう思うと涙がせきあげてきて顔は濡《ぬ》れるし、声が悲鳴のようにのどから噴きあがりそうになるし、どうにもならなかった。

隣り座敷で、福沢の陽気な声がした。福沢は洪庵夫妻に実子同然に愛され、かれも

洪庵を慕っていたが、蔵六からみれば福沢は情感の機能がすこしおかしかった。悲しむべきときに大声をあげて陽気にしゃべっている。

——なんだ、あの男。

と、蔵六には福沢の騒がしさがたまらなく、洪庵の遺骸のそばを離れてからも、福沢らのいる次室へゆかず、枕経《まくらぎょう》をあげている僧のうしろへ身を移し、やがて隅の壁に背中をはりつかせた。容貌《ようぼう》が容貌だけに、神仏の番をしている狛犬《こまいぬ》のような風景であった。

蔵六には福沢という男がよくわからない。

——どこか情感の欠如した男だ。

と、つねづねおもっていた。

が、そのことは福沢に対して酷であったろう。福沢は向日性の性格で、どういう場合でも湿った感情を精神に湧かせることをみずから嫌い、たまに出てきてもそれをおさえつけてそれを蹴《け》ころがすような意力の強さがあり、その点で、そういう意味では大豪傑であった。それだけにこういう場では、悲しければ悲しいほど、へらへら笑うところがあった。

蔵六がおもうように、福沢に情感や情愛が欠如しているということはまったくない。

ただ福沢はその情感をつねに知的なものに変質させようと心掛けていた男であり、かれの生涯、その門人に対する態度はそうであった。かれは門人の面倒をときに執拗《しつよう》なほどみたが、その面倒の見方はつねに知的に陽気に処理されていた。

福沢のほうでも、蔵六に対して致命的な誤解がある。この場でも、

(村田蔵六とは、存外、芝居がかった男だ)

と、おもった。師の遺骸から離れない、というその姿がである。洪庵の遺骸は大座敷の中央にあり、次室からみれば一つの舞台上にあるかのようであった。洪庵と僧がその舞台にいた。その舞台のすみに、蔵六もいる。福沢の感覚でいえば、ずいぶん照れくさい位置であり、それを平気で照れずにいる蔵六の気が知れない。

が、蔵六のほうからいえば、福沢がいやでたまらぬためここにいるのである。

やがて日が暮れるころは、屋敷じゅうが人で満ちた。門人だけで五十人はいたから、百人ばかりの人々が、せまい家にひしめいた。頭取屋敷というのは、西洋医学所に付属した役宅だからせまい。

――そのまま通夜《つや》になった。

と、福沢が自伝にいう。しかしこの暑さはどうであろう。風がなく、人いきれと屋内の狭さとで、息ぐるしいほどであった。

「大坂の適塾の夏をおもいだす」

と、ひとびとはささやきあった。大坂には真夏に夕凪《ゆうなぎ》という現象があって、風がまったくなくなる。適塾の真夏の思い出は、ちょうどこのようであった。

「ところで」

と、福沢は他のことをしゃべっていたが、話題を変えた。

「村田君は長州藩に行ってしまったが、ああいう藩になぜ行ったのだろう」

福沢にいわせると、長州藩は攘夷《じょうい》のおろし問屋のような藩で、世界の大勢ということを知らないわからずやのあつまりである。福沢は攘夷家というものを毛虫のように嫌った。

「馬鹿《ばか》が、もったいなくも馬鹿をおだてている」

と、かつて悪口をいった。長州藩が京都の朝廷に食い入り、世界の西も東もわからぬ公家《くげ》たちをおだてあげ、幕府に対し、通商条約を破棄せよ、即時攘夷（外国人うちはらい）を断行せよ、などと迫っていたことを福沢はいっているのである。この時代、長州藩は藩というよりも政治思想団体の観があり、天下の攘夷浪士が京の長州藩邸を溜《たま》り場所のようにしていた。さらに長州藩は単に政治思想団体だけでなく、それを実行するための軍事活動をはじめたのである。

この五月十日以来、長州藩は下関《しものせき》沿岸砲台に戦闘命令をくだし、海峡を通過する外国艦船を砲撃しはじめたのである。五月十日には米船、同二十三日には仏艦、同二十五日は蘭艦をそれぞれ砲撃し、にわかに日本をめぐる国際環境が緊張しはじめたのである。福沢は、それをいっている。

「村田君も、あぶない藩に仕えたものだ」

と、かねて同窓の箕作秋坪と話していた。さらに蔵六が国もとへの出張を命ぜられたということを福沢はきいて、

「村田は鉄砲玉にあたりゃしないか」

と、そのころ箕作らとうわさをした。福沢の自伝によると、

「あの攘夷の真っ盛りに村田がその中によびこまれては身があぶない。どうか怪我《けが》のないようにしたいものだと、寄るとさわると噂《うわさ》をしていた」

ということになる。その蔵六がいつのまにか江戸にかえってきて、この通夜の席にきている。福沢は、関心をもった。

夜半、福沢が暑さにたまりかね、玄関まで出て式台に腰をおろしていると、蔵六も奥からむっつりした顔で出てきた。

（おや）

と、福沢がおもううち、蔵六は隣へ腰をおろした。まわりの暗さで、蔵六は隣に福沢がいることに気づかない。

「私だよ」

と、福沢がいった。蔵六はウンとうなずいただけである。福沢は、

——君は、いつ長州から帰ってきた。

と、きいた。さぞ危なかったろうという話題をしたかったのである。

「この間、江戸へもどった」

と、蔵六は、玄関のひさし越しにみえる星をながめている。蔵六の容貌のなかでまつげだけが美しく、それが正確な間隔をおいてまたたいている。

「どうだえ、馬関（下関）のあの騒ぎはなにをするつもりか、攘夷ぐるいどもにかかっちゃ、あきれかえって物がいえないじゃないか」

というと、蔵六の瞬《またた》きが、急にとまった。福沢の記憶ではこのとき蔵六は怒気を発したらしい。

「なにが攘夷ぐるいだ」

と、蔵六は福沢の顔をみてひらき直った。

「攘夷のどこがまちがっている」

と、蔵六がいった。これには福沢は天地がひっくりかえるほどおどろいた。適塾出身者には自然と伝統があり、国際環境のなかで日本を考えてゆくという考え方で、要するに開明主義であり、攘夷主義者などは一人もいないと福沢は信じていた。ところが、適塾の先輩でもっともすぐれた一人である村田蔵六が、長州藩に仕えたとたんに攘夷主義者になったらしいのである。が、蔵六にすれば胸中、

(福沢のような軽薄才子に言ってきかせてもわからん)

とおもっていた。人の主義は気質によるものだが、蔵六にとってもこの攘夷という気分は生来のものであった。その固有の気分の上に、かれは自分の理論をうちたてた。攘夷という非合理行動によって、日本人の士魂の所在を世界に示しておく必要がある、というものであった。

蔵六は、中国の事情にやや明るい。中国はそれをしなかったために列強にあなどられ、ついに分けどり同様の目に遭っている。日本も徳川幕府の平身低頭主義では、中国の二ノ舞になるであろう。なるほど日本の兵器は劣っているが、内陸戦になれば幾十万の夷人《いじん》兵が上陸してきても、やがては夷人の負けになるにちがいない。夷人も、内陸戦のこわさを知っている。日本人の性根や本音《ほんね》はどうか、とひそかに窺《うかが》っている。そういういわば睨《にら》みあいのなかで、攘夷の士魂をみせておかねば、日本は列強の植民

地になってしまうであろう。

それが、蔵六の理論であった。

福沢の開明主義と、蔵六の開明的攘夷主義というのは、この日本列島という地理的環境にこの民族が住んでいるかぎり、二つの大きな思潮の流れとしてつづくにちがいない。

が、福沢は目をまるくしてしまっている。

ついでながら、福沢諭吉のこの若い時分というのは、蔵六が感じたような軽薄才子——とまでいってやるのは可哀《かわい》そうだが、そんな匂《にお》いが、たしかにある。もっともこれについては豊前中津の人は一般に調子のいい物言いをするという説もあり、人柄とは無縁のことであろう。

かれは遣米使節の随員の端っくれとして咸臨丸《かんりんまる》で渡米した。咸臨丸出航のさいの幕府の大老は井伊直弼《なおすけ》であったが、帰ってきたときには直弼は江戸城桜田門外ですでに水戸藩士に討たれてこの世になかった。咸臨丸の一行はいわば浦島太郎のようなもので、帰国するまで日本のニュースはなにひとつ知らない。

咸臨丸は、浦賀に帰着した。船中水が不自由で、ひげも月代《さかやき》も伸びほうだいになっている。みな一刻も早く上陸して湯に入りたかった。福沢も同様だった。

さて小舟に乗って上陸してみると、咸臨丸の軍艦奉行（司令官）木村摂津守（芥舟《かいしゅう》）の家来たちが主人を出迎えるため十日も前から浦賀で待っていた。そのうちの島安太郎という用人が、浜辺まで駆けてきた。福沢とまっさきにぶつかったのだが、このとき島が、

「福沢さん、留守中大変なことがあった」

と、井伊直弼の死の一件を言おうとすると福沢は手を振って、

「ちょっと島さん待ってくれ。言うてくれるな私があてて見せよう、大変といえばなんでもこれは水戸の浪士が掃部《かもん》（直弼）様の邸《やしき》にあばれこんだということではないか」

（福翁自伝）

と、ききかえした。島はおどろいた。浪士が井伊の行列を襲ったわけで屋敷にあばれこんだというのはすこし違っているが、それにしても易の名人のようにぴたりと当ててしまっている。島がどうして知ったときくと、

「そのぐらいのことは雲気《うんき》をみればわかるよ」

と、福沢は雲気などという占いじみた言葉をつかったが、要するに彼にいわせると、日本を出発するときの国内の様子から察してどうもその種の騒動が持ちあがりそうだと観察していたという。

「それが偶然中《あた》ったので、まことに面白かった」

と福沢は述懐しているが、かれはそれほどに回転の速い頭脳をもっており、回転のにぶい他人を見るとどうも小馬鹿にしたくなる。さらには自分の思考の回転の速さをつい自慢するところがかれにはあり、青年期にはとくにめだった。蔵六はそれを軽薄とみたのだが、これは互いの肌合いのちがいだからどうにもならない。

蔵六は相手が福沢だから、自分の土くさい攘夷の気持を、どすのきくほどの表情でつい言ってやった。

「われわれはオランダの恩は受けている。しかしそのオランダでさえ、英米仏の大国の尻馬《しりうま》に乗って横柄《おうへい》きわまりない。それを打ち攘《はら》うのは当然であり、防長（周防《すおう》・長門《ながと》、長州藩のこと）の士民はことごとく死に尽しても許しはせぬ、どこまでもやる」

といったから、福沢はいよいよ驚いた。

「大変だ大変だ」

と、福沢はその自伝で述べている。福沢は蔵六のそばからそろりと離れ、箕作秋坪らがあつまっている場所までゆき、そういった。

「村田の剣幕はこれこれの話だ、じつにおどろいた」

と、自伝でいう。福沢の地声は大きい。屋敷は狭くもあって、その声は蔵六の耳まできこえた。

（なにを言やがる）

と、蔵六は玄関の式台に腰をおろしながら、肚《はら》のなかでにがく笑った。

福沢の声が、どんどん聞えてくる。

「村田は元来攘夷を大まじめに唱えるほど馬鹿じゃないはずだが、長州へ行ってから、あの阿呆《あほう》藩の阿呆が伝染《うつ》ったのか、それともかれも長州藩士である手前、仮面をかぶっているのか、どうもあの男の気が知れない」

（なんと大きな声だろう）

蔵六は、ぼんやり星をみつめている。なるほど福沢のいうように、自分は長州へ行ってから攘夷の憑《つ》き神に憑かれたのかもしれないが、しかし日本じゅうが福沢のように訳知りで物わかりが良すぎてしまってはどうなるか。かえって夷人どものあなどりをまねくにちがいなく、国家にはかならずほどほどに排他偏狭の士魂というものが必要なのだ、ともおもった。

福沢の声が急に小さくなって、蔵六の耳にはとどかなくなった。

「村田の気心はもうわからん」

と、福沢はいう。ある種の狂信団体に入信した人物を、他のひとびとがひどく無気味におもうように、福沢も箕作もそう思った。長州藩は藩というよりも思想団体であるということはすでにのべた。福沢は長州ぎらいであった。

「ともかくも、一切あの男の相手になるな」

と、福沢は自伝にいう。

「へたなことを言うと、どんな間違いがおこるかもしれないから、しばらく別ものにしておくがよい」

——しばらく別もの。

というのは、友人仲間から切離してしまうということである。福沢は箕作外の他の友人たちにも言ってまわり、

「村田は変だ、めったな事を言うな、何をするか知れないから」（福翁自伝）

と、ふれておいた。いかにも福沢が軽薄なようであるが、一つには福沢ら洋学開明派には共通の恐怖心があった。ごく土俗的な単純な攘夷家というものがこの当時の攘夷家の九割九分までであり、かれらは洋学者を外国の犬のようにみて、事があれば斬《き》ろうとした。その党派に蔵六が行ってしまった以上、うかつなことを蔵六にしゃべれば、蔵六がそれを同類に告げ口し、その同類が鬼のように駆けだしてきて福沢らを斬ってしまうかもわからない。

——村田は別もの。

という、友人間の村八分に蔵六がなったのは、皮肉にも、かれら若い開明家たちの共通の師である緒方洪庵の通夜の夜からであった。が、その蔵六が幕府をたおして幕軍を掃蕩《そうとう》し、日本の近代化を一気にひらいたというのは、福沢にとってはどうにもわからないことらしい。

（中巻に続く）

「司馬遼太郎記念館」への招待

司馬遼太郎記念館は自宅と隣接地に建てられた安藤忠雄氏設計の建物で構成されている。広さは、約2300平方メートル。2001年11月に開館した。

数々の作品が生まれた自宅の書斎、四季の変化を見せる雑木林風の自宅の庭、高さ11メートル、地下1階から地上2階までの三層吹き抜けの壁面に、資料本や自著本など2万余冊が収納されている大書架、……などから一人の作家の精神を感じ取っていただく構成になっている。展示中心の見る記念館というより、感じる記念館ということを意図した。この空間で、わずかでもいい、ゆとりの時間をもっていただき、来館者ご自身が思い思いにしばし考える時間をもっていただきたい、という願いを込めている。　（館長　上村洋行）

利用案内

所在地　大阪府東大阪市下小阪3丁目11番18号　〒577-0803
TEL　06-6726-3860，06-6726-3859（友の会）
HP　http://www.shibazaidan.or.jp
開館時間　10:00〜17:00（入館受付は16:30まで）
休館日　毎週月曜日（祝日・振替休日の場合は翌日が休館）
特別資料整理期間（9/1〜10）、年末・年始（12/28〜1/4）
※その他臨時に休館することがあります。

入館料

	一般	団体
大人	500円	400円
高・中学生	300円	240円
小学生	200円	160円

※団体は20名以上
※障害者手帳を持参の方は無料

アクセス　近鉄奈良線「河内小阪駅」下車、徒歩12分。「八戸ノ里駅」下車、徒歩8分。
Ⓟ5台　大型バスは近くに無料一時駐車場あり。但し事前にご連絡ください。

記念館友の会　ご案内

友の会は司馬作品を愛し、記念館を支えてくださる会員の皆さんとのコミュニケーションの場です。会員になると、会誌「遼」（年4回発行）をお届けします。また、講演会、交流会、ツアーなど、館の行事に会員価格で参加できるなどの特典があります。

年会費　一般会員3000円　サポート会員1万円　企業サポート会員5万円
お申し込み、お問い合わせは友の会事務局まで
TEL 06-6726-3859　FAX 06-6726-3856

司馬遼太郎著

梟の城

直木賞受賞

信長、秀吉……権力者たちの陰で、凄絶な死闘を展開する二人の忍者の生きざまを通して、かげろうの如き彼らの実像を活写した長編。

司馬遼太郎著

人斬り以蔵

幕末の混乱の中で、劣等感から命ぜられるままに人を斬る男の激情と苦悩を描く表題作ほか変革期に生きた人間像に焦点をあてた7編。

司馬遼太郎著

国盗り物語

（一～四）

貧しい油売りから美濃国主になった斎藤道三、天才的な知略で天下統一を計った織田信長。新時代を拓く先鋒となった英雄たちの生涯。

司馬遼太郎著

燃えよ剣

（上・下）

組織作りの異才によって、新選組を最強の集団へ作りあげてゆく〝バラガキのトシ〟――剣に生き剣に死んだ新選組副長土方歳三の生涯。

司馬遼太郎著

新史 太閤記

（上・下）

日本史上、最もたくみに人の心を捉えた〝人蕩し〟の天才、豊臣秀吉の生涯を、冷徹な史眼と新鮮な感覚で描く最も現代的な太閤記。

司馬遼太郎著

関ケ原

（上・中・下）

古今最大の戦闘となった天下分け目の決戦の過程を描いて、家康・三成の権謀の渦中で命運を賭した戦国諸雄の人間像を浮彫りにする。

司馬遼太郎著

城塞（上・中・下）

秀頼、淀殿を挑発して開戦を迫る家康。大坂冬ノ陣、夏ノ陣を最後に陥落してゆく巨城の運命に託して豊臣家滅亡の人間悲劇を描く。

司馬遼太郎著

果心居士の幻術

戦国時代の武将たちに利用され、やがて殺されていった忍者たちを描く表題作など、歴史に埋もれた興味深い人物や事件を発掘する。

司馬遼太郎著

馬上少年過ぐ

戦国の争乱期に遅れた伊達政宗の生涯を描く表題作。坂本竜馬ひきいる海援隊員の、英国水兵殺害に材をとる「慶応長崎事件」など7編。

司馬遼太郎著

歴史と視点

歴史小説に新時代を画した司馬文学の発想の源泉と積年のテーマ、〝権力とは〟〝日本人とは〟に迫る、独自な発想と自在な思索の軌跡。

司馬遼太郎著

胡蝶の夢（一〜四）

巨大な組織・江戸幕府が崩壊してゆく――この激動期に、時代が求める〝蘭学〟という鋭いメスで身分社会を切り裂いていった男たち。

司馬遼太郎著

項羽と劉邦（上・中・下）

秦の始皇帝没後の動乱中国で覇を争う項羽と劉邦。天下を制する〝人望〟とは何かを、史上最高の典型によってきわめつくした歴史大作。

花《か》　神《しん》（上）

新潮文庫　し-9-17

昭和五十一年八月三十日　発行
平成十四年六月二十日　七十六刷改版
平成三十年十月二十日　百八刷

著者　司《し》馬《ば》遼《りょう》太《た》郎《ろう》

発行者　佐藤隆信
発行所　株式会社新潮社
郵便番号　一六二―八七一一
東京都新宿区矢来町七一
電話　編集部(〇三)三二六六―五四四〇
読者係(〇三)三二六六―五一一一
http://www.shinchosha.co.jp
価格はカバーに表示してあります。
乱丁・落丁本は、ご面倒ですが小社読者係宛ご送付ください。送料小社負担にてお取替えいたします。

印刷・錦明印刷株式会社　製本・錦明印刷株式会社

ISBN978-4-10-115217-2 C0193